ubu

tradução
SEBASTIÃO NASCIMENTO
com colaboração de
RAQUEL CAMARGO

PELE NEGRA, MÁSCARAS BRANCAS

FRANTZ FANON

11 Prefácio
   Fanon, existência, ausência
   Grada Kilomba

21 Introdução

31 1. O negro e a linguagem
57 2. A mulher de cor e o branco
79 3. O homem de cor e a branca
99 4. Sobre o suposto complexo
   de dependência do colonizado
125 5. A experiência vivida do negro
157 6. O negro e a psicopatologia
221 7. O negro e o reconhecimento

235 À guisa de conclusão

245 Posfácio
    Deivison Faustino

TEXTOS COMPLEMENTARES

267 Reconhecimento de Fanon [1965]
Francis Jeanson

293 Introdução à edição inglesa [2017]
Paul Gilroy

311 Sobre o autor

Prefácio
FANON, EXISTÊNCIA, AUSÊNCIA
GRADA KILOMBA

Não irei descrever o trabalho de Fanon, como é comum em prefácios, pois ele mesmo o fará tão brilhantemente nas páginas seguintes. Tenho que confessar que nunca leio o prefácio de um livro; de certa forma irrita-me que alguém escreva sobre o que está escrito. O que irei fazer aqui é contar-vos a curta história de como conheci Frantz Fanon e sua obra *Pele negra, máscaras brancas*.

Estávamos no final dos anos 1990. Lembro-me de percorrer a cidade de Lisboa com um pequeno papel na mão, onde estava escrito um endereço. Era o endereço de uma das minhas professoras de psicanálise freudiana, uma das minhas favoritas. Ela vivia numa zona onde eu nunca tinha estado, uma zona abastada, limpa, com árvores e jardins à beira do passeio, tão diferente de onde eu vivia, na poeirenta e povoada periferia da cidade, onde os prédios cresciam como cogumelos, uns em cima dos outros. Eram dormitórios para onde íamos depois de trabalhar. De manhã cedo, os comboios na linha de Sintra já nos esperavam para nos transportar de volta para o centro da cidade. O caminho demorava uma hora, tanto quanto uma aula de psicanálise.

Eu estava a terminar os meus estudos, a escrever o meu diploma e uns dias antes a professora segredou-me que tinha um livro para me emprestar. Um livro que não existia na biblioteca da universidade, mas que ela tinha trazido de França havia muitos anos quando ela própria era estudante em exílio, durante a ditadura portuguesa, na qual o fascismo e o colonialismo vigoraram ininterruptamente até a Revolução de 25 de abril de 1974.

Este era um livro de que com certeza eu iria gostar, ela disse-me, e escreveu o seu endereço num papel, o dia e a hora em que eu poderia vir.

Dos muitos livros que li na biblioteca, não me recordo de nenhum que tenha sido de grande importância para o meu trabalho. Eu passava horas à procura de palavras, frases ou parágrafos que eventualmente me pudessem dar uma linguagem. Eram recortes, retalhos que eu tentava cuidadosamente incluir na minha escrita. Mas este era um trabalho delicado, pois como é que se pode escrever sobre a *negritude*, num espaço onde não há um único livro escrito por autorxs *negrxs*?

Este princípio da ausência, no qual algo que *existe* é tornado ausente, é uma das bases fundamentais do racismo. As obras de Frantz Fanon existem, mas são ausentes, e por isso deixam de ter existência real. O existente passa a ausente e deixa assim de existir.

Toquei à campainha. Ela abriu e pediu que eu entrasse. Tinha sempre um cigarro na mão e um leve sorriso, doce. Dirigimo-nos a uma sala onde ela fazia as sessões, eu tinha ido durante um intervalo. A sala tinha um sofá vermelho com uma colcha, uma cadeira funda à cabeceira e uma pequena mesa cheia de livros e papéis desarrumados. Na parede oposta, centenas de outros livros. Não tínhamos tempo para nos sentar, ela apenas pegou a obra e colocou-a nas minhas mãos: "Lê!", disse-me. Na capa, o nome *Frantz Fanon*, e o título *Peau noire, masques blancs*.

Este livro acompanha-me até hoje.

Caminhei de volta, a folhear as páginas do livro, que estava escrito em francês, a língua materna de Fanon. Li-o sem parar. Reconheço que ler em francês era quase tão fácil para mim como ler em português. Após a ditadura, com a descolonização de todos os países africanos e com a revolução em Portugal, era obrigatório nas escolas públicas que todas as crianças aprendessem francês e inglês simultaneamente. A educação era um dos maiores projectos nacionais: "O povo não precisa de armas. O povo precisa de letras". Essa era a frase mais comum, grandemente inspirada pelos maiores pensadores decoloniais, como Amílcar Cabral, Patrice Lumumba, Aimé Césaire e também Frantz Fanon.

Eu tinha um pequeno dicionário que às vezes me acompanhava na leitura. Havia sempre uma ou outra palavra que eu precisava de decifrar. Mas o que era extraordinário na escrita de Fanon, e que nenhum dicionário podia traduzir, era o seu estilo literário, que transbordava em conteúdo e significado. Eu nunca tinha lido nada assim, tão brilhante e inteligente. Tão audaz. Tão poderoso. A força da sua escrita era tal que, enquanto eu lia, o meu corpo precisava de voltar à superfície, para um fôlego de ar.

A explosão não ocorrerá hoje. É muito cedo… ou tarde demais.
Não chego armado de verdades categóricas.
Minha consciência não está permeada de fulgurações precípuas.
No entanto, com toda a serenidade, acho que seria bom que certas coisas fossem ditas.
Essas coisas, eu as direi, não as gritarei. Pois há muito o grito saiu da minha vida.[1]

Assim, com apenas 27 anos de idade, Frantz Fanon, nascido em 1925, em Fort-de-France, na Martinica, a terceira maior ilha das Pequenas Antilhas, no Caribe, não longe do Brasil, e ainda hoje um departamento ultramarino francês, começa a introdução do seu livro *Pele negra, máscaras brancas*.

E continua:

Por que escrever esta obra? Ninguém me pediu que o fizesse.
Muito menos aqueles a quem ela se dirige.
E então? Então respondo calmamente que existem imbecis demais neste mundo. E, tendo dito isso, compete a mim demonstrá-lo.[2]

---

1 Ver p. 21 deste volume.
2 Ibid.

Fanon provou-o em 1952. O ano em que esta obra foi publicada em Paris. Provavelmente, eu tinha nas mãos uma dessas edições francesas. Mas sabe-se que no final dos anos 1960 a obra foi traduzida em Portugal, no Porto, e de imediato censurada e eliminada do mercado pelos serviços secretos, não voltando a reaparecer até hoje. A sua circulação durou apenas alguns dias – após ter sido distribuída para leitura, ela foi proibida.

No documento oficial de censura, lê-se: "O autor é negro, comunista [...]. Trata-se duma diatribe contra a civilização ocidental, numa pseudodefesa das civilizações negra, oriental e índia. Para *proibir*". Com o verbo proibir realçado.

Se fizermos as contas, depois da sua primeira tradução em português, esta obra desapareceu durante cerca de cinquenta anos. Tornou-se ausente. E, aqui, temos que nos perguntar: como é que as palavras escritas neste documento e relatório de censura podem permanecer válidas durante tanto tempo? Como é que uma obra como esta pode permanecer "proibida" até hoje? O que é que é proibido em Frantz Fanon? O seu discurso? A sua pele? Ou ambos?

O autor "*negro*" e "comunista" que escreve "contra a civilização ocidental" torna-se proibido exatamente nessa sequência de adjetivos.

Sem se aperceber, a minha professora de psicanálise segredou-me, porque de facto se tratava de um segredo. De algo que a ninguém se deve revelar. Algo censurado, proibido, que se oculta à vista e ao conhecimento. Algo que não deve existir no mundo da *branquitude*. Na biblioteca, Frantz Fanon não existia, e assim eu também não.

Falo de novo sobre existência e ausência.

Afinal, eu era a única estudante negra em todo o instituto de psicologia clínica e psicanálise, numa cidade recheada de várias gerações afrodescendentes, e aquela professora notou. Ela notou o princípio da ausência. O princípio no qual quem existe deixa de existir. E é com este princípio da ausência que espaços *brancos* são mantidos *brancos*, que por sua vez tornam a *branquitude* a norma nacional. A norma e a *normalidade*, que perigosamente indicam quem pode representar a *verdadeira* existência humana. Só uma política de cotas é que pode tornar o ausente existente.

A entrega deste livro talvez não tenha demorado mais do que seis minutos, ou sete, mas foi um momento que mudou radicalmente o meu mundo, sem ela o saber. Pois Frantz Fanon tornou-se o centro de todos os meus trabalhos, tanto literários como artísticos.

Mas Fanon também cometeu um *erro* fatal. Na sua obra ele fala do *homem* como a condição humana. Por vezes o *homem* significa "Frantz Fanon", por vezes "homem *negro*" e às vezes "ser humano". O sujeito do seu livro é *negro* e masculino. Em questão está o status ontológico das mulheres *negras*.

> Rumo a um novo humanismo...
> A compreensão entre os homens...
> Nossos irmãos de cor...
> Creio em ti, Homem...[3]

Muitos autores defendem que Fanon usa o termo *homem* como "uma qualidade fenomenológica da humanidade incluindo o homem e as mulheres". Mas as mulheres *negras* estão incluídas ou excluídas de Fanon, quando ele escreve "O *negro* é um homem *negro*..."? Incluídas ou excluídas quando ele pergunta "O que quer o homem *negro*?".[4] Um facto é que quem tem pouco ou nenhum poder é categorizado assim, na ausência. Na inexistência.

Enquanto as mulheres *brancas* podem ter um status oscilante, isto é, podem ser elas próprias e as *outras* para os homens *brancos*: pois não são homens, mas são brancas. O homem *negro*, que é homem, mas não é branco, não tem acesso ao patriarcado, pois este é definido pela *branquitude* e torna-o o *outro*. A mulher *negra*,

---

3 Ibid.
4 Ibid. Grifos da autora. [N.E.]

não sendo nem *branca* nem homem, neste esquema colonial representa então uma dupla ausência que a torna absolutamente inexistente. Pois ela serve como a *outra* de *outrxs*, sem status suficiente para a Outridade.

Fanon escreve com a linguagem do seu tempo, brilhante e revolucionária. Mas a sua obra também inclui a violência de excluir os géneros e trans-identidades *negrxs* da existência humana. Este é um *erro* que ele nos deixa para ser corrigido. Ou melhor, uma ausência que ele nos deixa para ser ocupada pela nossa existência.

Uns meses depois terminei o meu diploma baseado em Fanon, sobre o *feminismo negro e interseccionalidade*, e nos dez anos seguintes ensinei as obras dele em várias universidades internacionais, da Ghana University, em Acra, à University of Applied Arts, em Viena, à Humboldt-Universität, em Berlim, antes de expandir plenamente o meu trabalho para a encenação e a arte contemporâneas.

E em todas as minhas obras Frantz Fanon parece existir.

Depois de terminar o meu diploma, voltei a tocar à campainha, desta vez sem o papel na mão. Entreguei o livro à minha professora de psicanálise e agradeci, e acho que dessa vez ela entendeu o peso do meu agradecimento de uma nova forma. Agradeço também e acima de tudo a Fanon, que revolucionou o meu mundo, a minha visão e a minha linguagem, e que me incitou a experimentar, corrigir, criar e desobedecer.

E talvez esta seja a obra de que o Brasil mais precisa, neste momento, como eu precisei anos atrás, para desobedecer à ausência e para viver na existência.

Berlim, 22 de outubro de 2020

GRADA KILOMBA nasceu em Lisboa, Portugal, em 1968. Psicóloga e psicanalista, é escritora e artista interdisciplinar. Publicou *Memórias da plantação: episódios de racismo cotidiano* (Rio de Janeiro: Cobogó, 2019).

PELE NEGRA, MÁSCARAS BRANCAS

FRANTZ FANON

INTRODUÇÃO

> *Falo de milhões de pessoas a quem artificiosamente inculcaram o medo, o complexo de inferioridade, o estremecimento, a genuflexão, o desespero, a subserviência.*
>
> AIMÉ CÉSAIRE, *Discurso sobre o colonialismo*

A explosão não ocorrerá hoje. É muito cedo... ou tarde demais.

Não chego armado de verdades categóricas.

Minha consciência não está permeada de fulgurações precípuas.

No entanto, com toda a serenidade, acho que seria bom que certas coisas fossem ditas.

Essas coisas, eu as direi, não as gritarei. Pois há muito o grito saiu da minha vida.

E se fez tão distante...

Por que escrever esta obra? Ninguém me pediu que o fizesse. Muito menos aqueles a quem ela se dirige.

E então? Então respondo calmamente que existem imbecis demais neste mundo. E, tendo dito isso, compete a mim demonstrá-lo.

Rumo a um novo humanismo...

A compreensão entre os homens...

Nossos irmãos de cor...

Creio em ti, Homem...

O preconceito de raça...

Compreender e amar...

De todo lado me acossam e tentam impor a mim dezenas e centenas de páginas. Mas bastaria uma só linha. Uma só resposta e o problema negro seria despojado de sua gravidade.

O que quer o homem?

O que quer o homem negro?[1]

---

[1] No francês, o uso do termo *nègre* para se referir a negros se reveste historicamente, sobretudo em seu emprego como substantivo, de caráter pejorativo de extração colonialista e racista, a despeito dos esforços de intelectuais da Negritude para recuperar o vocábulo e promover um uso de dimensão positiva. O termo corrente sem carga depreciativa para se referir a negros é *noir*.

Por mais que me exponha ao ressentimento de meus irmãos de cor, direi que o negro não é um homem.

Existe uma zona do não ser, uma região extraordinariamente estéril e árida, uma encosta perfeitamente nua, de onde pode brotar uma aparição autêntica. Na maior parte dos casos, o negro não goza da regalia de empreender essa descida ao verdadeiro inferno.

O homem não é só possibilidade de emenda, de negação. Se de fato a consciência é um ato de transcendência, devemos estar igualmente cientes de que essa transcendência é assombrada pelo problema do amor e da compreensão. O homem é um SIM que vibra com as harmonias cósmicas. Desgarrado, disperso, confuso, condenado a ver se dissolverem uma a uma as verdades que elaborou, deve deixar de projetar no mundo uma antinomia que lhe é concomitante.

O negro é um homem negro; isto é, em decorrência de uma série de aberrações afetivas, ele se instalou no seio de um universo do qual será preciso removê-lo.

O problema tem sua importância. Não almejamos nada menos do que libertar o homem de cor de si mesmo. Seguiremos bem lentamente, pois existem dois campos: o branco e o negro.

Interpelaremos com tenacidade as duas metafísicas e veremos que são, amiúde, bastante dissolventes.

Não sentiremos nenhum pesar pelos antigos governantes, pelos antigos missionários. Para nós, quem adora os negros é tão "doente" quanto quem os execra.

No português europeu, o caráter pejorativo de "preto" se evidencia com maior nitidez, provavelmente em razão da experiência colonial recente e do componente colonialista do discurso racista do contexto. No português brasileiro, porém, essa carga pejorativa é menos evidente – se não ausente, de todo modo não dicionarizada – e, em decorrência disso, a tradução optou por não diferenciar os termos de caráter pejorativo ou identitário, preservando o uso de "negro", quer como adjetivo, quer como substantivo, de forma relativamente homogênea, com exceções pontuais em que uma contraposição semântica específica exigia explicitação dos sentidos ou destaque entre parênteses da escolha original do autor. [N.T.]

Em sentido inverso, o negro que deseja branquear sua raça é tão infeliz quanto aquele que prega o ódio ao branco.

O negro não é de jeito nenhum mais amável que o tcheco, e na verdade o que é necessário é libertar o homem.

Este livro deveria ter sido escrito há três anos... Mas àquela altura as verdades nos incendiavam. Hoje elas podem ser ditas sem ardor. Tais verdades não precisam ser jogadas na cara dos homens. Elas não buscam gerar entusiasmo. Desconfiamos do entusiasmo.

Toda vez que se viu o entusiasmo eclodir em algum lugar, ele prenunciava o fogo, a fome e a miséria... E também o desprezo pelo homem.

O entusiasmo é por excelência a arma dos impotentes.

Aqueles que esquentam o ferro para logo o malhar. Nós gostaríamos de esquentar o lombo do homem e partir. Talvez pudéssemos obter o seguinte resultado: o Homem mantendo vivo esse fogo por autocombustão.

O Homem liberto do trampolim constituído pela resistência alheia, escavando a própria carne em busca de um sentido.

Apenas alguns dos que nos lerão serão capazes de desvendar as dificuldades que enfrentamos na redação desta obra.

Num período em que a dúvida cética se arraigou no mundo, em que, nas palavras de um bando de canalhas, já não se pode discernir o sensato do absurdo, é difícil descer a um patamar em que as categorias de sensato e absurdo ainda não são empregadas.

O negro quer ser branco. O branco se empenha em atingir uma condição humana.

Veremos ser elaborada ao longo desta obra uma tentativa de compreensão da relação negro-branco.

O branco está encerrado em sua brancura.

O negro, em sua negrura.

Tentaremos delimitar as tendências desse duplo narcisismo e as motivações às quais ele remete.

No princípio das nossas reflexões, pareceu-nos inoportuno explicitar as conclusões a serem lidas.

Foi unicamente a preocupação de pôr fim a um círculo vicioso que orientou nossos esforços.

É fato: os brancos se consideram superiores aos negros.

Mais um fato: os negros querem demonstrar aos brancos, custe o que custar, a riqueza de seu pensamento, o poderio equiparável da sua mente.

Como escapar disso?

Utilizamos há pouco o termo narcisismo. De fato, acreditamos que apenas uma interpretação psicanalítica da questão negra pode revelar as anomalias afetivas responsáveis pelo edifício complexual. Trabalhamos para uma lise completa desse universo mórbido. Consideramos que um indivíduo deve se inclinar a assumir o universalismo inerente à condição humana. E, ao dizermos isso, contemplamos sem distinção homens como Gobineau ou mulheres como Mayotte Capécia. Mas, para chegar a essa apreensão, é urgente se livrar de uma série de taras, sequelas da fase infantil.

A desgraça do homem, dizia Nietzsche, é ter sido criança.[2] No entanto, não teríamos como esquecer, como dá a entender Charles Odier, que o destino do neurótico está nas mãos dele.

Por mais penosa que possa nos parecer esta constatação, somos obrigados a fazê-la: para o negro, existe apenas um destino. E ele é branco.

Antes de abrir o caso, algumas coisas precisam ser ditas. A análise que realizamos é psicológica. Continua a nos parecer evidente,

---

2 Segundo Matthieu Renault, "ao que parece, Nietzsche nunca disse aquilo que Fanon o faz dizer. A verdadeira fonte é a obra de Simone de Beauvoir *Por uma moral da ambiguidade* [1947] (trad. Marcelo Moraes. Rio de Janeiro: Nova Fronteira, 2005, p. 35): 'A infelicidade do homem, disse Descartes, vem do fato de que ele foi primeiramente uma criança'. Essa fórmula tampouco se encontra em Descartes; é da lavra de Beauvoir, que a repete e a especifica um pouco mais adiante: 'A infelicidade que vem ao homem por ele ter sido uma criança reside, pois, no fato de que sua liberdade lhe foi primeiramente mascarada e de que por toda a sua vida ele conservará a nostalgia do tempo em que ignorava as exigências dela'. (ibid., p. 39)" (apud M. Renault, "Le Genre de la race: Fanon, lecteur de Beauvoir". *Actuel Marx*, v. 55, n. 1, 2014, p. 36). [N.T.]

contudo, que a verdadeira desalienação do negro requer um reconhecimento imediato das realidades econômicas e sociais. Se há um complexo de inferioridade, ele resulta de um duplo processo:
– econômico, em primeiro lugar;
– e, em seguida, por interiorização, ou melhor, por epidermização dessa inferioridade.

Em reação à tendência constitucionalizante do final do século XIX, Freud, por meio da psicanálise, exigiu que se levasse em conta o fator individual. Ele substituiu uma tese filogenética pela perspectiva ontogenética. Veremos que a alienação do negro não é uma questão individual. Além da filogenia e da ontogenia, existe a sociogenia. Num certo sentido, em resposta à exortação de Leconte e Damey,[3] digamos que se trata, neste caso, de um sociodiagnóstico.

Qual é o prognóstico?

A sociedade, ao contrário dos processos bioquímicos, não está imune à influência humana. O homem é aquilo que faz com que a sociedade exista. O prognóstico está nas mãos daqueles que anseiam abalar as carcomidas fundações do edifício.

O negro deve travar a luta nos dois níveis: visto que eles, em termos históricos, se condicionam mutuamente, qualquer libertação unilateral será imperfeita, e o pior erro seria acreditar numa interdependência mecânica entre ambos. Além disso, os fatos resistem a uma inclinação sistemática desse tipo, como mostraremos.

A realidade, ao menos desta vez, exige compreensão total. Uma solução deve ser apresentada tanto no nível objetivo quanto no subjetivo.

E não adianta vir proclamar com ares de "caranguejo-violinista"[4] que o que é necessário é salvar a alma.

---

3 Maurice Leconte e Alfred Damey, *Essai critique des nosographies psychiatriques actuelles*. Paris: Gaston Doin et Cie., 1949.
4 No original, "*crabe-c'est-ma-faute*", numa evocação do autor ao caranguejo da espécie *Uca pugilator*, típico de manguezais e estuários das zonas costeiras atlânticas, que, no Caribe de colonização francesa, é chamado de *semafòt*, *cémafaute*

Somente haverá desalienação genuína na medida em que as coisas, no sentido mais materialista possível, tiverem voltado ao seu lugar.

É de bom-tom introduzir uma obra de psicologia com uma exposição da perspectiva metodológica adotada. Fugiremos à regra. Deixamos os métodos aos botânicos e aos matemáticos. Chega um ponto em que os métodos sofrem reabsorção.

Gostaríamos de nos situar quanto a isso. Tentaremos descobrir as diversas posições adotadas pelo negro diante da civilização branca.

O "selvagem do mato" não será contemplado aqui. É que, para ele, alguns elementos ainda carecem de importância.

Cremos que existe, em virtude da confluência entre as raças branca e negra, o acometimento em massa de um complexo psicoexistencial. Ao analisá-lo, almejamos sua destruição.

Muitos negros não se reconhecerão nas linhas que virão a seguir.

Muitos brancos tampouco.

De minha parte, porém, o fato de me sentir alheio ao mundo do esquizofrênico ou do impotente sexual em nada altera a sua realidade.

As atitudes que me proponho descrever são verdadeiras. Deparei-me com elas incontáveis vezes.

Entre os estudantes, entre os trabalhadores e entre os cafetões do Pigalle e de Marselha, identifiquei o mesmo componente de agressividade e de passividade.

Esta obra é um estudo clínico. Acredito que aqueles que nela se reconhecerem terão dado um passo adiante. Desejo sinceramente levar meu irmão, seja negro, seja branco, a sacudir da maneira mais vigorosa possível a deplorável libré urdida por séculos de incompreensão.

---

ou *c'est ma faute* [a culpa é minha], ou ainda de *crabe violiniste* [caranguejo-violinista], por referência ao tamanho desproporcional de uma de suas pinças em relação às outras, dando a impressão de que a move contra o peito num gesto de penitência ou realizando a flexão do violinista. No Brasil, por razões análogas, os caranguejos do gênero *Uca* também são conhecidos como chama-maré. [N.T.]

A arquitetura do presente trabalho se situa na temporalidade. Todo problema humano exige ser considerado a partir do tempo. O ideal seria que o presente sempre servisse para construir o futuro.

E esse futuro não é o do cosmos, mas sim o do meu século, do meu país, da minha existência. De modo algum devo me propor preparar o mundo que me sucederá. Pertenço irredutivelmente à minha época.

E é para ela que devo viver. O futuro deve ser uma construção constante do homem existente. Essa edificação se vincula ao presente, na medida em que o considero algo a ser superado.

Os três primeiros capítulos tratam do negro moderno. Contemplo o negro atual e tento determinar suas atitudes no mundo branco. Os dois últimos são dedicados a uma tentativa de explicação psicopatológica e filosófica do *existir* do negro.

A análise é sobretudo regressiva.

O quarto e o quinto capítulos se situam num plano fundamentalmente distinto.

No quarto capítulo, critico um trabalho[5] que a meu ver é perigoso. O autor, Octave Mannoni, tem, de resto, consciência da ambiguidade da sua posição. Nisso talvez resida um dos méritos de seu testemunho. Ele tentou expor uma situação. Temos o direito de declarar nossa insatisfação. Temos o dever de mostrar ao autor em que nos distanciamos dele.

O quinto capítulo, que intitulei "A experiência vivida do negro", é importante em mais de um aspecto. Ele mostra o negro confrontado à sua raça. Ficará evidente que não há nada em comum entre o negro desse capítulo e aquele que busca se deitar com a branca. Neste último se percebia o desejo de ser branco. Uma sede de vingança, em todo caso. Ali, pelo contrário, observamos os esforços desesperados de um negro que se empenha em descobrir o sentido da identidade negra. A civilização branca e a cultura europeia impuseram ao negro um desvio existencial. Mostraremos em

---

5 Octave Mannoni, *Psychologie de la colonisation*. Paris: Seuil, 1950.

outra parte que, com frequência, aquilo que é chamado de alma negra é uma construção do branco.

O negro evoluído, escravo do mito negro, espontâneo e cósmico, num dado momento sente que sua raça já não o compreende.

Ou que ele já não a compreende.

Ele então se congratula por isso e, ampliando essa diferença, essa incompreensão, essa desarmonia, nela encontra o sentido de sua verdadeira humanidade. Ou, mais raramente, ele quer pertencer a seu povo. E é com raiva nos lábios e vertigem no coração que mergulha no grande buraco negro. Veremos que essa atitude, tão plenamente bela, rejeita a atualidade e o futuro em nome de um passado místico.

Tendo em vista nossa origem antilhana, nossas observações e conclusões valem apenas para as Antilhas – ao menos no que se refere ao negro *em seu lar*. Um estudo deveria ser dedicado à explicação das divergências entre antilhanos e africanos. Pode ser que o façamos algum dia. Pode ser também que ele se torne desnecessário, o que só nos daria motivo de satisfação.

Capítulo 1

O NEGRO E A LINGUAGEM

Conferimos importância fundamental ao fenômeno da linguagem. É por isso que consideramos necessário este estudo, que deve nos fornecer um dos elementos de compreensão da dimensão *para-outrem* do homem de cor, tendo em mente que falar é existir absolutamente para o outro.

O negro tem duas dimensões. Uma com seu semelhante e outra com o branco. Um negro se comporta de modo diverso com um branco e com outro negro. Que essa cissiparidade seja consequência direta da aventura colonialista, não resta nenhuma dúvida... Que ela alimente sua veia principal no coração das diversas teorias que pretenderam fazer do negro o lento encaminhamento do macaco ao homem, ninguém ousa contestar. São evidências objetivas, que expressam a realidade.

Mas, uma vez percebida essa situação, uma vez compreendida, supõe-se que a tarefa esteja cumprida... Como então não voltar a ouvir, despencando pelos degraus da História, esta voz que diz: "A questão não é mais conhecer o mundo, mas transformá-lo"?

Essa é uma questão terrivelmente premente em nossa vida.

Falar é ser capaz de empregar determinada sintaxe, é se apossar da morfologia de uma ou outra língua, mas é acima de tudo assumir uma cultura, suportar o peso de uma civilização.

Não sendo unívoca a situação, nossa exposição deve refletir isso. Sejam-nos concedidos certos pontos, que, por inaceitáveis que possam parecer de início, acabarão por encontrar nos fatos o crivo de sua exatidão.

O problema que enfrentamos neste capítulo é o seguinte: tão mais branco será o negro antilhano, quer dizer, tão mais próximo estará do homem verdadeiro, quanto mais tiver incorporado a língua francesa. Não ignoramos que essa é uma das atitudes do homem diante do Ser. Um homem que possui a linguagem possui, por conseguinte, o mundo expresso por essa linguagem e implicado por ela. Pode-se ver aonde queremos chegar: existe no domínio da linguagem uma potência extraordinária. Paul Valéry, que sabia disso, fazia da linguagem "o deus na carne esgarrado".[1]

Numa obra ora em preparação,[2] propomo-nos a estudar esse fenômeno.

Por enquanto, gostaríamos de mostrar por que o negro antilhano, quem quer que seja ele, tem sempre que se confrontar com a linguagem. E mais, ampliamos o alcance da nossa descrição e, para além do antilhano, visamos a todo homem colonizado.

Todo povo colonizado – isto é, todo povo em cujo seio se originou um complexo de inferioridade em decorrência do sepultamento da originalidade cultural local – se vê confrontado com a linguagem da nação civilizadora, quer dizer, da cultura metropolitana. O colonizado tanto mais se evadirá da própria selva quanto mais adotar os valores culturais da metrópole. Tão mais branco será quanto mais rejeitar sua escuridão, sua selva. No exército colonial, e especialmente nos regimentos de fuzileiros senegaleses,[3] os oficiais nativos são, antes de mais nada, intérpretes. Servem para transmitir a seus semelhantes as ordens do senhor, gozando eles próprios de certa respeitabilidade.

---

1 Paul Valéry, "La pythie", em *Charmes*. Paris: Gallimard, 1952. [Nossa tradução do verso "Le dieu dans la chair égaré", N.T.]

2 *Le Langage et l'agressivité*. [Apesar de o tema ser retomado diversas vezes ao longo da obra de Fanon, o texto citado não chegou a ser publicado com esse título, N.T.]

3 No original, *tirailleurs sénégalais*. O termo *tirailleur* corresponde a unidades leves da infantaria. A partir do século XIX, o Exército francês formou grande número dessas unidades, compostas de soldados oriundos das colônias do norte da África, da África Subsaariana, da Indochina e até da Córsega. A expressão *tirailleurs sénégalais*, traduzida como "fuzileiros senegaleses", não se refere apenas às unidades de origem senegalesa, mas designa todas as unidades compostas de soldados negros oriundos das colônias subsaarianas no exército colonial, constituindo o principal elemento da chamada "Força Negra" (*Force Noire*) ou "Exército Negro" (*Armée Noire*), empregado desde sua constituição em 1857 até sua dissolução em 1960 nos conflitos mais importantes da história militar moderna da França, incluindo as operações de "pacificação" das colônias, as grandes guerras mundiais e mesmo no pós-guerra, nos conflitos de descolonização na Indochina, na Argélia e em Madagascar. [N.T.]

Existe a cidade, existe o campo. Existe a capital, existe a província. Aparentemente, o problema é o mesmo. Vejamos um lionês em Paris; ele enaltecerá a calma da sua cidade, a beleza inebriante dos cais do Ródano, o esplendor dos plátanos e tantas outras coisas decantadas por pessoas que nada têm a fazer. Se você o encontrar ao retornar de Paris e sobretudo se você não conhece a capital, ele então se esvairá em elogios: a Cidade Luz, o Sena, as *guinguettes*,[4] ver Paris e morrer...

O processo se repete no caso do martinicano. Primeiro em sua ilha: Basse-Pointe, Marigot, Gros-Morne e, do outro lado, a imponente Fort-de-France. Depois, e aí está o ponto essencial, fora de sua ilha. O negro que conhece a metrópole é um semideus. Relato aqui, a propósito, um fato que deve ter marcado meus compatriotas. Muitos antilhanos, após uma estada mais ou menos longa na metrópole, retornam para ser consagrados. Em relação a eles, o nativo, aquele que nunca saiu da toca, o *"bitaco"*,[5] adota a forma mais eloquente de ambivalência. O negro que por algum tempo viveu na França retorna radicalmente transformado. Falando em termos genéticos, diríamos que seu fenótipo sofre uma metamorfose definitiva, absoluta.[6] Desde antes da partida, o que se sente, a se tomar pelo aspecto quase etéreo de seu passo, é que novas forças foram acionadas. Ao encontrar um amigo ou colega, não é mais o amplo gesto do braço que o anuncia: discretamente, nosso "vindouro" faz uma reverência. A voz, normalmente estridente, deixa intuir um movimento interno pontuado por sussurros. Pois o negro sabe que lá, na França, há uma ideia que se faz a seu respeito que se aferrará a ele no Havre ou em Marselha:

---

4 Cabarés populares, geralmente ao ar livre, típicos dos subúrbios parisienses. [N.T.]
5 Termo pejorativo do crioulo martinicano (*kréyol matnik*) para designar um camponês sem instrução. [N.T.]
6 Queremos dizer com isso que os negros que voltam para junto dos seus dão a impressão de ter completado um ciclo, de ter amealhado algo que lhes faltava. Eles voltam literalmente cheios de si.

"Sou matinicano, é a pimeia vez que venho à Fança";[7] ele sabe que aquilo que os poetas chamam de "arrulho divino" (entenda-se, o crioulo) não passa de um meio-termo entre o petit-nègre e o francês.[8] A burguesia nas Antilhas não faz uso do crioulo, exceto no contato com os domésticos. Na escola, o jovem martinicano aprende a desprezar o patoá. Fala-se de *crioulismos*. Algumas famílias chegam a proibir o uso do crioulo e as mães tratam seus filhos de *"tibandes"* quando dele se utilizam:[9]

[7] No original, *Je suis Matiniquais, c'est la pemiè fois que je viens en Fance,* emulando a supressão do erre atribuída aos falantes nativos dos crioulos caribenhos. [N.T.]

[8] Etimologicamente com forte carga pejorativa racial, *petit-nègre* ou *pitinègue* são nomes atribuídos a um pidgin de superstrato francês utilizado entre meados do século XIX e meados do século XX em algumas colônias francesas, sobretudo na África Ocidental, preponderantemente na comunicação entre soldados nativos e oficiais brancos. Por extensão de sentido, o termo era empregado para se referir a outras variantes simplificadas com o intuito de facilitar a comunicação em situações marcadas pela hierarquia racial. Muito de seu vocabulário foi absorvido da terminologia náutica francesa. Sua documentação é precária e foi realizada em grande medida por Maurice Delafosse, administrador colonial que atuou na África Ocidental e que ofereceu uma descrição morfológica e sintática em meras 31 linhas corridas, destacando como seus traços marcantes alguns elementos sintáticos e morfológicos comuns aos crioulos caribenhos: supressão do erre final no infinitivo, empregado para diversos tempos verbais; negação exclusivamente com o *"pas"*; ausência de flexão por gênero ou número; supressão do artigo ou aglutinação deste ao substantivo; utilização do verbo *"gagner"* com o sentido de existir; emprego do advérbio *"là"* como sufixo demonstrativo; utilização da preposição *"pour"* para substituir preposições indicativas tanto de destinação (*"à"*) como de origem (*"de"*). Ver Maurice Delafosse, *Vocabulaires comparatifs de plus de 60 langues ou dialectes parlés à la Côte d'Ivoire et dans les régions limitrophes* (Paris: Ernest Leroux, 1904, pp. 263-65). [N.T.]

[9] Tendo como tradução literal "bandozinho" ou "bandazinha", o termo *tibande* remete aos grupos de crianças que trabalhavam nos canaviais recolhendo os pedaços menores de cana que escapavam dos fardos atados pelas canavieiras. Fanon parece evocar a ironia de usar uma expressão em crioulo para repreender o uso da língua pelas crianças. Cf. David Macey, "Adieu Foulard. Adieu Madras", em Max Silverman (org.), *Frantz Fanon's "Black Skin, White Masks": New Interdisciplinary Essays* (Manchester: Manchester University Press, 2005, p. 18). [N.T.]

Minha mãe querendo um filho memorando

Se a vossa tarefa de história não estiver decorada
não ireis à missa
no domingo
com vossos trajes domingueiros

Esse menino será a vergonha do nosso nome
esse menino será nosso Deus nos acuda

Calai a boca
Já não vos disse que deveis falar francês
o francês da França
o francês do francês
o francês francês[10]

Sim, é preciso que eu me policie em minha elocução, pois é em parte por ela que serei julgado... Com grande desdém, dirão de mim: nem sequer sabe falar francês.

Num grupo de jovens antilhanos, aquele que se exprime bem, que possui o domínio da língua, inspira extraordinário temor; é preciso tomar cuidado com ele, é um quase branco. Na França se diz: falar como um livro. Na Martinica: falar como um branco.

O negro, chegando à França, insurge-se contra o mito do martinicano "que come os erres". Ele se controla e entra efetivamente em conflito aberto com o mito. Cuida não só de rolar os erres, mas de debruá-los. Sondando as mínimas reações dos outros, escutando-se a si mesmo, desconfiando da língua, órgão desgraçadamente preguiçoso, ele se fecha em seu quarto e lê por horas a fio – obstinado em praticar *dicção*.

---

10 Léon-Gontran Damas, "Hoquet", em *Pigments*. Paris: Présence Africaine, 1962 [Paris: Guy Lévis Mano, 1937].

Recentemente, um colega nos contou esta história. Um martinicano, chegando ao Havre, adentrou um café. Com plena confiança, disparou: "Garrrçom, uma gawafa de ceveja!".[11] O que temos aí é uma verdadeira intoxicação. Cioso de não se conformar à imagem do "negro que come os erres", fizera destes um bom estoque, mas se descuidou ao aquinhoar o seu esforço.

Há um fenômeno psicológico que consiste em acreditar numa abertura do mundo na medida em que as fronteiras se rompem. O negro, prisioneiro em sua ilha, perdido em meio a uma atmosfera sem o menor escape, percebe esse apelo da Europa como um respiradouro. Pois, é preciso que se diga, Césaire foi magnânimo – em seu *Diário de um retorno ao país natal*. Essa cidade, Fort-de-France, é realmente rasteira, encalhada. Lá, naquelas ladeiras ensolaradas, "essa cidade achatada – exposta, insensata, inerte, sem fôlego sob o seu fardo geométrico de cruzes recomeçando eternamente, indócil à sua sorte, muda, contrariada de todas as maneiras, incapaz de crescer segundo a seiva dessa terra, tolhida, roída, reduzida, em ruptura de fauna e de flora".[12]

A descrição que Césaire faz dela não é nada poética. É compreensível, pois, que o negro, diante do anúncio de sua inserção na França (como se costuma dizer de alguém que faz sua "inserção no mundo"), se regozije e decida mudar. De resto, sem que haja tematização, ele muda de estrutura independentemente de qualquer atitude reflexiva. Existe na Inglaterra um centro dirigido por [Innes Hope] Pearse e [George Scott] Williamson; é o Centro Peckham. Os autores demonstraram que ocorre nas pessoas casadas uma alteração bioquímica e, ao que tudo indica, teriam detectado a presença

---

11 *"Garrrçon! un vè de biè"*, no original, marcando as alterações na pronúncia da frase *"Garçon, un verre de bière!"*. Na grafia contemporânea dos crioulos caribenhos, o fonema correspondente ao erre duplo é grafado com *w* no início de uma sílaba e tende a ser suprimido ou a se tornar acentuação aguda da vogal anterior. [N.T.]

12 Aimé Césaire, *Diário de um retorno ao país natal* [1939], trad. Lilian Pestre de Almeida. São Paulo: Edusp, 2012, p. 11.

de determinados hormônios no marido de uma mulher gestante. Seria igualmente interessante – e por certo haverá quem possa se encarregar disso – investigar os desequilíbrios humorais bruscos dos negros quando chegam à França. Ou simplesmente estudar, por meio de exames, as modificações ocorridas entre o seu psiquismo de antes da partida e o de um mês após seu estabelecimento na França.

Existe um drama naquilo que se convencionou chamar de ciências humanas. Deve-se postular uma realidade humana padrão e descrever suas modalidades psíquicas, considerando apenas suas imperfeições, ou será que não se deve buscar incansavelmente uma compreensão concreta e sempre nova do homem?

Quando lemos que a partir dos 29 anos o homem não é mais capaz de amar, que é preciso esperar até os 49 para que ressurja sua afetividade, sentimos faltar-nos chão. Só se escapa disso com a condição expressa de formular bem o problema, pois todas essas descobertas, todas essas pesquisas tendem a uma única coisa: fazer com que o homem reconheça que ele não é nada, absolutamente nada, e que precisa dar cabo desse narcisismo que o leva a se sentir diferente dos outros "animais".

O que ali ocorre não é nem mais nem menos que a *capitulação do homem*.

Em suma, agarro o meu narcisismo com as mãos e repudio a abjeção daqueles que querem fazer do homem um mecanismo. Se o debate não for capaz de se abrir para o plano filosófico, isto é, o do requisito fundante da realidade humana, consinto em levá-lo ao da psicanálise, isto é, das "falhas", no sentido em que se diz que um motor tem falhas.

O negro que ingressa na França muda porque, para ele, a metrópole representa o tabernáculo; muda não apenas porque foi de lá que lhe vieram Montesquieu, Rousseau e Voltaire, mas porque é de lá que lhe vêm os médicos, os chefes de departamento, os incontáveis pequenos potentados – do primeiro-sargento "com quinze anos de serviço" ao guarda nascido em Panissières. Há uma espécie de feitiço remoto, e aquele que partirá dentro de uma semana com destino à metrópole cria em torno de si um círculo mágico no qual as palavras Paris, Marselha, Sorbonne, Pigalle representam pedras angulares. Ele parte e a amputação de seu ser desaparece à medida que ganha contornos o costado do navio. Ele lê sua potência, sua mutação, nos olhos daqueles que o acompanharam: "Adeus, madras, adeus, fular...".[13]

Agora que o conduzimos ao porto, deixemos que navegue, voltaremos a vê-lo. Por ora, vamos ao encontro de um dos que retornam. O "desembarcado", desde o seu primeiro contato, se afirma; só responde em francês e muitas vezes deixa de entender o crioulo. Em relação a isso, o folclore nos proporciona uma ilustração. Depois de passar alguns meses na França, um camponês retorna para junto dos seus. Percebendo um implemento agrícola, pergunta ao pai, velho camponês a-quem-não-se-engana: "Como se chama essa coisa?". Como única resposta, seu pai lhe larga a ferramenta em cima dos pés, e a amnésia desaparece. Uma terapêutica singular.

Eis, portanto, um desembarcado. Não entende mais o patoá, fala da Ópera, que ele possivelmente só avistou de longe, mas acima de tudo adota uma atitude crítica em relação aos compatriotas. Diante do acontecimento mais corriqueiro, age como se fosse especial. Ele é aquele que sabe. Identifica-se por sua linguagem. Na Savane, onde se reúnem os jovens de Fort-de-France, o espetáculo é significativo: a palavra de imediato é dada ao desembarcado. Assim que acabam as aulas do liceu e das escolas, eles se reúnem na Savane. Parece que há uma poesia própria a essa Savane. Imaginem um espaço de duzentos metros de comprimento por quarenta de largura, delimitado nas laterais por tamarindeiros carunchados, em cima pelo imenso monumento aos mortos, de uma pátria grata a seus filhos, e embaixo pelo Hotel Central; um espaço torturado de calçamento irregular, de cascalho que rola sob os pés, e, cercados por isso tudo,

---

[13] Alusão à tradicional canção guadalupense "Adieu foulard, adieu madras" ("Adyé foula"), na qual uma jovem pranteia a despedida do namorado branco que a deixou. A composição original é de 1770, com autoria atribuída a François-Claude-Amour de Bouillé, governador de Guadalupe entre 1769 e 1771. [N.T.]

andando para cima e para baixo, trezentos ou quatrocentos jovens que se abordam, se aturam, não, nunca se aturam, e se despedem.
— Tudo bem?
— Tudo bem. E você?
— Tudo bem.
E assim seguimos por cinquenta anos. Sim, essa cidade está lamentavelmente encalhada. Essa vida também.

Eles se encontram e conversam. E se o desembarcado rapidamente faz uso da palavra, é que *se esperava por isso*. Primeiro na forma: o menor erro é percebido e desnudado, e em menos de 48 horas toda Fort-de-France já está sabendo. Não se perdoa a quem ostenta superioridade que falhe em seu dever. Que diga, por exemplo: "Não me foi dado ver na França policiais a cavalo", e ei-lo perdido. Só lhe resta uma alternativa: livrar-se do seu parisianismo ou morrer no pelourinho. Pois não será esquecido; casado, sua mulher saberá que é com a história da pessoa que se casa, e seus filhos terão uma anedota a confrontar e a superar.

De onde vem essa alteração da personalidade? De onde vem esse novo modo de ser? Todo idioma é uma forma de pensar, diziam Damourette e Pichon. E, para o negro recém-desembarcado, a adoção de uma linguagem diferente daquela da coletividade que o viu nascer revela um deslocamento, uma clivagem. O professor Westermann, em *The African To-day*, escreveu que existe um sentimento de inferioridade dos negros que é experimentado sobretudo pelos evoluídos e que eles incessantemente se esforçam para controlar. A maneira utilizada para isso, acrescenta ele, é com frequência ingênua: "Vestir roupas europeias, sejam elas trapos ou a moda mais recente; usar móveis europeus e formas europeias de trato social; adornar a língua nativa com expressões europeias; usar frases empoladas ao falar ou escrever uma língua europeia: tudo isso contribui para uma sensação de igualdade com o europeu e suas realizações".[14]

---

[14] Diedrich Hermann Westermann, *The African To-day and To-morrow* [1934]. London: International Institute of African Languages & Cultures, 1948, p. 163. [N.T.]

Com referência a outros trabalhos e a nossas observações pessoais, gostaríamos de tentar demonstrar por que o negro se posiciona de maneira tão característica diante da língua europeia. Lembremos mais uma vez que as conclusões a que chegaremos se aplicam às Antilhas francesas; não ignoramos, todavia, que os mesmos comportamentos são encontrados no seio de qualquer raça que tenha sido colonizada.

Conheci, e infelizmente ainda conheço, camaradas originários do Daomé ou do Congo que se dizem antilhanos; soube, e sei ainda, de antilhanos que se ofendem se os tomam por senegaleses. É que o antilhano é mais "evoluído" que o negro da África: cabe entender que ele está mais perto do branco; e essa diferença existe não apenas nas ruas e nas avenidas, mas também na burocracia, no exército. Qualquer antilhano que tenha feito o serviço militar em um regimento de fuzileiros conhece esta situação desconcertante: de um lado, os europeus, oriundos das velhas colônias ou originários,[15] do outro, os fuzileiros. Isso me faz lembrar de um dia em que, em pleno combate, a meta era dar cabo de um ninho de metralhadoras. Por três vezes os senegaleses receberam ordem de atacar, e por três vezes foram rechaçados. Então um deles perguntou por que os *toubabs* não entravam em ação.[16] Em momentos como esse, não se sabe mais se alguém é *toubab* ou nativo. Apesar disso, para muitos antilhanos, essa situação não é

---

15 Velhas colônias (*vieilles colonies*) é a expressão adotada para indicar os territórios coloniais do assim chamado Primeiro Império Colonial francês, que se estendeu de 1534 a 1815, abrangendo as possessões da Nova França na América do Norte, das Antilhas francesas, da Guiana Francesa, da Índia Francesa, assim como as feitorias insulares. [N.T.]

16 Toubab é um termo utilizado na África Ocidental para se referir a pessoas de pele branca, excetuando-se árabe-bérberes. Por extensão, é empregado também para aludir a estrangeiros e a africanos que adotam hábitos europeus. Em 1917, foi publicado um estudo etimológico a respeito: M. Delafosse, "De l'Origine du mot *Toubab*", em *Annuaire et mémoires du comité d'études historiques et scientifiques de l'Afrique occidentale française*. Gorée: Imprimerie du Gouvernement Général, 1917, pp. 205-16. [N.T.]

percebida como desconcertante, mas, pelo contrário, como algo perfeitamente normal. Só faltava essa, equiparar-nos a negros! Os originários desprezam os fuzileiros e o antilhano reina sobre toda essa negrada como senhor incontestável. Como caso extremo, relato um fato que é no mínimo cômico: recentemente, conversei com um martinicano que me contou, indignado, que alguns guadalupenses se faziam passar por gente nossa. Mas, acrescentou, logo se percebe o erro, eles são mais selvagens que nós; que fique claro: eles estão mais distantes do branco. Dizem que o negro adora os *palabres*;[17] e quando eu, pessoalmente, pronuncio "*palabres*", imagino um grupo de crianças cheias de alegria, lançando ao mundo chamados despropositados, rouquidos; crianças em plena brincadeira, na medida em que a brincadeira pode ser concebida como iniciação à vida. O negro ama os *palabres*, e não é nada longo o caminho que leva a esta nova proposição: o negro é só uma criança. Os psicanalistas encontram aqui um campo fértil, e logo se deixa escapar o termo *oralidade*.

Mas devemos ir além. O problema da linguagem é crucial demais para que se pretenda apresentá-lo na íntegra. Os notáveis estudos de Piaget nos ensinaram a distinguir os estágios em seu surgimento e os de Gelb e Goldstein nos mostraram que a função da linguagem se distribui em escalões, em graus. Aqui, o que nos interessa é o homem negro em face da língua francesa. Queremos compreender por que o antilhano gosta de falar francês.

Jean-Paul Sartre, em sua introdução a *Anthologie de la poésie nègre et malgache*,[18] diz-nos que o poeta negro se voltará contra

---

17 O termo corresponderia a "palavrório" ou "palra". Por referência às sociedades tradicionais africanas, assume o sentido de reuniões ou assembleias onde têm lugar processos consuetudinários de instrução ou deliberação, de caráter parlamentar ou judicial. Termo derivado do espanhol, é comum de dois gêneros em francês, geralmente empregado no plural. [N.T.]
18 Léopold Sédar Senghor (org.), *Anthologie de la nouvelle poésie nègre et malgache de langue française, précédée de "Orphée noir" par Jean-Paul Sartre*. Paris: PUF, 1948.

a língua francesa, mas isso é enganoso em relação aos poetas antilhanos. Nisso, aliás, somos da mesma opinião que Michel Leiris, que há pouco teve ocasião de escrever a respeito do crioulo:

> Língua popular que, até hoje, todos conhecem mais ou menos, mas que só os analfabetos falam em detrimento do francês, o crioulo parece já fadado a entrar, mais cedo ou mais tarde, em regime de sobrevivência, quando a instrução (por mais lentos que sejam seus avanços, entravados pelo número demasiado restrito de estabelecimentos escolares em toda parte, pela penúria em matéria de acesso público à leitura e pelo nível com frequência demasiado baixo da vida material) tiver se difundido de modo suficientemente amplo nas camadas desfavorecidas da população.

E o autor acrescenta:

> Para os poetas que contemplo aqui, não se trata de modo nenhum de se tornar "antilhano" – no registro do pitoresco do Felibrige –,[19] utilizando uma linguagem hipotecada e, ainda por cima, desprovida de brilho exterior, quaisquer que possam ser suas qualidades intrínsecas, mas sim de afirmar a integridade da própria pessoa em face de brancos imbuídos dos piores preconceitos raciais e cujo orgulho se revela cada vez mais injustificado.[20]

Por mais que exista um Gilbert Gratiant que escreve em patoá, é preciso reconhecer que se trata de algo raro. Acrescentemos, aliás, que o valor poético dessas criações é bastante questionável. Por outro lado, existem verdadeiras obras traduzidas do wolof ou do fula, e acompanhamos com muito interesse os estudos de linguística de Cheikh Anta Diop.

---

19 Associação fundada em 1854 com o intuito de codificar, preservar e promover a língua occitana e difundir a cultura provençal. [N.T.]
20 Michel Leiris, "Martinique, Guadeloupe, Haïti". *Les Temps Modernes*, n. 52, 1950, p. 1347.

Não há nada equiparável nas Antilhas. A língua falada oficialmente é o francês; os professores monitoram de perto as crianças para que o crioulo não seja utilizado. Não trataremos aqui das razões invocadas. Ao que parece, o problema seria o seguinte: nas Antilhas, como na Bretanha, existe um dialeto e existe a língua francesa. Mas isso é enganoso, pois os bretões não se consideram inferiores aos franceses. Os bretões não foram civilizados pelo branco.

Recusando-nos a multiplicar os elementos, incorremos no risco de não definir nosso foco; ora, é importante dizer ao negro que a atitude de ruptura nunca salvou ninguém; e se é verdade que devo me libertar daquele que me sufoca, porque realmente não consigo respirar, permanece a evidência de que é insalubre enxertar num substrato fisiológico (dificuldade mecânica de respiração) um elemento psicológico (impossibilidade de expansão).

O que isso implica? Basicamente o seguinte: quando um antilhano bacharel em filosofia opta por não disputar uma vaga de docente, tendo em vista sua cor, digo que a filosofia nunca salvou ninguém. Quando um outro insiste em me provar que os negros são tão inteligentes quanto os brancos, digo: tampouco a inteligência nunca salvou ninguém, e isso é verdade, pois, se é em nome da inteligência e da filosofia que se proclama a igualdade dos homens, é também em nome delas que se decide pelo extermínio desses mesmos homens.

Antes de prosseguir, parece-nos necessário dizer algumas coisas. Falo aqui, por um lado, de negros alienados (mistificados) e, por outro, de brancos não menos alienados (mistificadores e mistificados). Se existe um Sartre ou um Verdier, o cardeal, para dizer que o escândalo da questão negra já perdura há demasiado tempo, só se pode concluir pela normalidade de sua atitude. Também poderíamos multiplicar referências e citações e demonstrar que, efetivamente, o "preconceito de cor" é uma idiotice, uma iniquidade que deve ser erradicada.

Sartre inicia assim seu "Orfeu negro": "O que esperáveis que acontecesse, quando tirastes a mordaça que tapava estas bocas negras? Que vos entoariam louvores? Estas cabeças que vossos pais haviam dobrado pela força até o chão, pensáveis, quando se reerguessem, que leríeis a adoração em seus olhos?".[21]

Não sei, mas digo que aquele que buscar em meus olhos outra coisa além de um questionamento incessante deverá perder a visão; nem reconhecimento nem ódio. E, se solto um grande grito, de modo algum ele será negro. Não, da perspectiva adotada aqui, não existe questão negra. Ou pelo menos, se existe, os brancos só se interessam por ela por mero acaso. É uma história que se passa na escuridão e será necessário que o sol que transumo ilumine os cantos mais recônditos.

O dr. Henry Laing Gordon, médico do Mathari Mental Hospital, em Nairóbi, escreveu num artigo para o *East African Medical Journal* em 1943: "Um exame altamente técnico de uma série de cem cérebros de nativos normais encontrou indicadores, tanto a olho nu como em microscópicos, de uma nova inferioridade cerebral inerente. Em termos quantitativos, acrescenta ele, essa inferioridade chega a 14,8%" (citado por Sir Alan Burns).[22]

Disseram que o negro conecta o macaco ao homem; ao homem branco, obviamente; e é apenas na página 120 que Sir Alan Burns conclui: "Não podemos, portanto, considerar cientificamente consagrada a teoria de que o homem negro seria inferior ao homem branco ou de que derivaria de uma estirpe distinta". Seria fácil, ademais, demonstrar o absurdo de proposições como: "Nos termos da Escritura, a separação das raças branca e negra se estenderá ao céu como na terra, e os nativos que forem acolhidos no Reino dos Céus se verão conduzidos separadamente para algumas dessas moradas do Pai às quais o Novo Testamento faz menção". Ou então:

---

21 Jean-Paul Sartre, "Orfeu negro", em *Reflexões sobre o racismo*, trad. Jacó Guinsburg. São Paulo: Difusão Europeia do Livro, 1960, p. 105.
22 Alan Burns, *Le Préjugé de race et de couleur: Et en particulier le problème des relations entre les blancs et les noirs*, trad. fr. de Denis-Pierre de Pedrals. Paris: Payot, 1949, p. 112 [*Colour Prejudice: With Particular Reference to the Relationship between Whites and Negroes*. London: G. Allen & Unwin, 1948].

"Somos o povo escolhido, veja a cor das nossas peles, outros são negros ou amarelos em razão dos seus pecados".

Sim, como se vê, invocando a humanidade, o sentimento de dignidade, o amor e a caridade, seria fácil provar ou obter o reconhecimento de que o negro é equiparável ao branco. Mas nosso objetivo é bem diverso: o que queremos é ajudar o negro a se libertar do arsenal complexual que brotou do seio da situação colonial. Louis-Thomas Achille, professor do Lycée du Parc, em Lyon, mencionou numa conferência uma aventura pessoal. Aventura essa universalmente conhecida. Raros são os negros residentes na França que não a tenham vivido. Sendo católico, ele se juntou a uma peregrinação de estudantes. Um padre, ao notar aquele moreno em seu grupo, disse-lhe: "Você sair Grande Savana por quê e vir junto nós?".[23] O interpelado respondeu com toda a cortesia e quem se constrangeu na história não foi o jovem desertor das savanas. Muito se riu desse quiproquó e a peregrinação prosseguiu. Mas, se nos detivéssemos nisso, veríamos que o fato de o padre se comunicar em petit-nègre convida a algumas considerações:

1. "Conheço bem os negros; com eles, é preciso se exprimir devagar, falar da sua terra; saber lidar com eles, essa é a questão. Veja bem…" Não estamos exagerando: dirigindo-se a um negro, o branco se comporta exatamente como um adulto diante de um menino e desata a falar com sorrisos afetados, cochichos, afagos e mimos. Não foi apenas um branco que observamos, e sim centenas; e nossas observações não se limitaram a uma ou outra categoria, mas, valendo-nos de uma atitude fundamentalmente objetiva, quisemos investigar esse fato entre médicos, agentes de polícia, construtores nos canteiros de obras. Alguns nos dirão, esquecendo o nosso objetivo ao fazê-lo, que poderíamos ter voltado nossa atenção para outro lado, que existem brancos que não se encaixam em nossa descrição.

---

23 Em petit-nègre no original, "*Toi quitté grande Savane pourquoi et venir avec nous?*". [N.T.]

Responderemos a esses objetores afirmando que dirigimos nossa crítica aqui aos mistificados e aos mistificadores, aos alienados, e que, se existem brancos capazes de se comportar de forma sensata diante de um negro, é justamente o caso que não pretendemos contemplar. Não é porque o fígado do meu paciente funciona bem que direi: os rins estão saudáveis. Tendo-se verificado que o fígado está normal, abandono-o à sua normalidade, que é o normal, e volto-me aos rins; no caso, os rins estão doentes. Isso quer dizer que, em paralelo às pessoas normais que se comportam sensatamente, de acordo com uma psicologia humana, existe quem se comporte patologicamente, de acordo com uma psicologia desumana. E acontece que a existência desse tipo de pessoa foi determinante para uma série de realidades, para cuja liquidação queremos aqui contribuir.

Falar com os negros dessa forma é ir ao encontro deles, é deixá-los à vontade, é querer se fazer entender por eles, é tranquilizá-los...

Os médicos dos serviços clínicos sabem bem. Sucedem-se vinte pacientes europeus: "Sente-se, senhor... Por que o senhor veio aqui?... O que aflige o senhor?...". Chega um negro ou um árabe: "Pode sentar, meu bom homem... O que é que você tem?... Onde está doendo?". Isso quando não dizem: "Tá com quê?...".[24]

2. Falar petit-nègre a um negro é humilhá-lo, pois ele é "aquele que fala petit-nègre". No entanto, dirão que não há intenção, vontade de humilhar. Pode ser, mas o que é humilhante é justamente essa ausência de intenção, essa complacência, essa indiferença, essa facilidade com que ele é fixado, com que é aprisionado, primitivizado, anticivilizado.

Se aquele que se dirige em petit-nègre a um homem de cor ou a um árabe não reconhece nesse comportamento uma tara, um vício, é porque nunca refletiu. Pessoalmente, ao consultar determinados pacientes, acontece de percebermos o momento em que ocorre o deslize...

---

24 Em petit-nègre no original, *"Quoi toi y en a?"*. [N.T.]

Diante de uma senhora camponesa de 73 anos, débil mental, em pleno processo demencial, subitamente sinto se desfazerem as antenas com as quais toco e por meio das quais sou tocado. O fato de eu adotar uma linguagem apropriada à demência, à debilidade mental; o fato de me "debruçar" sobre essa pobre anciã de 73 anos; o fato de ir ao encontro dela, em busca de um diagnóstico, é o estigma de um refreamento nas minhas relações humanas.

Trata-se de um idealista, dirão. Mas não, os outros é que são pulhas. No que me diz respeito, dirijo-me sempre aos *"bicots"* em francês correto e sempre fui compreendido.[25] Eles me respondem como podem, mas rejeito qualquer complacência paternalista.

— Bom dia, meu amigo! Onde dói? Hein? Deixa ver um pouco? É a barriga? O coração?[26]

... Com o leve sotaque que os hipocondríacos dos serviços clínicos bem conhecem.

A consciência fica tranquila quando a resposta vem nos mesmos moldes. "Viu só? Não era piada. Eles são assim."

No caso oposto, é necessário recolher os próprios pseudópodos e se comportar como homem. Todo o edifício desaba. Um negro que lhe diga "Senhor, de modo algum sou seu bom homem" é algo inaudito no mundo.

Mas é preciso descer ainda mais. Você está em um café, em Rouen ou Estrasburgo, e um velho bêbado por azar se dá conta da sua presença. Rapidamente, ele se senta à sua mesa: "Você africano? Dacar, Rufisque, bordéis, mulheres, café, mangas, bananas...". Você se levanta e vai embora; logo é saudado por uma carrada de impropérios: "Negro imundo, na sua selva você não se fazia de tão importante!".

Octave Mannoni descreveu aquilo que chamou de complexo de Próspero. Voltaremos a tratar dessas descobertas, que nos per-

---

25 *Bicot* é um termo pejorativo e racista para se referir a pessoas de origem magrebina. [N.T.]
26 Em petit-nègre no original, *"Bonjour, mon z'ami! Où y a mal? Hé? Dis voir un peu? Le ventre? Le coeur?"*. [N.T.]

mitirão compreender a psicologia do colonialismo. Mas desde já podemos dizer:

Falar petit-nègre é expressar a seguinte ideia: "Você aí, fique onde está".

Encontro um alemão ou um russo falando mal o francês. Por meio de gestos, tento lhe oferecer as informações que me pede, mas tomo o cuidado de não esquecer que ele tem uma língua própria, um país, e que talvez seja advogado ou engenheiro na sua cultura. Em todo caso, ele é estranho ao meu grupo e suas normas devem ser diferentes.

No caso do negro, nada parecido. Ele não tem cultura, nem civilização, nem esse "longo passado histórico".

Talvez se encontre aí a origem dos esforços dos negros contemporâneos: custe o que custar, provar ao mundo branco a existência de uma civilização negra.

Queira ou não, o negro precisa vestir a libré que lhe impingiu o branco. Observem as revistas ilustradas para crianças, os negros todos têm na boca o "sim, sinhô" ritual. No cinema, a história é ainda mais extraordinária. A maioria dos filmes americanos dublados na França reproduz negros do tipo *"Y'a bon banania"*.[27] Em um desses filmes recentes, *Mergulho no inferno*,[28] via-se um negro, navegando em um submarino, falar o jargão mais clássico que se pudesse imaginar. Aliás, ele era bem negro, seguia na cola dos outros, tremia ao menor sinal de cólera do contramestre e mor-

27 A expressão refere-se ao personagem L'ami Y'a bon, um caricato fuzileiro senegalês sorridente criado em 1915 pelo publicitário Giacomo de Andreis para estampar embalagens e materiais promocionais da marca de achocolatados Banania, acompanhado do slogan *"y'a bon"* ("é bom", em petit-nègre). Amplamente denunciados por suas conotações racistas, personagem e slogan tiveram sua utilização comercial interrompida a partir de 1967 e de 1977, respectivamente. Novos proprietários da marca tentaram resgatar personagem e slogan em 2005, mas enfrentaram forte resistência de movimentos antirracistas, que obtiveram uma medida judicial que fez com que fossem finalmente abandonados em 2011. [N.T.]
28 *Crash Dive*, filme de 1943, dirigido por Archie Mayo, distribuído em versão francesa como *Requins d'acier*. [N.T.]

ria, enfim, no meio da jornada. Estou convencido, porém, de que a versão original não continha essa modalidade de expressão. E mesmo que contivesse, não vejo por que na França democrática, onde 60 milhões de cidadãos são de cor, haveriam de ser dubladas até as imbecilidades do outro lado do Atlântico. É que o negro deve se apresentar de determinada maneira e, do negro de *Sem piedade*[29] – "eu bom operário, nunca mentir, nunca roubar" – à criada de *Duelo ao sol*,[30] é esse estereótipo que encontramos.

Sim, do negro se exige que seja um bom negro; posto isso, o resto vem por si só. Fazê-lo falar petit-nègre é acorrentá-lo à sua imagem, enredá-lo, aprisioná-lo, vítima eterna de uma essência, de uma *aparência* pela qual ele não é responsável. E, obviamente, assim como um judeu que gasta dinheiro sem fazer as contas é suspeito, o negro que cita Montesquieu deve ser vigiado. Que nos entendam: vigiado, na medida em que, com ele, algo se inicia. E, claro, não suponho que o estudante negro pareça suspeito a seus colegas ou professores. Mas fora dos círculos universitários subsiste um exército de imbecis: o importante não é educá-los, e sim levar o negro a não ser escravo de seus arquétipos.

Reconhecemos que esses imbecis são o produto de uma estrutura econômico-psicológica: só que não avançamos além disso.

Quando um negro fala de Marx, a primeira reação é a seguinte: "Nós os educamos e agora vocês se voltam contra seus benfeitores. Ingratos! Decididamente, não se pode esperar nada de vocês". E, além disso, existe este golpe fatal do fazendeiro na África: nosso inimigo é o professor.

O que afirmamos é que o europeu tem uma ideia definida do negro e não há nada mais exasperante do que ouvir: "Desde quando você está na França? Você fala bem o francês".

---

29 *Senza pietà*, filme de 1948, dirigido por Alberto Lattuada e escrito por Federico Fellini, distribuído em versão francesa como *Sans Pitié*. [N.T.]
30 *Duel in the Sun*, filme de 1946, com direção creditada a King Vidor, distribuído em versão francesa como *Duel au soleil*. [N.T.]

Poderiam me responder que isso se deve ao fato de que muitos negros se expressam em petit-nègre. Mas isso seria fácil demais. No trem, você pergunta:

— Desculpe incomodá-lo, senhor. Seria possível me indicar o vagão-restaurante, por favor?

— Sim, meu amigo. Você pega o corredor e vai reto, um, dois, três, é lá.[31]

Não, falar petit-nègre é trancafiar o negro, é perpetuar uma situação conflituosa em que o branco infesta o negro com corpos estranhos extremamente tóxicos. Nada mais sensacional que um negro se expressando de maneira correta, pois, efetivamente, ele assume o mundo branco. Às vezes conversamos com estudantes de origem estrangeira. Se falam mal o francês, o pequeno Crusoé, aliás, Próspero, passa então a se sentir bem à vontade. Ele explica, informa, comenta, repassa as anotações que fizeram. Com o negro, o espanto atinge o seu auge; o que ele fez foi se pôr em pé de igualdade. Com ele, a brincadeira não é mais possível, ele é uma réplica perfeita do branco. É preciso se render à evidência.[32]

Depois de tudo o que acabamos de dizer, é compreensível que a primeira reação do negro seja dizer não àqueles que o tentam definir. É compreensível que a primeira ação do negro seja uma *reação* e, já que ele é avaliado em função de seu grau de assimilação, também é compreensível que o recém-desembarcado só se

---

31 Em petit-nègre no original, "*Oui, mon z'ami, toi y en a prendre couloir tout droit, un, deux, trois, c'est là*". [N.T.]

32 "Conheci negros na Faculdade de Medicina [...] resumindo, eles eram frustrantes; a cor da sua pele devia lhes permitir dar *a nós* a oportunidade de sermos caridosos, magnânimos ou cientificamente benévolos. Eles falharam nesse dever, nessa exigência da nossa boa vontade. Toda a nossa ternura piegas e toda a nossa jeitosa solicitude ficavam encalhadas. Não tínhamos negros para bajular nem tampouco por que os odiar; eles pesavam, com bem pouca variação, o mesmo que nós na balança das pequenas tarefas e das trapaças miúdas do cotidiano." Michel Salomon, "D'un Juif à des nègres". *Présence Africaine*, n. 5, 1948, p. 778.

expresse em francês. É que ele tende a ressaltar a ruptura que a partir daquele ponto se produziu. Ele concretiza um novo tipo de pessoa, que passa então a impor a seus conhecidos, a seus familiares. E à sua velha mãe, que já não o entende mais, fala de suas jalecas, da palhiça desarrumada, da choça...³³ Tudo isso ornamentado com o sotaque apropriado.

Em todos os países existem arrivistas, "aqueles que já não se enxergam", e existem, em oposição a eles, "aqueles que preservam a noção de sua origem". O antilhano que retorna da metrópole se expressa em patoá se quer dar a entender que nada mudou. Isso se percebe no cais, onde parentes e amigos o esperam. Esperam-no não só porque está chegando, mas no sentido de quem espera de tocaia. Basta-lhes um minuto para realizar o diagnóstico. Se aos seus companheiros o desembarcado diz: "Estou muito contente de voltar a estar com vocês. Meu Deus, como faz calor nesta terra, eu seria incapaz de aqui permanecer por muito tempo", já se sabe: é um europeu que está chegando.

Em uma circunstância mais específica, quando estudantes antilhanos se encontram em Paris, duas possibilidades se oferecem a eles:

– ou alentar o mundo branco, isto é, o mundo verdadeiro, e, sendo então utilizado o francês, continua possível a eles contemplarem alguns problemas e tenderem a certo grau de universalismo em suas conclusões;

– ou rejeitar a Europa, "*Yo*",³⁴ e congregar-se por meio do patoá, instalando-se com todo o conforto no que chamaremos de *Umwelt* martinicana;³⁵ queremos assim dizer – e isso se dirige

---

33 Para se referir às peças de roupa, à habitação e ao pequeno comércio, os termos arrolados no original – *liquette*, *bicoque* e *baraque*, respectivamente – são oriundos do linguajar coloquial tipicamente metropolitano. [N.T.]
34 Forma de designar genericamente *os outros* e, mais especificamente, *os europeus*. [Nos crioulos antilhanos, trata-se do pronome pessoal da terceira pessoa do plural, correspondente ao "eles" do português, N.T.]
35 Em alemão no original, com sentido de ambiente ou ambiência. [N.T.]

sobretudo aos nossos irmãos antilhanos – que, logo que um dos nossos companheiros, em Paris ou em qualquer outra cidade que abrigue uma faculdade, experimenta contemplar seriamente um problema, acusam-no de se fazer de importante, e o melhor meio de desarmá-lo é inflectir-se para dentro do mundo antilhano brandindo o crioulo. Deve-se buscar aí uma das razões que explicam tantas amizades arruinadas depois de algum tempo de vida europeia.

Sendo nosso propósito a desalienação dos negros, gostaríamos que percebessem que, toda vez que há incompreensão entre eles em face do branco, o que ocorre é ausência de discernimento.

Um senegalês aprende o crioulo com o intuito de se fazer passar por antilhano: digo que existe alienação.

Os antilhanos que sabem disso multiplicam suas chacotas: digo que ocorre ausência de discernimento.

Como se vê, não estávamos enganados em considerar que um estudo da linguagem do antilhano poderia nos revelar alguns traços do seu mundo. Dissemos no início que existe uma relação de escoramento entre a língua e a coletividade.

Falar uma língua é assumir um mundo, uma cultura. O antilhano que quiser ser branco tanto mais o será quanto mais tiver assumido como seu o instrumento cultural que é a linguagem. Há pouco mais de um ano, em Lyon, após uma conferência na qual eu havia traçado um paralelo entre a poesia negra e a poesia europeia, lembro-me de um colega metropolitano me dizendo calorosamente: "No fundo, você é um branco". O fato de ter estudado por intermédio da língua do branco um problema tão interessante me conferia o estatuto de cidadania.

Historicamente, é preciso entender que o negro quer falar o francês porque é a chave capaz de abrir as portas, que, para ele, há meros cinquenta anos estavam interditadas. Entre os antilhanos que se enquadram na nossa descrição encontramos uma busca por sutilezas, por raridades da linguagem – outro dos tantos meios de atestar para si mesmos uma adequação à cultura.[36] Já dissemos: os oradores antilhanos detêm um poder de expressão que deixaria ofegantes os europeus. Lembro-me de um fato significativo: em 1945, por ocasião das campanhas eleitorais, Aimé Césaire, candidato a deputado, discursava na escola para rapazes de Fort-de-France diante de uma plateia numerosa. No meio da conferência, uma mulher desmaiou. No dia seguinte, um colega, relatando o incidente, comentou-o nos seguintes termos: "*Français a té tellement chaud que la femme là tombé malcadi*" [O francês (a elegância da forma) era tão escaldante que a mulher entrou em transe]. A força da linguagem!

Alguns outros fatos merecem nossa atenção: por exemplo, Charles-André Julien, ao apresentar Aimé Césaire: "um poeta negro, catedrático da universidade...", ou então, por si só, a expressão "grande poeta negro".

Nesses clichês, que parecem responder a uma urgência de bom senso – pois, afinal, Aimé Césaire é negro e é poeta –, existe uma sutileza que se esconde, um nó que persiste. Desconheço quem seja Jean Paulhan, sei apenas que escreve obras muito interessantes; desconheço a idade de Caillois, de sua existência considerando apenas as manifestações com as quais ele de tempos em tempos risca o firmamento. E que não nos acusem de anafilaxia afetiva; o que queremos dizer é que não há razão para que André Breton diga de Césaire: "E é um negro que maneja a língua francesa como nenhum branco hoje em dia é capaz de manejá-la".[37]

---

[36] Ver, por exemplo, a profusão quase inacreditável de anedotas que surgiram com a eleição de certo candidato a deputado. Um jornal imprestável, chamado *Canard déchaîné* [Folhetim furioso], não se conteve até conseguir embrulhar o sr. B. em criulismos eviscerantes. Esse é, de fato, o golpe fatal nas Antilhas: *não sabe se expressar em francês*.
[37] André Breton, "Préface", em A. Césaire, *Cahier d'un retour au pays natal* [1939]. Paris: Présence Africaine, 1956, p. 14.

E, por mais que Breton expressasse a verdade, não vejo onde estaria o paradoxo, onde estaria o ponto a ressaltar, pois, afinal, Aimé Césaire é martinicano e catedrático da universidade.

Mais uma vez encontramos Michel Leiris:

> Se existe entre os escritores antilhanos o desejo de ruptura com as formas literárias ligadas ao ensino oficial, esse desejo, voltado a um futuro mais arejado, não poderia assumir um aspecto folclorizante. Ansiosos acima de tudo para, literariamente, formular a mensagem que lhes seja ínsita e, pelo menos quanto a alguns deles, ser os porta-vozes de uma verdadeira raça de potencialidades ignoradas, desdenham do artifício que representaria para eles, cuja formação intelectual ocorreu de forma quase exclusiva por meio do francês, o recurso a um falar que só poderiam utilizar como algo aprendido.[38]

Mas, retorquirão os negros, é uma honra para nós que um branco como Breton escreva algo assim.

Continuemos...

---

[38] M. Leiris, op. cit.

Capítulo 2

A MULHER DE COR E O BRANCO

O homem é movimento em direção ao mundo e ao seu semelhante. Movimento de agressividade, que gera a sujeição ou a conquista; movimento de amor, entrega de si, estágio derradeiro do que se convencionou chamar orientação ética. Toda consciência parece capaz de manifestar, simultânea ou alternativamente, esses dois componentes. Energicamente, o ser amado trabalhará comigo na assunção da minha virilidade, ao passo que o desejo de merecer a admiração ou o amor do outro tecerá ao largo de toda a minha visão de mundo uma superestrutura valorativa.

Na compreensão dos fenômenos dessa ordem, o trabalho do analista e do fenomenólogo se revela bastante árduo. E, se houve um Sartre para realizar uma descrição do amor fracassado, não sendo *O ser e o nada* outra coisa senão a análise da má-fé e da inautenticidade, o amor verdadeiro, real – desejar para os outros aquilo que se postula para si, quando essa postulação integra os valores permanentes da realidade humana –, continua a exigir a mobilização de instâncias psíquicas fundamentalmente livres de conflitos inconscientes.

Há muito, muito tempo se desvaneceram as últimas sequelas de uma luta descomunal travada contra o outro. Hoje cremos na possibilidade do amor, por isso nos esforçamos para detectar suas imperfeições, suas perversões.

Trata-se, em nosso caso, neste capítulo dedicado às relações entre a mulher de cor e o europeu, de determinar em que medida o amor autêntico seguirá impossível enquanto não forem rechaçados esse sentimento de inferioridade ou essa exaltação adleriana, essa supercompensação, que parecem ser o indicador da *Weltanschauung* negra.[1]

Pois, afinal, quando lemos em *Je suis Martiniquaise* [Sou martinicana]: "Queria ter me casado, mas com um branco. Só que uma mulher de cor nunca é respeitável o bastante aos olhos de

---

1 Em alemão no original, com o sentido de visão de mundo. [N.T.]

um branco. Por mais que a ame. Eu sabia disso",[2] nossa preocupação é bastante legítima. Essa passagem, que de certa forma serve de desfecho para uma enorme mistificação, leva-nos a refletir. Um dia, uma mulher chamada Mayotte Capécia, movida por razões cujos meandros nos parecem insondáveis, escreveu 202 páginas – sua vida – em que se multiplicavam à saciedade as proposições mais absurdas. A entusiástica recepção concedida a essa obra em determinados círculos nos compele a analisá-la. A nosso ver, não resta a menor dúvida: *Je suis Martiniquaise* é uma obra barata, que faz a apologia de um comportamento doentio.

Mayotte ama um branco de quem aceita tudo. É o seu senhor. Ela não demanda nada, não exige nada, a não ser um pouco de brancura em sua vida. E quando, interpelando a si mesma sobre ser ele bonito ou feio, responde apaixonada: "Tudo o que sei é que ele tinha olhos azuis, cabelos loiros, pele clara e que eu o amava", é fácil perceber, ao recolocarmos os termos em seus devidos lugares, que se obtém algo mais ou menos assim: "Eu o amava porque ele tinha olhos azuis, cabelos loiros e pele clara". E nós, que somos antilhanos, sabemos disso perfeitamente bem: como se diz por lá, o negro teme os olhos azuis.

Quando dissemos em nossa introdução que a inferioridade foi historicamente vivida como econômica, não estávamos enganados.

> Certas noites, infelizmente, ele precisava me deixar para cumprir suas obrigações mundanas. Ele ia a Didier, o bairro elegante de Fort-de-France onde vivem os *"békés* da Martinica", que talvez não sejam de raça tão pura, mas são com frequência muito ricos (sabe-se que somos brancos a partir de certa quantidade de milhões), e os *"békés* da França", em sua maioria funcionários ou oficiais.[3]

---

[2] Mayotte Capécia (pseudônimo de Lucette Céranus-Combette), *Je suis Martiniquaise*. Paris: Corrêa, 1948, p. 202.
[3] Grafado *békè* no original, o termo *béké*, de etimologia controversa, tendo cognatos com sentido análogo em axante, bambara e igbo, é utilizado desde

Entre os companheiros de André, que se viram, como ele, impedidos de deixar as Antilhas por causa da guerra, alguns conseguiram mandar vir suas esposas. Eu sabia que André não poderia se manter isolado para sempre. Também aceitava não ser admitida nesse círculo, por ser uma mulher de cor, mas não conseguia deixar de sentir ciúmes. Por mais que ele me explicasse que sua vida íntima era uma coisa, que somente a ele pertencia, e sua vida social e militar era outra, da qual ele não era dono, insisti tanto que um dia ele me levou a Didier. Passamos a noite em uma daquelas mansões que me fascinavam desde a infância, com dois oficiais e suas esposas. Elas me olhavam com uma indulgência que me era insuportável. Senti que havia exagerado na maquiagem, que não estava vestida como devia, que não fazia jus a André, talvez simplesmente por causa da cor da minha pele; enfim, passei uma noite tão desagradável que decidi nunca mais pedir a ele para acompanhá-lo.[4]

É para Didier, bulevar de martinicanos riquíssimos, que se voltam os anseios da bela. E é ela quem diz: somos brancos a partir de certa quantidade de milhões. As mansões do bairro havia muito exerciam fascínio sobre a autora. Aliás, temos a impressão de que Mayotte Capécia quer nos convencer disso: ela nos diz ter conhecido Fort-de-France muito tarde, por volta dos dezoito anos; porém, as mansões de Didier haviam encantado sua infância... Há aqui uma inconsequência que se torna compreensível ao situarmos a trama. É de fato corriqueiro na Martinica sonhar com um tipo de salvação que consiste em se branquear magicamente. Uma mansão em Didier, sua inserção na sociedade lá do alto (a colina de Didier domina a cidade), e com isso vemos concretizada a certeza subjetiva de Hegel. E pode-se ver perfeitamente o lugar que ocuparia na descrição desse comportamento a dialética do

---

o período colonial nas Antilhas francesas para se referir aos brancos locais, descendentes dos colonos europeus. [N.T.]
4 M. Capécia, op. cit., p. 150.

ser e do ter.⁵ Contudo, não é esse ainda o caso de Mayotte. "Fizeram sua cabeça." As coisas começam a se encaixar... É por ser uma mulher de cor que não a toleram nesses círculos. É com base em sua afetação que será elaborado o ressentimento. Veremos por que o amor é proibido às Mayottes Capécias de todos os países. Pois o outro não me deve permitir realizar fantasias infantis: pelo contrário, ele deve me ajudar a superá-las. Encontramos na infância de Mayotte Capécia uma série de traços que ilustram a linha mestra da autora. E toda vez que houver um movimento, um abalo, será sempre por referência direta a esse norte. Parece, na verdade, que o branco e o negro representam para ela os dois polos de um mundo, polos em constante luta: uma verdadeira concepção maniqueísta do mundo; a palavra foi lançada, é preciso lembrar – branco ou negro, eis a questão.

Sou branco, quer dizer que tenho comigo a beleza e a virtude, que jamais foram negras. Sou da cor do dia...

Sou negro, corporifico uma fusão plena com o mundo, uma compreensão simpática da terra, uma perda do meu eu no âmago do cosmos, e o branco, por mais inteligente que seja, seria incapaz de compreender Armstrong e os cantos do Congo. Se sou negro, não é em decorrência de uma maldição, mas sim porque, tendo estirado a minha pele, consegui captar todos os eflúvios cósmicos. Sou realmente uma gota de sol sob a terra...

E prossegue-se num corpo a corpo com a própria negrura ou com a própria brancura, em pleno drama narcisista, cada um enclausurado em sua particularidade, embora haja, de tempos em tempos, alguns lampejos, ameaçados, porém, em seu nascedouro.

Já de início, foi assim que o problema se apresentou a Mayotte – aos cinco anos de idade e na terceira página de seu livro: "Ela tirava seu tinteiro da carteira e com ele regava-lhe a cabeça". Era o seu modo peculiar de transformar os brancos em negros. Mas logo se deu conta de que seus esforços eram em vão; e, além disso, havia

---

5 Gabriel Marcel, *Être et avoir*. Paris: Aubier, 1935.

Loulouze e sua mãe, que lhe disseram que a vida para uma mulher de cor era difícil. Então, sendo incapaz de pretejar, sendo incapaz de enegrecer o mundo, ela tentaria, em seu corpo e em seu pensamento, embranquecê-lo. Começa por se tornar lavadeira: "Eu cobrava caro, mais caro que noutros lugares, mas trabalhava melhor, e, como as pessoas de Fort-de-France gostam de roupa limpa, elas vinham a mim. Por fim, elas se gabavam do branco da Mayotte".[6]

Lamentamos que Mayotte Capécia não nos tenha confiado seus sonhos. Assim, o contato com seu inconsciente teria sido facilitado. Em vez de se reconhecer plenamente negra, ela torna o fato mero acaso. Acaba descobrindo que sua avó era branca:

> Estava orgulhosa daquilo. Obviamente, eu não era a única a ter sangue branco, mas uma avó branca era menos corriqueiro do que um avô branco.[7] Então minha mãe era uma mestiça? Deveria ter suspeitado

---

[6] M. Capécia, op. cit., p. 131.

[7] Sendo senhor e, mais basicamente, macho, o branco pode se dar ao luxo de dormir com muitas mulheres. Isso vale para todos os países e tanto mais nas colônias. Mas uma branca que aceita um negro é algo que automaticamente se reveste de uma dimensão romântica. Existe entrega e não estupro. Com efeito, nas colônias, mesmo sem que houvesse matrimônio ou coabitação entre brancos e negros, o número de mestiços era extraordinário. É que os brancos dormiam com suas criadas negras. O que nem por isso justifica esta passagem de Mannoni: "Assim, uma parte de nossas tendências nos impeliria muito naturalmente na direção dos tipos mais exóticos. Não é apenas uma miragem literária. Não se tratava de literatura, e a miragem era, sem dúvida, tênue quando os soldados de Gallieni escolheram companheiras mais ou menos temporárias entre as jovens *ramatoa* ["madame", em malgaxe]. Na verdade, esses primeiros contatos não acarretaram nenhuma dificuldade. Isso se devia em parte ao fato de que a vida sexual dos malgaxes era sadia e praticamente livre de manifestações complexuais. Mas isso prova também que os conflitos raciais se elaboram pouco a pouco e não eclodem espontaneamente" (*Psychologie de la colonisation*. Paris: Seuil, 1950, p. 110). Não exageremos. Quando um soldado das tropas conquistadoras dormia com uma jovem malgaxe, sem dúvida inexistia de sua parte qualquer respeito pela alteridade. Os conflitos raciais não vieram depois, eles coexistiam. O fato de que colonos brancos argelinos

disso ao ver sua pele clara. Eu a via mais linda do que nunca, e mais fina e mais distinta. Se ela tivesse se casado com um branco, quem sabe eu não seria plenamente branca?... E quem sabe a vida não teria sido menos difícil para mim?... Eu sonhava com essa avó que não cheguei a conhecer e que morreu por ter amado um homem de cor martinicano... Como poderia uma canadense amar um martinicano? Eu, que ainda pensava no sr. Pároco, decidi que somente seria capaz de amar se fosse um branco, um loiro de olhos azuis, um francês.[8]

Estamos precavidos, é à lactificação que tende Mayotte.[9] Pois, afinal, é preciso branquear a raça; isso é algo que todas as martinicanas sabem, dizem, repetem. Branquear a raça, salvar a raça, mas não no sentido que se poderia supor: não para preservar "a originalidade do pedaço de mundo em cujo seio elas cresceram", e sim para garantir sua brancura. Sempre que quisemos analisar determinados comportamentos, não conseguimos evitar o surgimento de fenômenos nauseantes. É extraordinária a quantidade de frases, provérbios, diretrizes básicas que regem a escolha de um namorado nas Antilhas. A questão é não voltar a se afundar no meio da negrada, e toda antilhana fará um esforço, em seus flertes ou em seus casos, para eleger o menos negro. Por vezes, para justificar um mau investimento, ela se vê obrigada a invocar argumentos como: "Fulano é negro, mas a miséria é mais negra que ele". Conhecemos

---

dormem com suas criadas de catorze anos de modo algum é prova da ausência de conflitos raciais na Argélia. Não, o problema é mais complicado – e Mayotte Capécia tinha razão: era uma honra ser filha de uma mulher branca. Isso mostrava que ela não era uma filha "na moita" [*en bas-feuille*]. (Esse termo é reservado a todos os rebentos dos *békés* da Martinica; é sabido que costumam ser muitíssimos: reputa-se que [Eugène] Aubéry, por exemplo, teria tido perto de cinquenta.)
8 M. Capécia, op. cit., p. 59.
9 Termo cunhado por Fanon com o sentido de branqueamento racial, corporificado na ideia da rejeição de si mesma pela mulher de cor e por sua predisposição a assumir a identidade branca a reboque da relação, geralmente sexual, com um ou mais homens brancos. [N.T.]

diversas conterrâneas, estudantes na França, que nos confessaram com candura, uma candura toda branca, que seriam incapazes de se casar com um negro. (Ter conseguido escapar e então voltar a isso de livre vontade? Ah, não! Obrigada.) Na verdade, acrescentavam, não é que questionemos o valor dos negros, mas, você sabe, é melhor ser branco. Recentemente, conversamos com uma delas. Já sem fôlego, jogou-nos na cara: "De mais a mais, se Césaire reivindica tanto a sua cor negra, é por sentir o peso de uma maldição. Por acaso os brancos reivindicam a deles? Há em cada um de nós uma potencialidade branca, alguns preferem ignorá-la ou simplesmente a invertem. De minha parte, por nada no mundo eu aceitaria me casar com um negro". Atitudes como essa não são raras, e precisamos confessar nossa preocupação, pois essa jovem martinicana, dentro de poucos anos, obterá sua licenciatura e passará a dar aulas em alguma instituição de ensino nas Antilhas. É fácil adivinhar o que se produzirá a partir daí.

Um trabalho colossal está à espera do antilhano que tiver previamente submetido ao crivo da objetividade os preconceitos que carrega consigo. Ao iniciarmos esta obra, concluída ao final de nossos estudos médicos, pretendíamos defendê-la como tese [de exercício]. E, por fim, a dialética exigiu que assumíssemos posições ainda mais resolutas. Por mais que nos dedicássemos, em certa medida, à alienação psíquica do negro, não podíamos deixar de contemplar alguns elementos que, por mais psicológicos que fossem, engendravam efeitos relacionados a outras ciências.

Toda experiência, sobretudo se ela se revela infecunda, deve entrar na composição do real e, desse modo, ocupar um espaço na reestruturação desse real. Isso quer dizer que, com suas taras, suas falhas, seus vícios, a família europeia, patriarcal, em estreito vínculo com a sociedade que conhecemos, produz cerca de três em cada dez neuróticos. A questão é construir, com apoio em dados psicanalíticos, sociológicos e políticos, um novo ambiente parental, capaz de reduzir ou mesmo suprimir a parcela de dejetos, no sentido antissocial do termo.

Ou seja, é necessário saber se a *basic personality* [personalidade de base] é um dado ou uma variável.

Todas essas mulheres de cor frenéticas, à procura do branco, à espera. E, certamente, qualquer dia se surpreenderão por não querer mais voltar, pensarão "numa noite maravilhosa, com um amante maravilhoso, um branco". Talvez também se deem conta algum dia de que "os brancos não se casam com uma mulher negra". Mas esse risco elas aceitaram correr, pois aquilo de que precisam é a brancura a qualquer preço. Por que motivo? Nada mais elementar. Eis aqui uma anedota que capta o espírito:

> Um dia, São Pedro vê chegarem à porta do paraíso três homens: um branco, um mulato e um negro.
> — O que deseja? — pergunta ao branco.
> — Dinheiro.
> — E você? — dirige-se ao mulato.
> — A glória.
> E, ao se virar para o negro, este lhe esclarece com um sorriso largo:[10]
> — Vim trazer a bagagem destes senhores.

Recentemente, [René] Étiemble relatou uma de suas desilusões: "Meu espanto, como adolescente, quando uma amiga minha, que me conhecia, se levantou indignada ao me ouvir dizer-lhe, numa situação em que esta era a palavra adequada e a única que con-

---

10 O sorriso do negro, o *grin*, parece ter chamado a atenção de muitos escritores. Eis o que diz a respeito Bernard Wolfe: "Gostamos de representar o negro sorrindo com todos os dentes. E seu sorriso, tal como o vemos – tal como o criamos –, significa sempre uma dádiva".

Dádivas sem fim, derramando-se pelos cartazes, pelas telas do cinema, pelos rótulos dos produtos alimentícios... O negro oferece à madame os novos "tons crioulo-escuro" para suas meias de puro náilon, graças à Casa Vigny, seus frascos "grotescos", "contorcidos", de água-de-colônia de Golliwogg e de perfumes. Cera para calçados, roupa branca como a neve, camas mais baixas e confortáveis em sua cabine de trem, transporte rápido de bagagens; *jazz*

vinha: 'Você, que é negra'. 'Eu? Negra? Você não vê que sou quase branca? Eu detesto os negros. Os negros fedem. São sujos, preguiçosos. Não me fale nunca mais de negros.'".[11]

Conhecemos outra que possuía uma lista de boates parisienses "onde não há risco de encontrar negros".

A questão é saber se é possível para o negro superar seu sentimento de inferioridade, expulsar de sua vida o caráter compulsivo que tanto o aproxima do comportamento fóbico. No negro existem uma exacerbação afetiva, uma raiva por se sentir pequeno e uma incapacidade para qualquer comunhão que o confinam em uma insularidade intolerável.

Ao descrever o fenômeno da retração do ego, Anna Freud escreveu:

> Como método para evitar a "dor", a restrição do ego, à semelhança das várias formas de negação, não se inclui no capítulo da psicologia da neurose, pois é um estágio normal na evolução do ego. Quando o ego é jovem e plástico, sua retirada de um campo de atividade é por vezes compensada pela excelência em outro, em que passa a concentrar-se. Mas, quando se tornou rígido ou já adquiriu uma intolerância à "dor", pelo que se fixa obsessivamente no método de fuga, tal retirada é punida por um desenvolvimento defeituoso. Ao abandonar uma po-

---

jitterbug, *jive*, comédias, e os contos maravilhosos de Br'er Rabbit (Compadre Coelho [também chamado de Coelho Quincas e Coelho Brer]) para a alegria dos pequeninos. O serviço prestado com o sorriso de sempre... "Os negros, escreveu um antropólogo,* são mantidos em sua atitude obsequiosa por meio das sanções extremas do medo e da força, e isso é bem sabido tanto pelos brancos como pelos negros. Mesmo assim, os brancos exigem que os negros se mostrem sorridentes, diligentes e amigáveis em todas as suas relações com eles." Cf. Bernard Wolfe, "L'Oncle Rémus et son lapin" (*Les Temps Modernes*, n. 43, 1949, p. 888). * Geoffrey Gorer, *The Americans*: *A Study in National Character*. London: The Cresset Press, 1948.

11 René Étiemble, "Sur le *Martinique* de Michel Cournot". *Les Temps Modernes*, n. 52, 1950, pp. 1502–12.

sição após a outra, torna-se unilateral, perde demasiados interesses e só pode apresentar realizações medíocres.[12]

Compreendemos agora por que o negro não é capaz de se satisfazer em sua insularidade. Para ele, só existe uma porta de saída e ela se abre para o mundo branco. Daí essa preocupação permanente em atrair a atenção do branco, esse anseio de ser poderoso como o branco, essa vontade resoluta de adquirir as propriedades de revestimento, isto é, a parcela de ser ou de ter que entra na constituição de um ego. Como dizíamos há pouco, é pelo interior que o negro tentará alcançar o santuário branco. A atitude se refere à intenção.

A retração do ego como processo de defesa bem-sucedido é impossível ao negro. Ele precisa de uma sanção branca.

Em plena euforia mística, salmodiando um cântico encantador, Mayotte Capécia tem a impressão de ser um anjo e de alçar voo "toda rosa e branca". Existe, contudo, este filme, *Mais próximo do céu (The Green Pastures)*,[13] em que os anjos e Deus são negros, porém, isso chocou terrivelmente nossa autora: "Como imaginar Deus com os traços de um negro? Não é assim que imagino o paraíso. Mas, seja como for, não passa de um filme americano".[14]

Não é possível, o Deus bom e misericordioso não pode ser negro, ele é um branco de bochechas bem rosadas. Do negro ao branco, essa é a linha de mutação. A pessoa é branca da mesma forma como é rica, da mesma forma como é bela, da mesma forma como é inteligente.

Contudo, André partiu para outros céus levando a *mensagem branca* a outras Mayottes: pequenos genes esplêndidos de olhos azuis, pedalando ao longo dos corredores cromossômicos. Mas, como bom branco, deixou instruções. Disse do filho que tiveram:

---

12 Anna Freud, *O ego e os mecanismos de defesa* [1936], trad. Francisco F. Settineri. Porto Alegre: Artmed, 2006, p. 77.
13 Filme de 1936, dirigido por Marc Connelly e William Keighley. [N.T.]
14 M. Capécia, op. cit., p. 65.

"Você haverá de educá-lo, de lhe falar de mim e de lhe dizer: seu pai era um homem superior, você deve trabalhar para se tornar digno dele".[15]

E a dignidade? Já não lhe seria necessário conquistá-la, ela agora estava entretecida no labirinto das suas artérias, arraigada nas suas pequenas unhas rosadas, bem encravada, bem branca.

E o pai? Eis o que diz Étiemble sobre ele: "Um belo espécime do gênero; ele falava da família, do trabalho, da pátria, do bom Pétain e do bom Deus, o que lhe permitia engravidá-la segundo as regras. Deus fez de nós Seu instrumento, dizia o belo canalha, o belo branco, o belo oficial. Logo depois, livro-me de você segundo as mesmas regras petainistas e santarronas".

Antes de encerrarmos com aquela de que o senhor branco está "praticamente morto" e de que ele se faz cortejar por mortos, num livro em que se esparramam coisas lamentavelmente mortas, gostaríamos de rogar à África que nos delegasse um mensageiro.[16]

---

15 Ibid., p. 185.
16 Após *Je suis Martiniquaise*, Mayotte Capécia escreveu outra obra: *La Négresse blanche* [A negra branca]. Deve ter-se dado conta dos erros cometidos, pois se percebe uma tentativa de revalorização do negro. Mas Mayotte Capécia não contava com o próprio inconsciente. Sempre que dá um pouco de liberdade a seus personagens, é para afligir o negro. Todos os negros que descreve são, de algum modo, crápulas, ou então *"Y'a bon banania"*.

Além disso, e já prenunciando o futuro, podemos afirmar que Mayotte Capécia se afastou definitivamente de seu país. Em suas duas obras, resta apenas uma atitude à heroína: partir. Esse país de negros é decididamente maldito. De fato, há uma maldição que paira em torno de Mayotte Capécia. Mas ela é centrífuga. Mayotte Capécia foragiu-se.

Que não estufe mais o processo com o peso de suas imbecilidades.

Vá em paz, ó espalhafatosa romancista… Mas saiba que, do lado de lá das suas quinhentas anêmicas páginas, seremos ainda capazes de achar o caminho sincero que leva ao coração.

E isso, apesar de você.

Ela não nos faz esperar; é Abdoulaye Sadji quem, com *Nini*,[17] nos oferece uma descrição do que pode ser o comportamento dos negros diante dos europeus. Como dissemos, existem negrófobos. Mas não é o ódio ao negro que os impele; eles não têm essa coragem, ou não a têm mais. O ódio não está dado, precisa ser conquistado a todo instante, precisa ser alçado ao ser, em conflito com complexos de culpa mais ou menos assumidos. O ódio pede para existir e aquele que odeia deve manifestar esse ódio por meio de atos, de um comportamento adequado; em certo sentido, deve tornar-se *ódio*. Foi por isso que os americanos substituíram a discriminação pelo linchamento. Cada um do seu lado. Não nos surpreende, portanto, que haja nas cidades da África Negra (Francesa?) um bairro europeu. A obra de Mounier *L'Éveil de l'Afrique noire* [O despertar da África Negra][18] já nos havia chamado a atenção, mas aguardávamos impacientes uma voz africana. Graças à revista de Alioune Diop,[19] tivemos condições de coordenar as motivações psicológicas que movem os homens de cor.

Há, nesta passagem, no sentido mais religioso do termo, um arrebatamento:

> O sr. Campian é o único branco de Saint-Louis que frequenta o Saint-Louisien Club,[20] homem de certa posição social, já que é engenheiro [formado pela Escola Nacional] de Pontes e Estradas e subdiretor de Obras Públicas no Senegal. É tido como bastante negrófilo, mais negrófilo que o sr. Roddin, professor do Liceu Faidherbe que, em pleno Saint-Louisien Club, proferiu uma conferência sobre a igualdade das raças.

---

17 Abdoulaye Sadji, "Nini". *Présence Africaine*, n. 1, 1947, pp. 89–110; *Présence Africaine*, n. 2, 1948, pp. 276–98; *Présence Africaine*, n. 3, 1948, pp. 485–504; *Présence Africaine*, n. 4, 1948, pp. 647–66.
18 Emmanuel Mounier, *L'Éveil de l'Afrique noire* [1948]. Paris: Presses de la Renaissance, 2007. [N.T.]
19 *Présence Africaine*. [N.T.]
20 Clube onde se reúne a juventude nativa. Logo em frente, situa-se o clube civil, exclusivamente europeu.

A maior bondade de um ou do outro é sempre objeto de discussões acaloradas. Em todo caso, o sr. Campian é mais assíduo no clube, onde teve a chance de conhecer nativos muito corretos e atenciosos para com ele; que o estimam e se sentem honrados por sua presença junto deles.[21]

O autor, que é professor na África Negra, é grato ao sr. Roddin por essa conferência sobre a igualdade das raças. Consideramos escandalosa essa situação. São compreensíveis as queixas feitas a Mounier pelos jovens nativos que ele teve a oportunidade de encontrar: "É de europeus como o senhor que precisávamos aqui". Sente-se a todo instante que o fato de o negro encontrar um *toubab* compreensivo representa uma nova esperança de entendimento.

Analisando algumas passagens do romance de Abdoulaye Sadji, tentaremos capturar instantâneos das reações da mulher de cor diante do europeu. Já de saída, temos a negra e a mulata. A primeira tem uma só possibilidade e um só anseio: branquear-se. A segunda quer não apenas se branquear, mas também evitar regredir. Com efeito, pode haver algo mais ilógico do que uma mulata que se casa com um negro? Pois é preciso entender de uma vez por todas, trata-se de salvar a raça.

Daí o enorme desassossego de Nini: não é que um negro teve a audácia de pedi-la em casamento? Um negro chegou ao ponto de lhe escrever:

> O amor que lhe ofereço é puro e robusto, não tem de maneira nenhuma o caráter de uma ternura intempestiva, feita para acalentá-la com mentiras e ilusões... Gostaria de vê-la feliz, plenamente feliz, num ambiente que combine com os seus encantos, que creio ser capaz de reconhecer... Considero uma honra insigne e a mais desmedida felicidade tê-la em minha casa e devotar-me a você de corpo e alma. Suas dádivas cintilarão no seio do meu lar e lançarão luz sobre os cantos que viviam na sombra... Além do mais, eu a considero evoluída demais e delicada o

---

21 A. Sadji, "Nini". *Présence Africaine*, n. 2, 1948, p. 280.

suficiente para que seja capaz de recusar com crueldade esta oferta de um amor fiel, preocupado tão somente em fazê-la feliz.[22]

Essa última frase não deve nos surpreender. É de praxe a mulata rejeitar impiedosamente o negro pretensioso. Mas, como ela é "evoluída", deve evitar ver a cor do enamorado para dar importância apenas à sua fidelidade. Ao descrever Mactar, Abdoulaye Sadji escreveu: "Idealista e partidário convicto de um progresso infinito, ainda acredita na sinceridade dos homens, na sua lealdade, e assume de boa vontade que em tudo somente o mérito deve triunfar".[23]

Quem é Mactar? É um jovem bacharel, contador nas Companhias Fluviais, que corteja uma datilógrafa modesta e tola, mas que possui o valor mais incontestável: ela é quase branca. Haverá, pois, desculpas a pedir pela liberdade tomada de escrever uma carta: "A grande audácia, possivelmente a primeira que um negro tenha ousado cometer".[24]

Há que se desculpar por ousar propor um amor negro a uma alma branca. Encontramos isso também em René Maran: esse temor, essa timidez, essa humildade do negro nas relações com a branca, ou, em todo caso, com uma que seja mais branca que ele. Assim como Mayotte Capécia aceita tudo do amo André, Mactar se torna escravo da mulata Nini. Disposto a vender sua alma. Mas o que aguarda esse insolente é uma inadmissibilidade sumária. A mulata considera a carta um insulto, um ultraje à sua honra de "moça branca". Esse negro é um imbecil, um bandido, um bárbaro que precisa de uma lição. Ela haverá de dar-lhe essa lição; haverá de ensiná-lo a ser mais decente e menos audacioso; haverá de fazer com que entenda que as "peles brancas" não são para os "*bougnouls*".[25]

22 Ibid., p. 286.
23 Ibid., pp. 281–82.
24 Ibid., p. 281.
25 Ibid., p. 287. [Termo pejorativo oriundo do wolof, utilizado no contexto colonial, sobretudo na África Setentrional e Ocidental, como insulto dirigido a negros, mestiços ou árabes, N.T.]

Nesse episódio, a mulatada fará coro à sua indignação. Falam em denunciar o caso à justiça, em fazer o negro comparecer perante a Corte Penal. "Escreveremos ao chefe do Departamento de Obras Públicas, ao governador da Colônia, para informá-los a respeito da conduta do negro e obter sua demissão como reparação pelo dano moral que causou."[26]

Tamanha afronta aos princípios deveria ser punida com a castração. E é à polícia, por fim, que se solicitará que repreenda Mactar. Pois, se ele "voltar às suas insanidades mórbidas, tomará um corretivo do sr. Dru, chefe de polícia, cujos pares apelidaram de Branco Medonho".[27]

Acabamos de ver como reage uma jovem de cor a uma declaração de amor vinda de um de seus semelhantes. Vejamos agora o que se produz com o branco. Ainda é a Abdoulaye Sadji que recorremos. O longo estudo que ele dedica às reações provocadas pelo casamento de um branco e de uma mulata nos servirá de excipiente.

> Há algum tempo corre um boato por toda a cidade de Saint-Louis... De início, é um pequeno murmúrio que passa de orelha em orelha, estica as faces enrugadas das velhas *"signaras"* [sinhás], reaviva seus olhares amortecidos; então os jovens, arregalando enormes olhos brancos e arredondando uma boca densa, transmitem ruidosamente entre si a notícia que arranca expressões como: Ah, não é possível!... Como você sabe? Será possível?... Que adorável... Mas é mesmo hilário... A notícia que corre há um mês por toda Saint-Louis é cativante, mais cativante que todas as promessas do mundo. Ela coroa um certo sonho de grandeza, de distinção, que faz com que todas as mulatas, as Ninis, as Nanas e as Nénettes se vejam vivendo fora das condições naturais de seu país.[28] O grande sonho que as persegue é o de se casa-

---

26 Ibid., p. 288.
27 Ibid., p. 289.
28 Jogo de palavras com o nome da personagem Nini e a utilização, como se fossem nomes próprios, dos termos *nana* e *nénette*, que têm o sentido coloquial de namorada. [N.T.]

rem com um branco da Europa. Seria possível dizer que todos os seus esforços se voltam a esse objetivo, que quase nunca é atingido. Seu afã de gesticular, seu apego à fanfarrice ridícula, suas atitudes calculadas, teatrais, nauseantes, tudo decorre de uma mesma mania de grandeza, elas precisam de um homem branco, todo branco, e nada mais. Quase todas esperam a vida inteira por essa boa sorte, que é, para dizer o mínimo, pouco provável. E é nessa espera que a velhice as surpreende e as encurrala no fundo de sombrios recolhimentos, onde, por fim, o sonho se transforma em altiva resignação...

Uma notícia adorável... O sr. Darrivey, europeu todo branco e adjunto do Serviço Público, pediu a mão de Dédée, mulata de meio-tom. Inacreditável.[29]

No dia em que o branco declarou seu amor à mulata, algo de extraordinário deve ter ocorrido. Houve reconhecimento, integração em uma coletividade que parecia hermética. A menos-valia psicológica, esse sentimento de inferioridade, e seu corolário, a impossibilidade de alcançar a pureza, desapareceram totalmente. De um dia para o outro, a mulata passou da categoria dos escravos para a dos senhores...

Ela foi recompensada por seu comportamento supercompensador. Ela não era mais aquela que queria ser branca, ela era branca. Ela adentrava o mundo branco.

Em *Magie noire* [Magia negra], Paul Morand descreveu-nos um fenômeno semelhante, mas aprendemos com o tempo a desconfiar de Paul Morand. Do ponto de vista psicológico, pode ser interessante expor o problema a seguir. A mulata instruída, em especial a estudante, tem um comportamento duplamente ambíguo. Ela diz: "Não gosto do negro porque ele é selvagem. Selvagem não no sentido de canibal, mas por lhe faltar refinamento". Um ponto de vista abstrato. E, quando alguém a refuta, dizendo que os negros podem ser superiores a ela nesse quesito,

---

[29] A. Sadji, op. cit., p. 489.

ela invoca a feiura deles. Um ponto de vista dissimulado. Diante das provas de uma genuína estética negra, ela alega não a compreender; tratamos, então, de lhe apresentar o cânone: agitam-se as laterais do seu nariz, a respiração fica suspensa em apneia, "ela é livre para escolher seu marido". Como último recurso, apelamos à subjetividade. Se, como diz Anna Freud, encurrala-se o ego amputando-lhe todo e qualquer processo de defesa, "à medida que a transposição de atividades inconscientes do ego para a consciência tem o efeito de revelar os processos defensivos e torná-los inoperantes, o resultado da análise é enfraquecer o ego ainda mais e fazer progredir o processo patológico".[30]

Mas, nesse caso, o ego não precisa se defender, já que suas reivindicações são homologadas; Dédée se casava com um branco. Contudo, toda moeda tem seu reverso; famílias inteiras foram desrespeitadas. A três ou quatro madrinhas mulatas haviam sido designados cavalheiros mulatos, enquanto todas as outras amigas estavam acompanhadas por brancos. "Isso em especial foi considerado uma ofensa à família inteira dessas três ou quatro; ofensa que exigia, aliás, uma reparação."[31] Pois essas famílias estavam se sentindo humilhadas em suas aspirações mais legítimas, a mutilação que sofreram afetava o próprio ritmo de suas vidas... o equilíbrio de sua existência...

A reboque de um profundo desejo, elas queriam se transformar, "evoluir". Esse direito lhes fora negado. Ou, pelo menos, questionado.

O que se pode dizer ao final dessas descrições?

Quer se trate de Mayotte Capécia, a martinicana, quer se trate de Nini, a saint-louisiana, o mesmo processo se verifica. Processo bilateral, tentativa de resgate – por internalização – de valores originalmente proibidos. É por se sentir inferior que a negra aspira

---

30 A. Freud, op. cit., p. 51.
31 A. Sadji, op. cit., p. 498.

a ser admitida no mundo branco. Nesse esforço, ela contará com o auxílio de um fenômeno que chamaremos de *eretismo afetivo*.

Este trabalho encerra sete anos de experiências e observações; qualquer que seja o campo que consideremos, uma coisa nos impressionou: o negro escravo de sua inferioridade, o branco escravo de sua superioridade, ambos se comportam em função de uma linha mestra neurótica. Com isso, fomos levados a considerar a sua alienação tendo como referência as descrições psicanalíticas. Em seu comportamento, o negro se aproxima de um tipo neurótico obsessivo ou, melhor dizendo, ele se encontra em plena neurose situacional. Há no homem de cor uma tentativa de fugir da sua individualidade, de anular a sua presença. Sempre que um homem de cor protesta, existe alienação. Sempre que um homem de cor rejeita, existe alienação. Veremos mais adiante, no capítulo 6, que o negro inferiorizado vai da insegurança humilhante, passando pela autoincriminação ressentida, até o desespero. Muitas vezes, a atitude do negro diante do branco, ou diante do seu semelhante, reproduz quase integralmente uma constelação delirante que beira o domínio patológico.

Poderão alguns objetar que não há nada de psicótico nos negros de que estamos tratando aqui. Contudo, gostaríamos de citar dois traços altamente significativos. Há alguns anos, conhecemos um negro que era estudante de medicina. Ele tinha a sensação *infernal* de não ser valorizado, não academicamente, mas, dizia ele, humanamente. Tinha a impressão *infernal* de que nunca seria reconhecido como colega pelos brancos nem como médico pelos pacientes europeus. Nesses momentos de intuição delirante,[32] momentos fecundos[33] da psicose, ele se embriagava. Então um dia entrou para o exército como médico auxiliar; e passou a dizer que por nada no mundo concordaria em ir para as colônias ou ser

---

32 René Targowla e Jean Dublineau, *L'Intuition délirante*. Paris: Norbert Maloine, 1931.
33 Jacques Lacan.

designado para uma unidade colonial. Queria ter brancos sob o seu comando. Era um líder; como tal, devia ser temido ou respeitado. De fato, era isso o que queria, o que buscava: fazer com que os brancos tivessem para com ele uma atitude de negros. Dessa forma, vingava-se da *imago* que sempre o obcecara: o negro assustado, acanhado, humilhado na presença do senhor branco.

Conhecemos um companheiro, inspetor aduaneiro num porto da metrópole, que era extremamente rigoroso nas vistorias de turistas ou despachantes de carga. Disse-nos ele: "Porque, se você não for firme, eles o tratam como um idiota. Como sou negro, você bem sabe que os dois termos se atraem...".

Em *A ciência da natureza humana*, Adler escreveu:

> Quando expomos casos como estes, é com frequência conveniente mostrar as relações entre as impressões infantis e a queixa atual do paciente. Isto se faz melhor com um gráfico, semelhante ao que representa uma curva de equação. Conseguiremos em muitos casos traçar este gráfico da vida, a curva mental segundo a qual se fez toda a evolução do indivíduo. A equação da curva é o procedimento-padrão que o indivíduo seguiu desde sua mais tenra infância [...]. O que nós vemos, realmente, é que este procedimento-padrão – cuja final configuração está sujeita a algumas poucas mudanças, mas cujo conteúdo essencial, cuja energia e significação ficam imutáveis desde a primeira infância – é o fator determinante, mesmo que as relações com o meio adulto, que se sucedem à situação pueril, possam tender a modificá-lo em alguns casos.[34]

Estamos nos antecipando, mas já se percebe que a psicologia caracterológica de Adler nos ajudará a compreender a concepção do mundo do homem de cor. Como o negro é um ex-escravo, também invocaremos Hegel; e, para concluir, Freud deve ser capaz de contribuir para nosso estudo.

---

34 Alfred Adler, *A ciência da natureza humana* [1927], trad. Godofredo Rangel e Anísio Teixeira. São Paulo: Companhia Editora Nacional, 1945, pp. 95–96.

Nini, Mayotte Capécia: dois comportamentos que nos convidam a refletir.

Não existirão outras possibilidades?

Mas essas são pseudoquestões que não consideraremos. Diremos, por outro lado, que qualquer crítica àquilo que existe implica uma solução, se é que é possível propor uma solução para nosso semelhante, quer dizer, uma solução para uma liberdade.

O que afirmamos é que a tara deve ser rechaçada de uma vez por todas.

Capítulo 3

O HOMEM DE COR E A BRANCA

Da parte mais negra de minha alma, através da zona sombreada, irrompe em mim este súbito desejo de ser *branco*.

Não quero ser reconhecido como *negro*, mas como *branco*.

Mas – e eis aqui um reconhecimento que Hegel não descreveu – quem pode propiciar isso, senão a branca? Ao me amar, ela me prova que sou digno de um amor branco. Sou amado como um branco.

Sou um branco.

Seu amor me franqueia o ilustre corredor que leva à pregnância plena...

Desposo a cultura branca, a beleza branca, a brancura branca.

Nestes seios brancos que minhas ubíquas mãos acariciam, são a civilização e a dignidade brancas que faço minhas.

Há cerca de trinta anos, um negro da mais bela figura, no meio do coito com uma loira "incendiária", no momento do orgasmo, gritou: "Viva Schœlcher!". Ao nos darmos conta de que Schœlcher foi quem fez a Terceira República adotar o decreto de abolição da escravatura, entendemos que é necessário nos estendermos um pouco a respeito das relações possíveis entre o negro e a branca.

Poderão pôr em dúvida a autenticidade dessa anedota; mas o fato de ela ter sido capaz de ganhar corpo e se preservar através dos tempos é um indício: e não enganoso. É que essa anedota mexe com um conflito explícito ou latente, mas real. Sua perenidade evidencia o apego do mundo negro. Em outras palavras, quando uma história se preserva no folclore, é porque ela expressa de alguma forma uma região da "alma local".

Com a análise de *Je suis Martiniquaise* e *Nini*, vimos como se comportava a negra em relação ao homem branco. Com um romance de René Maran – autobiográfico, ao que parece –, tentaremos entender o que acontece no caso dos negros.

A questão se apresenta de forma primorosa, pois Jean Veneuse nos permitirá mergulhar mais profundamente na atitude do negro. Do que trata a narrativa? Jean Veneuse é um negro. De origem antilhana, vive em Bordeaux há muito tempo; logo, é um europeu. Mas é negro [*noir*]; por isso é um negro [*nègre*]. É esse o drama. Ele não entende a sua raça e os brancos não o entendem. E, diz ele, "os europeus em geral, e os franceses em particular, não se contentam em ignorar o negro em suas colônias, desconhecem inclusive aquele que formaram à sua própria imagem".[1]

A personalidade do autor não se revela tão facilmente quanto se gostaria. Órfão e interno de um liceu provincial, acaba tendo de permanecer no internato durante as férias. Seus amigos e colegas, ao menor pretexto, espalham-se por toda a França, enquanto o negrinho desenvolve o hábito da ruminação, de modo que seus livros se tornarão seus melhores amigos. No limite, eu diria que há certa recriminação, certo ressentimento, uma agressividade difícil de conter, na longa, extraordinariamente longa lista de "companheiros de jornada" que o autor nos transmite: digo no limite, mas é justamente uma questão de chegar lá.

Incapaz de se integrar, incapaz de passar despercebido, ele conversa com os mortos, ou, pelo menos, com os ausentes. E os seus diálogos, ao contrário da sua vida, sobrevoam séculos e oceanos. Marco Aurélio, Joinville, Pascal, Pérez Galdós, Rabindranath Tagore... Se tivéssemos de dar a Jean Veneuse um epíteto a qualquer custo, diríamos que é um introvertido, outros talvez dissessem delicado, mas um delicado que se arroga a possibilidade de triunfar no plano das ideias e do conhecimento. É inegável, seus colegas e amigos o têm em grande estima: "Que sonhador incorrigível! É uma figura, sabe, o meu velho amigo Veneuse! Só larga dos seus livros para cobrir de rabiscos o seu diário de viagem".[2]

Mas é um delicado que canta em espanhol e traduz para o inglês – sem tropeços. Um tímido, mas também um inquieto: "E, à medida que me afasto, ouço Divrande a lhe dizer: um bom rapaz, esse Veneuse, sempre tristonho e taciturno, mas muito solícito.

---

[1] René Maran, *Un Homme pareil aux autres*. Paris: Arc-en-ciel, 1947, p. 11. [Martinicano, Maran foi o primeiro autor negro a receber o Prêmio Goncourt pelo romance *Batouala* (Paris: Albin Michel, 1921), considerado precursor do movimento da Negritude, N.T.]

[2] R. Maran, op. cit., p. 87.

Pode confiar nele. Você vai ver. É um negro como gostaríamos que muitos brancos fossem".[3]

Sim, seguramente um inquieto. Um inquieto preso ao seu corpo. Sabemos, aliás, que René Maran nutre uma afeição por André Gide. Pensávamos encontrar em *Un Homme pareil aux autres* [Um homem como qualquer outro] um desenlace que lembrasse o de *A porta estreita*.[4] Esse ponto de partida, esse tom de sofrimento emocional, de impedimento moral, parecem fazer eco à aventura de Jérôme e Alissa.

Mas resta ainda o fato de que Veneuse é negro. É um urso que prefere a solidão. É um pensador. E, quando uma mulher quer iniciar um flerte com ele: "Você veio ao encontro do urso que sou! Tenha cuidado, moça. Não há mal em ter coragem, mas você acabará se comprometendo se continuar a se expor assim! Um negro. Que lástima! Só que isso vai além da lástima. É degradante se associar a qualquer pessoa dessa raça".[5]

Acima de tudo, ele quer provar aos outros que é um homem, que é seu semelhante. Mas que não reste dúvida, Jean Veneuse é o homem a ser convencido disso. É no fundo da sua alma, tão complicada como a dos europeus, que reside a incerteza. Perdoem-nos a expressão: Jean Veneuse é o homem a ser vencido. É o que tentaremos fazer.

Após ter citado Stendhal e o fenômeno da "cristalização", ele constata:

> amo Andrée moralmente na pessoa da sra. Coulanges e fisicamente com Clarisse. É uma insensatez. Mas é assim mesmo, amo Clarisse e amo a sra. Coulanges, embora não pense muito em nenhuma delas. São apenas um álibi para que eu possa ir à desforra contra mim mesmo. Nelas, estudo Andrée e aprendo a conhecê-la de cor... Não

---

[3] Ibid., pp. 18–19.
[4] André Gide, *A porta estreita* [1909], trad. Roberto Cortes Lacerda. Rio de Janeiro: Nova Fronteira, 1984.
[5] R. Maran, op. cit., pp. 45–46.

sei. Já não sei mais. Não quero tentar saber de mais nada, ou melhor, só sei de uma coisa, que o negro é um homem como qualquer outro, um homem como os outros, e que seu coração, que apenas aos ignorantes parece simples, é tão complicado quanto pode chegar a ser o do mais complicado dos europeus.[6]

Pois a simplicidade negra é um mito forjado por observadores superficiais. "Amo Clarisse, amo a sra. Coulanges e é Andrée Marielle que eu amo. Só ela, nenhuma outra."[7]

Quem é Andrée Marielle? Vocês sabem, a filha do poeta Louis Marielle! Mas esse negro, "que, por sua inteligência e trabalho árduo, se elevou até o pensamento e a cultura da Europa",[8] é incapaz de escapar de sua raça.

Andrée Marielle é branca, qualquer solução parece impossível. Contudo, a companhia de Payot, Gide, Moréas e Voltaire parecia ter acabado com tudo isso. De boa-fé, Jean Veneuse "acreditou nessa cultura e passou a amar esse novo mundo descoberto e conquistado para o seu uso. Que erro o seu! Bastou que amadurecesse e fosse servir sua pátria adotiva na terra dos seus antepassados para que se pusesse a questionar se não havia sido traído por tudo o que o rodeava, já que os brancos não o reconheciam como um dos seus e os negros praticamente o renegavam".[9]

Sentindo-se incapaz de viver sem amor, Jean Veneuse passa a sonhá-lo. Passa a sonhá-lo na forma de poemas:

Quando se ama, nada deve ser dito,
É preferível até se esconder disso.

Andrée Marielle declarou-lhe o seu amor, mas Jean Veneuse precisa de permissão. Precisa que um branco lhe diga: leve a minha

6 Ibid., p. 83.
7 Ibid.
8 Ibid., p. 36.
9 Ibid.

irmã. Ao seu amigo Coulanges, Veneuse fez uma série de perguntas. Aqui, quase por extenso, está a resposta de Coulanges:

Old boy,
  Mais uma vez você me consulta sobre o seu caso, mais uma vez e de uma vez por todas lhe darei a minha opinião. Vamos por ordem. A sua situação, tal como você a apresenta, é das mais evidentes. Permita-me, ainda assim, desobstruir o terreno à minha frente. Isso só lhe trará vantagens.
  Que idade você tinha quando saiu do seu país para vir à França? Creio que três ou quatro. Você nunca mais voltou a ver a sua ilha natal nem pretende voltar a vê-la. De lá para cá, sempre viveu em Bordeaux. E, depois de se tornar funcionário colonial, é em Bordeaux que você passa a maior parte das suas férias administrativas. Em suma, o seu lugar é aqui. Talvez você não se dê conta disso muito bem. Nesse caso, saiba que você é um francês de Bordeaux. Enfie isso na sua cabeça. Você não sabe nada dos seus conterrâneos antilhanos. Eu ficaria até surpreso se você conseguisse se entender com eles. Aliás, os que conheço não são parecidos com você em nada.
  Na verdade, você é como nós, você é "um de nós". Os seus pensamentos são os nossos. Você age como nós agimos, como nós agiríamos. Você acha que é – e acham que você é – negro? Errado! De negro, você só tem a aparência. Em tudo o mais, você pensa como um europeu. É por isso que é natural que você ame como o europeu. O europeu ama apenas a europeia, você dificilmente se casará com uma mulher que não seja do país onde você sempre viveu, uma filha da boa terra da França, seu verdadeiro, seu único país. Sendo assim, passemos ao assunto da sua última carta. Por um lado, há um tal de Jean Veneuse, que se parece a você como um irmão, e, por outro, a srta. Andrée Marielle. Andrée Marielle, que é branca de pele, ama Jean Veneuse, que é excessivamente moreno e adora Andrée Marielle. Isso não o impede de me perguntar o que deve fazer. Seu cretino encantador!...
  Voltando à França, vá correndo até a casa do pai dessa mulher que em espírito já lhe pertence e, diante dele, batendo no peito com um

fragor selvagem, grite: "Eu a amo. Ela me ama. Nós nos amamos. Ela tem que ser minha mulher. Do contrário, eu me mato aos seus pés".[10]

Solicitado, o branco aceita dar-lhe sua irmã, mas com uma condição: você não tem nada em comum com os negros de verdade. Você não é negro, você é "excessivamente moreno".

Esse processo é bem conhecido pelos estudantes de cor na França. Recusam-se a considerá-los negros autênticos. O negro é o selvagem, enquanto o estudante é um evoluído. Você é "um de nós", disse-lhe Coulanges, e, se alguém o considera negro, é por engano, pois de negro você só tem a aparência. Mas Jean Veneuse não quer fazer isso. Não pode fazer isso, porque sabe.

Sabe que, "indignados com esse humilhante ostracismo, mulatos mais simples e negros pensam numa só coisa a partir do momento em que chegam à Europa: saciar a fome de mulher branca".

> A maioria deles, e entre eles estão aqueles que, tendo a pele mais clara, não raro chegam ao ponto de renegar tanto a própria terra porque a própria mãe, por lá se casam, nem tanto por afinidade, mas sim em uniões nas quais a satisfação de dominar a europeia é temperada com certo toque de orgulhosa vingança.
>
> Então me pergunto se não sou como todo mundo e se, ao me casar com você, que é europeia, não darei a impressão de proclamar que não apenas menosprezo as mulheres da minha raça, mas também que, atraído pelo desejo de carne branca, que é proibida para nós, negros, desde que os homens brancos vêm governando o mundo, estou tentando secretamente me vingar de uma mulher europeia por tudo o que seus ancestrais fizeram com os meus ao longo dos séculos.[11]

Que esforço para se desvencilhar de uma urgência subjetiva. Sou um branco, nasci na Europa, todos os meus amigos são brancos. Não ha-

---

10 Ibid., pp. 152–54.
11 Ibid., p. 185.

via sequer oito negros na cidade em que eu morava. Penso em francês, minha religião é a França. Ouçam bem, sou europeu, não sou um negro, e, para lhes provar isso, irei, como funcionário público, mostrar aos verdadeiros negros a diferença que existe entre mim e eles. E, certamente, ao reler com atenção a obra, vocês ficarão convencidos:

> Quem está batendo à porta? Ah, claro!
> — É você, Soua?
> — Sim, comandante.
> — O que quer de mim?
> — A chamada. Cinco guardas lá fora. Dezessete prisioneiros – não falta ninguém.
> — Fora isso, nada de novo? Nenhuma notícia do mensageiro?
> — Não, meu comandante.[12]

O sr. Veneuse é servido por estafetas. Uma moça negra trabalha em sua casa. E aos negros que parecem lamentar sua partida, sente que a única coisa a dizer seria: "Vão embora, vão embora! Vejam... estou triste em deixá-los. Vão embora! Não me esquecerei de vocês. Estou me afastando de vocês apenas porque este país não é o meu e porque me sinto sozinho demais, vazio demais, privado demais de todo o conforto de que preciso e do qual vocês, para sua sorte, ainda não sentem necessidade".[13]

Quando lemos frases como essas, não podemos deixar de pensar em Félix Éboué, de incontestável cor negra e que, nas mesmas condições, compreendeu seu dever de maneira inteiramente diversa. Jean Veneuse não é um negro, não quer ser um negro. Porém, sem que se desse conta, produziu-se um hiato. Há algo de indefinível, de irreversível, genuinamente o *that within* de Harold Rosenberg.[14]

---

12 Ibid., p. 162.
13 Ibid., p. 213.
14 Harold Rosenberg, "Du jeu au je: Esquisse d'une géographie de l'action". *Les Temps Modernes*, n. 31, 1948, p. 1732. [A expressão é citada em inglês no original e é comumente traduzida como "algo interior", N.T.].

Louis-Thomas Achille, em sua conferência por ocasião dos Encontros Inter-Raciais de 1949, dizia:

> Com relação ao casamento propriamente inter-racial, pode-se perguntar até que ponto não se trata às vezes para o cônjuge de cor de uma espécie de consagração subjetiva da extinção, em si mesmo e a seus próprios olhos, do preconceito de cor que há muito sofre. Seria interessante estudar isso numa série de casos e talvez buscar nessa motivação confusa a razão para alguns casamentos inter-raciais realizados fora das condições normais de uniões felizes. Alguns homens ou mulheres acabam por se casar efetivamente com pessoas de outra raça que têm uma condição inferior à sua ou um nível cultural inferior ao seu, pessoas que não teriam desejado como cônjuges em sua própria raça e cujo principal ativo parece ser uma garantia de mudança de cenário e de "desracialização" (essa palavra horrível) para o cônjuge. Para algumas pessoas de cor, o fato de se casar com uma pessoa da raça branca parece ter suplantado todas as outras considerações. Elas veem nisso uma forma de alcançar a completa igualdade com essa raça ilustre, dona do mundo, dominadora das pessoas de cor.[15]

Historicamente, sabemos que o negro acusado de ter dormido com uma branca era castrado. O negro que possuiu uma branca se torna tabu para seus semelhantes. É fácil para a mente definir os contornos desse drama em torno de uma preocupação sexual. É justamente a isso que alude o arquétipo presente no ciclo de histórias do Tio Remus: o Compadre Coelho, que representa o negro. Conseguirá ele afinal dormir com as duas filhas da sra. Meadows? Há altos e baixos, tudo narrado por um negro risonho, bonachão e jovial; um negro que serve sorrindo.

Na época em que tão lentamente despertávamos para a comoção da puberdade, tivemos ocasião de admirar um dos nossos

---

[15] Louis-Thomas Achille, *Rythmes du monde*, 1949, p. 113.

colegas retornados da metrópole, que havia tido nos braços uma jovem parisiense. Num capítulo à parte, procuraremos analisar essa questão.

Conversando recentemente com alguns antilhanos, soubemos que o anseio mais constante daqueles que chegavam à França era dormir com uma branca. Mal desembarcam no Havre e já se dirigem aos bordéis. Uma vez cumprido esse rito de iniciação à virilidade "autêntica", pegam o trem para Paris.

Mas o que importa aqui é questionar Jean Veneuse. Para isso, invocaremos principalmente a obra *La Névrose d'abandon* [A neurose de abandono], de Germaine Guex.[16]

Contrapondo a assim chamada neurose de abandono, de natureza pré-edipiana, aos verdadeiros conflitos pós-edipianos descritos pela ortodoxia freudiana, a autora analisa dois tipos, dos quais o primeiro parece ilustrar a situação de Jean Veneuse: "É em cima deste tripé – da *angústia* suscitada por todo abandono, da *agressividade* que ele desencadeia e da *autodepreciação* que daí decorre – que se constrói toda a sintomatologia dessa neurose".[17]

Dissemos que Jean Veneuse era um introvertido. Sabemos que é possível, de uma perspectiva caracterológica, ou melhor, fenomenológica, condicionar o pensamento autista a uma introversão primária.[18]

> No sujeito do tipo negativo-agressivo, a obsessão pelo passado, com suas frustrações, seus vazios, seus fracassos, paralisa o ímpeto de viver. Geralmente mais introvertido do que o positivo-amoroso, ele tende a remoer suas decepções passadas e presentes, desenvolvendo em si mesmo uma zona mais ou menos secreta de pensamentos e ressentimentos amargos e desiludidos, que não raro consiste em uma espécie de autismo. Mas, ao contrário do verdadeiro autista, o aban-

---

16 Germaine Guex, *La Névrose d'abandon*. Paris: PUF, 1950.
17 Ibid., p. 13.
18 Eugène Minkowski, *La Schizophrénie*: Psychopathologie des schizoides et des schizophrènes. Paris: Payot, 1927.

dônico tem consciência dessa zona secreta, que cultiva e defende contra qualquer intrusão. Mais egocêntrico que o neurótico do segundo tipo (o positivo-amoroso), ele relaciona tudo consigo mesmo. Tem pouca capacidade oblativa; sua agressividade e uma constante necessidade de vingança refreiam seus impulsos. Seu retraimento para dentro de si não lhe permite realizar nenhuma experiência positiva capaz de compensar seu passado. Do mesmo modo, a falta de apreciação e, consequentemente, de segurança afetiva é quase total no seu caso; donde decorrem um sentimento muito intenso de impotência diante da vida e dos seres e a rejeição total do sentimento de responsabilidade. Os outros o traíram e frustraram e, no entanto, é exclusivamente dos outros que ele espera uma melhora da sua sina.[19]

Maravilhosa descrição, na qual se encaixa o personagem de Jean Veneuse. Pois, como nos diz ele, "bastou que eu amadurecesse e fosse servir minha pátria adotiva na terra dos meus antepassados para que me pusesse a questionar *se não havia sido traído* por tudo o que me rodeava, já que os brancos não me reconheciam como um dos seus e os negros praticamente me renegavam. Essa é precisamente a minha situação".[20]

Atitude de recriminação em relação ao passado, autodepreciação, impossibilidade de ser compreendido como gostaria. Ouçam Jean Veneuse:

> Quem poderá descrever o desespero dos meninos *tropicais* que os pais implantam precocemente na França, na esperança de fazer deles autênticos franceses! Tão livres e vivazes que são, acabam internados da noite para o dia em um liceu, "para o seu próprio bem", dizem os pais chorando.
>
> Fui um desses órfãos intermitentes e sofrerei a vida toda por causa disso. Aos sete anos, confiaram minha infância escolar a um

---

19 Ibid., pp. 27–28.
20 G. Guex, op. cit., p. 36. Grifo nosso.

enorme liceu triste, situado em plena área rural... Mas nem as milhares de brincadeiras da adolescência jamais conseguiram me fazer esquecer o quanto a minha [infância] foi dolorosa. Meu caráter deve a ela esta melancolia íntima e este medo da vida em sociedade que hoje reprime até os meus menores impulsos.[21]

Teria preferido, porém, estar rodeado, envolvido. Não gostava de ter sido *abandonado*. Nas férias, todo mundo ia embora, e ele sozinho, lembrem-se do termo, sozinho no grande liceu branco...

Ah, essas lágrimas de criança que não tem ninguém que a console... Ele jamais esquecerá que o colocaram desde cedo para aprender a solidão... Existência enclausurada, existência ensimesmada e reclusa, em que cedo demais aprendi a meditar e a refletir. Vida solitária, que, com o passar do tempo, copiosamente se comove com qualquer insignificância – por causa de vocês, delicado por dentro e incapaz de exteriorizar minha alegria ou minha dor, rejeito tudo o que amo e, contra minha própria vontade, afasto-me de tudo o que me atrai.[22]

Do que se trata aqui? De dois processos: não quero que me amem. Por quê? Porque um dia, há muito tempo, esbocei uma relação objetal e fui *abandonado*. Nunca perdoei minha mãe. Tendo sido abandonado, farei o outro sofrer, e abandoná-lo será a expressão direta da minha necessidade de vingança. É para a África que estou partindo; não quero ser amado e fujo do objeto. Germaine Guex diz que isso se chama "pôr à prova para dar provas". Não quero ser amado, adoto uma posição de defesa. E, se o objeto persistir, declararei: não quero que me amem.

Depreciação? Sim, com certeza.

---

21 R. Maran, op. cit., p. 227.
22 Ibid., p. 228.

> Essa autodepreciação enquanto objeto digno de amor tem graves consequências. Por um lado, mantém o indivíduo em um estado de profunda insegurança interior e, em decorrência disso, inibe ou falseia qualquer relação com outra pessoa. É na condição de objeto capaz de suscitar a simpatia ou o amor que o indivíduo duvida de si mesmo. A depreciação afetiva é observada unicamente nas pessoas que sofreram uma carência de amor e de compreensão durante a primeira infância.[23]

Jean Veneuse gostaria de ser um homem como qualquer outro, mas sabe que essa situação está distorcida. Ele é um pedinte. Busca nos olhos do branco a tranquilidade, a permissão. Pois ele é "o Outro".

> A depreciação afetiva sempre leva o abandônico a um sentimento de exclusão extremamente angustiante e obsessivo, de não encontrar seu espaço em lugar nenhum, de estar de sobra em todo lugar, afetivamente falando [...]. Ser "o Outro" é uma expressão que encontrei reiteradamente na linguagem dos abandônicos. Ser "o Outro" é sentir-se sempre em posição instável, é manter-se em alerta, pronto para ser repudiado e [...] fazendo inconscientemente tudo o que é preciso para que a catástrofe prevista ocorra.
>
> É impossível estimar adequadamente a intensidade do sofrimento que acompanha esses estados de abandono, sofrimento que está associado, em parte, às primeiras experiências de exclusão da infância, toda a pungência das quais ele traz de volta à vida [...].[24]

O abandônico exige provas. Já não se contenta com afirmações isoladas. Não confia em ninguém. Antes de entrar em uma relação objetiva, exige do parceiro provas reiteradas. O significado da sua atitude é o de "não amar para não ser abandonado". O abandônico

---

23 G. Guex, op. cit., pp. 31–32.
24 Ibid., pp. 35–36.

é um exigente. É que ele tem direito a todas as reparações. Ele quer ser amado plenamente, absolutamente e para sempre. Ouçam:

> Meu Jean amado,
> Só hoje recebi a sua carta de julho passado. Ela é completamente insensata. Por que me afligir desse jeito? Você é – será que se dá conta disso? – de uma crueldade sem paralelo. Você me proporciona uma felicidade que se mistura com a inquietação. Faz com que eu seja, ao mesmo tempo, a mais feliz e a mais infeliz das criaturas. Quantas vezes terei de repetir que o amo, que sou sua, que espero por você? Venha.[25]

O abandônico, no fim das contas, abandonou. Ele está sendo chamado. Alguém precisa dele. Ele é amado. Porém, quantos fantasmas! Será que ela me ama realmente? Será que ela me vê objetivamente?

> Um dia chegou um senhor, um grande amigo do Velho Ned, que nunca tinha visto Pontaponte. Ele vinha de Bordeaux. Mas, por Deus! Como era sujo, meu Deus! Como era feio esse senhor, o grande amigo do Velho Ned. Tinha uma cara feia, preta, toda preta, prova de que não devia se lavar com frequência.[26]

Jean Veneuse, ávido para encontrar razões externas para o seu complexo de Cinderela, projeta em uma criança de três ou quatro anos o arsenal de estereótipos racistas. E dirá a Andrée: "Diga-me, Andrée querida... A despeito da minha cor, você aceitaria se tornar minha esposa, se eu lhe pedisse?".[27]

Ele tem dúvidas terríveis. Eis o que diz Germaine Guex a respeito:

---

25 R. Maran, op. cit., pp. 203–04.
26 Ibid., pp. 84–85.
27 Ibid., pp. 247–48.

A primeira característica parece ser o medo de se mostrar tal como é. Existe, nesse caso, um amplo domínio de medos os mais diversos: medo de desapontar, de desagradar, de incomodar, de enfadar... e, por conseguinte, de perder a chance de criar com outrem um laço de simpatia ou, caso ele já exista, de prejudicá-lo. O abandônico duvida que possam amá-lo como ele é, pois viveu a experiência cruel do abandono no momento em que se oferecia à ternura alheia, criança pequena que era e, portanto, sem artifícios.[28]

Apesar de tudo isso, não é uma vida privada de compensações a que leva Jean Veneuse. Ele se arrisca na poesia. Suas palestras são notáveis, seu estudo sobre Suarès é muito arguto. Isso também é analisado por Germaine Guex: "Prisioneiro de si mesmo, confinado em seu ensimesmamento, o negativo-agressivo nutre seu sentimento de irreparabilidade por tudo o que ele continua a perder ou que sua passividade faz com que deixe escapar [...]. Desse modo, com exceção das áreas privilegiadas, como *sua vida intelectual ou sua profissão*, ele preserva um profundo sentimento de depreciação".[29]

Qual é o objetivo dessa análise? Nada menos do que demonstrar a Jean Veneuse que ele de fato não é como qualquer outro. Envergonhar as pessoas por sua existência, dizia Jean-Paul Sartre. Sim: levá-las a reconhecer as possibilidades que interditaram a si mesmas, a passividade que demonstraram em situações em que era justamente necessário se aferrar como uma farpa ao coração do mundo, forçar, se preciso fosse, o ritmo do coração do mundo, deslocar, se preciso fosse, o sistema de controle, mas em todo caso, mas com toda a certeza, *encarar o mundo*.

Jean Veneuse é o cruzado da vida interior. Quando encontra Andrée, estando diante dessa mulher que há longos meses é o objeto do seu desejo, refugia-se no silêncio... o silêncio tão eloquente daqueles que "conhecem a artificialidade da palavra ou do gesto".

---

28 G. Guex, op. cit., p. 39.
29 Ibid., p. 44. Grifo nosso.

Jean Veneuse é um neurótico e sua cor é só uma tentativa de explicar uma estrutura psíquica. Se ela não existisse, essa diferença objetiva, ele mesmo a teria criado do nada.

Jean Veneuse é um desses intelectuais que querem se manter apenas no plano das ideias. É incapaz de fazer contato concreto com seu semelhante. Alguém é atencioso com ele, gentil, humano? É porque ele flagrou seus segredos íntimos. Ele "conhece essa gente" e está sempre atento.

> Minha vigilância, se é que se pode chamar assim, é uma trava de segurança. Acolho com delicadeza e sem malícia os que se acercam. Aceito e retribuo as cortesias que me são feitas, participo dos pequenos jogos de tabuleiro que são organizados no convés, mas não me deixo levar pela atenção que nos dispensam, cauteloso que sou com essa sociabilidade excessiva, que substituiu um pouco rápido demais a hostilidade em meio à qual tentavam outrora nos isolar.[30]

Ele aceita as cortesias, mas as retribui. Não quer dever nada a ninguém. Porque, se não as retribuir, será um negro, ingrato como todos os outros.

São maldosos com ele? É justamente porque ele é negro. Pois não conseguem não o detestar. Mas agora afirmamos, Jean Veneuse, isto é, René Maran, não é nem mais nem menos que um abandônico negro. E assim o colocamos em seu lugar, em seu devido lugar. Trata-se de um neurótico que precisa se livrar de seus fantasmas infantis. E afirmamos que Jean Veneuse não representa uma experiência das relações entre negros e brancos, mas uma maneira específica de um neurótico, acidentalmente negro, se comportar. E o objeto do nosso estudo começa a ser definido com mais precisão: permitir ao homem de cor compreender, com a ajuda de exemplos precisos, os elementos psicológicos que podem alienar seus semelhantes. Insistiremos mais sobre isso no capítulo dedicado à

---

[30] R. Maran, op. cit., p. 103.

descrição fenomenológica, mas, lembremo-nos disto, nosso intuito é viabilizar um encontro sadio entre o negro e o branco.

Jean Veneuse é feio. Ele é negro. O que mais é preciso? Basta reler as poucas observações de Guex para nos convencermos desta evidência: a obra *Un Homme pareil aux autres* é uma impostura, uma tentativa de fazer com que o contato entre duas raças dependa de uma morbidade constitucional. Havemos de convir: tanto no plano da psicanálise como no da filosofia, a constituição só é um mito para aquele que a supera. Se, de um ponto de vista heurístico, deve-se negar cabalmente a existência da constituição, resta o fato de que alguns indivíduos se esforçam para se enquadrar em molduras predefinidas, e não há nada que possa ser feito quanto a isso. Ou melhor, há, sim: pelo menos há algo que pode ser feito.

Há pouco falávamos de Jacques Lacan: não por acaso. Em 1932, em sua tese, ele apresentou uma crítica feroz à noção de constituição. Estamos aparentemente distantes de suas conclusões, mas nossa dissidência se tornará compreensível ao lembrar que substituímos a noção de constituição, no sentido que lhe fora dado pela escola francesa, pela de estrutura, "englobando a vida psíquica inconsciente, tal como somos parcialmente capazes de conhecê-la, sobretudo sob a forma do recalcado e do recalcante, na medida em que esses elementos participam ativamente da organização inerente a cada individualidade psíquica".[31]

Como vimos, Jean Veneuse revela, sob análise, uma estrutura de abandônico do tipo negativo-agressivo. Podemos tentar explicar isso reacionalmente, ou seja, em função da interação indivíduo-meio, e prescrever, por exemplo, uma mudança de ambiente, "uma mudança de ares". Percebemos justamente que, nesse caso, a estrutura se manteve. A mudança de ares a que se submeteu Jean Veneuse não tinha como intuito situar-se enquanto homem; ela não visava a uma conformação sadia do mundo; não buscava

---

[31] G. Guex, op. cit., p. 54.

essa pregnância inerente ao equilíbrio psicossocial, mas sim uma confirmação da sua neurose *externalizante*.

A estrutura neurótica de um indivíduo será justamente a elaboração, a formação, a eclosão no ego de nós conflituais oriundos, por um lado, do meio e, por outro, da forma puramente pessoal como esse indivíduo reage a essas influências.

Assim como havia uma tentativa de mistificação ao querer inferir do comportamento de Nini e de Mayotte Capécia uma lei geral do comportamento da negra em face do branco, afirmamos que haveria uma violação da objetividade na extensão da atitude de Veneuse ao homem de cor enquanto tal. E esperamos ter desencorajado qualquer tentativa no sentido de imputar os fracassos de alguém como Jean Veneuse à maior ou menor concentração de melanina na sua epiderme.

É preciso que este mito sexual – a busca pela carne branca –, transmitido por consciências alienadas, não venha mais a prejudicar uma compreensão ativa.

De modo algum deve a minha cor ser experimentada como uma tara. A partir do momento em que o negro aceita a clivagem imposta pelo europeu, ele não tem mais trégua, e, "em vista disso, não é compreensível que tente ascender até o branco? Ascender na gama das cores às quais o branco atribui uma espécie de hierarquia?".[32]

Veremos que outra solução é possível. Ela implica uma reestruturação do mundo.

---

32 Claude Nordey, em S. E. Jean Verdier *et al.*, *L'Homme de couleur*. Paris: Plon, 1939.

Capítulo 4

SOBRE O SUPOSTO COMPLEXO DE DEPENDÊNCIA DO COLONIZADO

> *Em qualquer lugar do mundo*
> *não há desgraçado linchado ou torturado*
> *que não seja eu também*
> *assassinado e humilhado.*
>
> AIMÉ CÉSAIRE, *E os cães deixaram de ladrar*

Quando começamos este trabalho, possuíamos somente alguns estudos de Octave Mannoni publicados na revista *Psyché*. Propusemo-nos escrever ao autor a fim de pedir-lhe que nos comunicasse as conclusões às quais havia chegado. Depois, soubemos que uma obra que reuniria suas reflexões estava em vias de publicação. Esta obra foi publicada: *Psychologie de la colonisation* [Psicologia da colonização]. Vamos estudá-la.

Antes de entrar em detalhes, há que se dizer que o pensamento analítico é honesto. Tendo vivido ao extremo a ambivalência inerente à situação colonial, Mannoni chegou a um entendimento infelizmente exaustivo demais dos fenômenos psicológicos que regem as relações nativo-colonizador.

A característica fundamental da pesquisa psicológica atual parece consistir na realização de certa exaustividade. Mas não se deve perder de vista o real.

Mostraremos que Mannoni, mesmo tendo consagrado 225 páginas ao estudo da situação colonial, não compreendeu suas verdadeiras coordenadas.

Quando se aborda um problema tão importante quanto o inventário das possibilidades de compreensão de dois povos diferentes, deve-se redobrar a atenção.

Somos devedores de Mannoni por ter introduzido no processo dois elementos cuja importância não deveria mais passar despercebida.

Uma análise rápida parecia ter afastado a subjetividade desse domínio. O estudo de Mannoni é uma pesquisa sincera, pois se propõe mostrar que não seria possível explicar o homem fora da possibilidade que tem de assumir ou negar dada situação. O problema da colonização comporta, assim, não apenas a intersecção de condições objetivas e históricas, mas também a atitude do homem diante dessas condições.

De modo similar, não podemos aderir à parte do trabalho de Mannoni que tende a patologizar o conflito, isto é, a demonstrar que o branco colonizador tem por única motivação o desejo de pôr fim a uma insatisfação, no plano da supercompensação adleriana.

Todavia, nós nos percebemos em desacordo com ele ao lermos esta frase: "O fato de que um malgaxe *adulto*, isolado em outro meio, possa se tornar sensível à inferioridade do tipo clássico prova de modo mais ou menos irrefutável que, desde a sua infância, existia nele um gérmen de inferioridade".[1]

Ao ler essa passagem, sentimos algo emborcar, e a "objetividade" do autor pode acabar nos induzindo em erro.

Entretanto, tentamos fervorosamente encontrar a linha de orientação, o tema fundamental do livro: "A ideia central é que o fato de 'civilizados' e 'primitivos' entrarem em contato cria uma situação particular – a situação colonial –, fazendo *aparecer* um conjunto de ilusões e mal-entendidos que apenas a análise psicológica é capaz de situar e definir".[2]

Ora, sendo esse o ponto de partida de Mannoni, por que ele busca fazer do complexo de inferioridade algo que antecede a colonização? Reconhecemos aí o mecanismo de explicação que, em psiquiatria, seria assim formulado: há formas latentes da psicose que se tornam manifestas em decorrência de um trauma. E no campo da cirurgia: o aparecimento de varizes em um indivíduo não deriva da obrigação que ele tem de ficar dez horas em pé, mas de uma fragilidade constitutiva da parede venosa; o modo de trabalho é apenas uma condição propícia – e o perito revisor designado decreta que a responsabilidade do empregador é muito limitada.

---

1 Octave Mannoni, *Psychologie de la colonisation*. Paris: Seuil, 1950, p. 32.
2 Cf. texto de capa de O. Mannoni, op. cit. Grifo nosso.

Antes de abordar em detalhes as conclusões de Mannoni, gostaríamos de precisar nossa posição. De uma vez por todas, afirmamos este princípio: uma sociedade é racista ou não é. Enquanto não percebermos essa evidência, uma quantidade enorme de problemas será deixada de lado. Dizer, por exemplo, que o norte da França é mais racista que o sul, que o racismo é obra de subalternos e que, portanto, não concerne nem um pouco à elite, que a França é o país menos racista do mundo, tudo isso é típico de pessoas incapazes de refletir corretamente.

Para provar que o racismo não reproduz a situação econômica, o autor nos lembra de que, "na África do Sul, os trabalhadores brancos mostram-se tão racistas quanto os dirigentes e empregadores, por vezes até mais".[3]

Com o devido respeito, gostaríamos que aqueles que se encarregam de descrever a colonização se lembrassem de algo: é utópico verificar em que se distingue um comportamento desumano de outro comportamento desumano. Não queremos de modo algum encher o mundo com nossos problemas, mas gostaríamos de perguntar de bom grado a Mannoni se ele não se dá conta de que, para um judeu, as diferenças entre o antissemitismo de Maurras e o de Gœbbels são imperceptíveis.

Ao final de uma apresentação de *A prostituta respeitosa* no norte da África, um general disse a Sartre: "Seria bom que sua peça fosse encenada na África Negra. Ela mostra bem a que ponto o negro em território francês é mais feliz do que seu congênere americano".

Penso, sinceramente, que uma experiência subjetiva pode ser compreendida por outrem; e não me agrada nem um pouco dizer que "o problema negro é meu problema, apenas meu", e em seguida me pôr a estudá-lo. Mas me parece que Mannoni não tentou sentir por dentro o desespero do homem de cor diante do branco. Eu me dediquei neste estudo a abordar a miséria do negro. Tátil e afetivamente. Não quis ser objetivo. Aliás, a verdade é: não me foi possível ser objetivo.

3 Ibid., p. 16.

Haveria, de fato, diferença entre um racismo e outro? Não encontraríamos aí a mesma queda, a mesma falência do homem?

Mannoni estima que o branco pobre da África do Sul detesta o negro, independentemente de qualquer processo econômico. Ainda que possamos compreender essa atitude invocando a mentalidade antissemita – "Daí por que, de bom grado, eu chamaria o antissemitismo de esnobismo de pobre. Parece, com efeito, que a maioria dos ricos *utiliza* essa paixão mais do que se lhes entrega: têm mais o que fazer. Propaga-se comumente pelas classes médias, precisamente porque não possuem terra, nem castelos, nem casas [...]. Tratando o judeu como um ser inferior e pernicioso, afirmo ao mesmo tempo que pertenço a uma elite"[4] –, poderíamos retorquir que esse deslocamento da agressividade do proletariado branco para o proletariado negro é, fundamentalmente, uma consequência da estrutura econômica da África do Sul.

O que é a África do Sul? Um caldeirão no qual 2 530 300 brancos espancam e confinam 13 milhões de negros. Se os brancos pobres odeiam os negros, não é porque, como Mannoni daria a entender, "o racismo é obra dos pequenos comerciantes e pequenos colonos que trabalharam muito, mas sem grande sucesso".[5] Não, é porque a estrutura da África do Sul é uma estrutura racista:

> Negrofilia e filantropia são injúrias na África do Sul [...]. Eles propõem separar os nativos dos europeus, territorialmente, economicamente e no campo político, e permitir-lhes edificar sua própria civilização sob a direção e a autoridade dos brancos, mas com um mínimo de contato entre as raças. Propõem reservar territórios para os nativos e obrigar a grande maioria a morar neles [...]. A competição econômica seria abolida e um caminho seria preparado *para a reabilitação dos "brancos pobres", que perfazem 50% da população europeia* [...].

---

4 J.-P. Sartre, "Reflexões sobre a questão judaica" [1946], em *Reflexões sobre o racismo*, trad. Jacó Guinsburg. São Paulo: Difusão Europeia do Livro, 1960, pp. 17–18. Grifo nosso.
5 O. Mannoni, op. cit., p. 16.

Não é exagero dizer que a maioria dos sul-africanos sente uma repugnância quase física diante de tudo o que coloca um nativo ou uma pessoa de cor no mesmo nível que o seu.[6]

Para pôr fim ao argumento de Mannoni, lembremos que "a barreira econômica provém, dentre outros fatores, do medo da concorrência e do desejo de proteger as classes dos brancos pobres, que formam a metade da população europeia, e impedir que caiam ainda mais".[7]

Mannoni continua: "A exploração colonial não se confunde com as outras formas de exploração, o racismo colonial difere dos outros racismos".[8] O autor fala em fenomenologia, psicanálise, unidade humana, mas gostaríamos que esses termos assumissem um caráter mais concreto. Todas as formas de exploração se parecem. Todas afirmam sua necessidade com base em algum decreto de ordem bíblica. Todas as formas de exploração são idênticas, pois se aplicam ao mesmo "objeto": o homem. Ao querer considerar no plano da abstração a estrutura desta ou daquela exploração, mascara-se o problema capital, fundamental, que é o de restituir o homem a seu devido lugar.

O racismo colonial não se diferencia de outros racismos.

O antissemitismo me toca em plena carne, eu me abalo, uma contestação aterrorizante me exaure, recusam-me a possibilidade de ser um homem. Não posso não me solidarizar com a sorte reservada a meu irmão. Cada um dos meus atos implica o homem. Cada uma das minhas reticências, cada uma das minhas covardias manifesta o homem.[9] Parece-nos que Césaire ainda ecoa:

---

6 R. P. Oswin Magrath (do convento dominicano de Saint Nicholas, Stellenbosch, África Austral inglesa), em S. E. Jean Verdier et al., *L'Homme de couleur*. Paris: Plon, 1939, p. 140. Grifo nosso.
7 Ibid., p. 147.
8 O. Mannoni, op. cit., p. 19.
9 Ao escrever isso, pensamos na culpabilidade metafísica de Jaspers: "Existe uma *solidariedade* entre pessoas enquanto pessoas, que torna cada um corres-

Quando giro o botão do meu rádio e escuto que nos Estados Unidos os negros são linchados, digo que mentiram para nós: Hitler não está morto; quando giro o botão do meu rádio e fico sabendo que os judeus são insultados, desprezados, pogromizados, digo que mentiram para nós: Hitler não está morto; quando giro, enfim, o botão do meu rádio e ouço dizerem que, na África, o trabalho forçado está instituído,

ponsável por toda incorreção e toda a injustiça no mundo, especialmente por crimes que acontecem em sua presença ou que são do seu conhecimento. Se não faço o que posso para evitar isso, também tenho culpa. Se não dediquei minha vida a evitar o assassinato de outros, mas fiquei ali, sinto-me culpado de certa forma que não é compreensível do ponto de vista jurídico, político e moral. O fato de eu ainda estar vivo ao acontecer certa coisa deita-se sobre mim como uma culpa inextinguível. [...]

"O fato de vigorar em algum lugar entre as pessoas a incondicionalidade de viver apenas em comunidade ou então não viver – caso sejam cometidos crimes contra um ou outro, ou caso as condições de vida precisem ser divididas – é o que perfaz a substância de sua essência". (Karl Jaspers, *A questão da culpa: A Alemanha e o nazismo* [1946], trad. Claudia Dornbusch. São Paulo: Todavia, 2018, p. 24.)

Jaspers declara que a instância competente é Deus. É fácil ver que Deus não tem nada a fazer nesse caso. A menos que não se queira explicitar essa obrigação que se impõe à realidade humana de sentir-se responsável por seu semelhante. Responsável no sentido de que o menor dos meus atos implica a humanidade. Cada ato é resposta ou pergunta. Ambos talvez. Ao expressar determinada maneira de o meu ser se superar, afirmo o valor do meu ato para outrem. Inversamente, a passividade observada nos momentos perturbadores da História é interpretada como fracasso diante dessa obrigação. Jung, em *Aspectos do drama contemporâneo* [1948] (trad. Lúcia Orth. Petrópolis: Vozes, 1988), diz que todo europeu deve ser capaz de responder perante um asiático ou um hindu pelos crimes cometidos pela barbárie nazista. Outra autora, Maryse Choisy, em *L'Anneau de Polycrate: Essai sur la culpabilité collective et recherche d'une éthique psychanalytique* [O anel de Polícrates: ensaio sobre a culpa coletiva e busca por uma ética psicanalítica] (Paris: Psyché, 1948), descreveu a culpa que acometia os que se mantiveram "neutros" durante a Ocupação. Eles se sentiam confusamente responsáveis por todos os mortos e por todos os Buchenwälder.

legalizado, digo que, verdadeiramente, mentiram para nós: Hitler não está morto.[10]

Sim, a civilização europeia e seus representantes mais qualificados são responsáveis pelo racismo colonial;[11] e mais uma vez invocamos Césaire:

> E então, um belo dia, a burguesia é despertada por um terrível ricochete: as gestapos afadigam-se, as prisões enchem-se, os torcionários inventam, requintam, discutem em torno dos cavaletes.
> As pessoas espantam-se, indignam-se. Dizem: "Como é curioso! Ora! É o nazismo, isso passa!". E aguardam, e esperam; e calam em si próprios a verdade – que é uma barbárie, mas a barbárie suprema, a que coroa, a que resume a quotidianidade das barbáries; que é o nazismo, sim, mas que antes de serem as suas vítimas, foram os cúmplices; que o toleraram, esse mesmo nazismo, antes de o sofrer, absolveram-no, fecharam-lhe os olhos, legitimaram-no, porque até aí só se tinha aplicado a povos não europeus; que o cultivaram, são responsáveis por ele, e que ele brota, rompe, goteja, antes de submergir nas suas águas avermelhadas de todas as fissuras da civilização ocidental e cristã.[12]

Toda vez que vemos árabes, com o semblante de quem está sendo perseguido, desconfiados, evasivos, envoltos em suas compri-

---

10 Citado de memória. Discursos políticos, campanha eleitoral de 1945, Fort-de-France. [Nesse ano, Césaire foi eleito simultaneamente prefeito de Fort-de-France e deputado da Assembleia Constituinte da França. Como prefeito, foi reeleito sucessivas vezes e manteve o cargo por mais de treze anos. Como deputado pela Martinica, manteve-se no cargo ininterruptamente por 48 anos, N.T.]
11 "A civilização europeia e seus representantes mais qualificados não são responsáveis pelo racismo colonial; ele é obra de subalternos e de pequenos comerciantes, de colonos que trabalharam muito, mas sem grande sucesso" (O. Mannoni, op. cit., p. 16).
12 Aimé Césaire, *Discours sur le colonialisme*. Réclame: Paris, 1950, pp. 14–15 [*Discurso sobre o colonialismo*, trad. de Noémia de Sousa. Lisboa: Sá da Costa, 1978, pp. 17–18].

das vestes rasgadas, que parecem feitas sob medida, pensamos: Mannoni estava enganado. Fomos parados inúmeras vezes em plena luz do dia por policiais que nos confundiam com um árabe e, quando descobriam nossa origem, apressavam-se em pedir desculpas – "Sabemos perfeitamente que um martinicano é diferente de um árabe". Protestávamos com veemência, mas nos diziam: "Vocês não os conhecem". Na verdade, sr. Mannoni, o senhor se enganou. Pois o que significa a frase: "A civilização europeia e seus representantes mais qualificados não são responsáveis pelo racismo colonial"? O que significa senão dizer que o colonialismo é obra de aventureiros e políticos, enquanto os "representantes mais qualificados" se mantêm acima da confusão? Mas, como afirma Francis Jeanson, todo oriundo de uma nação é responsável pelos atos perpetrados em nome dessa nação:

> Dia após dia, esse sistema desenrola ao redor de vocês suas consequências perniciosas, dia após dia, seus promotores os traem, realizando em nome da França uma política o mais alheia possível, não apenas aos seus verdadeiros interesses, mas também às suas exigências mais profundas [...]. Vocês se vangloriam por se manterem à distância de um determinado tipo de realidade: assim, deixam livres as mãos daqueles que não mais se deixam inibir pelos ambientes mórbidos, pois são eles mesmos que os criam com suas atitudes. E se vocês, aparentemente, conseguirem não se sujar, é porque outros se sujam no lugar de vocês. *Vocês têm executores*, mas são vocês, no fim das contas, os verdadeiros culpados: pois, sem vocês, sem a cegueira negligente de vocês, esses homens não seriam capazes de realizar uma ação – que a vocês condena tanto quanto a eles desonra.[13]

Dizíamos há pouco que a África do Sul tinha uma estrutura racista. Iremos mais longe e diremos que a Europa tem uma estrutura

---

[13] Francis Jeanson, "Cette Algérie, conquise et pacifiée...". *Esprit* (nouvelle série), v. 166, n. 4, 1950, pp. 625–26.

racista. Bem se vê que Mannoni não está interessado nesse problema, pois afirma: "A França é o país menos racista do mundo".[14] Meus bons negros, alegrem-se por serem franceses, por mais que ainda seja difícil, pois na América seus semelhantes são mais infelizes do que vocês... A França é um país racista, pois o mito do negro mau faz parte do inconsciente da coletividade. Mostraremos isso mais adiante (capítulo 6).

Continuemos com Mannoni:

> Um complexo de inferioridade ligado à cor da pele só se observa, de fato, entre os indivíduos que vivem em minoria em um meio em que predomina outra cor; em uma coletividade tão homogênea quanto a coletividade malgaxe, na qual as estruturas sociais ainda são suficientemente sólidas, só se encontram complexos de inferioridade em casos excepcionais.[15]

Mais uma vez, pedimos ao autor certa cirscunspecção. Um branco nas colônias nunca se sentiu inferior no que quer que fosse; como tão bem afirma Mannoni: "Ou será endeusado ou devorado". O colonizador, embora esteja "em minoria", não se sente inferiorizado. Há na Martinica duzentos brancos que se consideram superiores a 300 mil indivíduos de cor. Na África Austral, há 2 milhões de brancos para cerca de 13 milhões de nativos, e a nenhum nativo ocorreu a ideia de se sentir superior a um branco minoritário.

Se as descobertas de Adler e, não menos interessantes, as de [Fritz] Künkel explicam certos comportamentos neuróticos, daí não se devem inferir leis que se aplicariam a problemas infinitamente complexos. A inferiorização é o correlato nativo da superiorização europeia. Tenhamos a coragem de dizer: *é o racista que cria o inferiorizado.*

14 O. Mannoni, op. cit., p. 31.
15 Ibid., p. 108.

Nessa conclusão, estamos na companhia de Sartre: "O judeu é um homem que os outros homens consideram judeu: eis a simples verdade de onde se deve partir [...]. O antissemita é que *faz* o judeu".[16]

O que dizer dos casos excepcionais de que nos fala Mannoni? São simplesmente aqueles em que o evoluído de repente se descobre rejeitado por uma civilização que ele, no entanto, assimilou. De modo que a conclusão seria a seguinte: na medida em que o verdadeiro tipo malgaxe do autor assume suas "condutas dependentes", tudo corre bem; porém, se ele esquece o seu lugar, se decide se equiparar ao europeu, então o dito europeu se irrita e rejeita o insolente – que, nesse momento e nesse "caso excepcional", paga com um complexo de inferioridade por sua recusa à dependência.

Detectamos anteriormente, em certas alegações de Mannoni, um quiproquó no mínimo perigoso. De fato, ele concede ao malgaxe a escolha entre a inferioridade e a dependência. Fora dessas duas soluções, não há salvação. "Quando ele [o malgaxe] consegue estabelecer essas relações [de dependência] no convívio com seus superiores, sua inferioridade não o incomoda mais, tudo corre bem. Quando não consegue, quando sua posição de insegurança não se regulariza dessa maneira, ele vivencia um fracasso."[17]

A primeira preocupação de Mannoni havia sido criticar os métodos até então empregados pelos diversos etnógrafos que se debruçaram sobre as populações primitivas. Mas já se entrevê a crítica que devemos fazer à sua obra.

Após ter encerrado o malgaxe em seus costumes, após ter realizado uma análise unilateral da sua visão de mundo, após ter descrito o malgaxe em um círculo restrito, após ter dito que o malgaxe mantém relações de dependência com os ancestrais, características essas altamente tribais, o autor, ao arrepio de toda e qualquer objetividade,

---

16 J.-P. Sartre, "Reflexões sobre a questão judaica", op. cit., p. 47.
17 O. Mannoni, op. cit., p. 61.

aplica suas conclusões a uma compreensão bilateral – ignorando deliberadamente que, desde Gallieni, o malgaxe não existe mais.[18] O que pedíamos a Mannoni era que nos explicasse a situação colonial. Isso, curiosamente, ele esquece de fazer. Nada se perde, nada se cria, nisso estamos de acordo. Parodiando Hegel, Georges Balandier, em um estudo[19] dedicado a [Abram] Kardiner e [Ralph] Linton, escreve a respeito da dinâmica da personalidade: "O último dos seus estados é o resultado de todos os estados antecedentes e deles deve conter todos os princípios". Uma piada, mas que permanece a regra de inúmeros pesquisadores. As reações, os comportamentos surgidos com a chegada dos europeus a Madagascar não vieram se somar aos preexistentes. Não houve aumento do bloco psíquico anterior. Se, por exemplo, marcianos procurassem colonizar os terráqueos, não os iniciar na cultura marciana, mas literalmente *colonizá-los*, duvidaríamos da perenidade de toda e qualquer personalidade. Kardiner retifica muitos julgamentos ao escrever: "Ensinar o cristianismo ao povo de Alor é uma empreitada digna de Dom Quixote... [Isso] não faz o menor sentido, tendo em vista que a personalidade permanece construída com elementos que estão em completa desarmonia com a doutrina cristã: seguramente, é co-

---

18 O general Joseph Simon Gallieni desempenhou um papel decisivo na expansão e consolidação colonial francesa. Como governador-geral de Madagascar de 1896 a 1905, promoveu uma brutal política repressiva contra a resistência anticolonial, executando lideranças locais a título de exemplo para os rebeldes, adotando uma política sistemática de execuções sumárias em larga escala e impondo o trabalho forçado a toda a população nativa adulta. Apoiando-se nas ideias racistas de Gobineau, instituiu uma assim chamada "política das raças", que designava identidades étnicas e circunscrições territoriais a grupos locais, subordinando hierarquicamente uns aos outros. Tendo sido governador militar de Paris e ministro da Guerra durante a Primeira Guerra Mundial, foi agraciado postumamente com a mais alta honraria militar francesa. [N.T.]
19 Georges Balandier, "Où l'Ethnologie retrouve l'unité de l'homme". *Esprit* (nouvelle série), v. 166, n. 4, 1950, pp. 596–612.

meçar pelo lado errado".[20] E se os negros são impermeáveis aos ensinamentos de Cristo, não é de forma alguma por serem incapazes de assimilá-lo. Aprender algo novo requer que nos disponhamos a isso, que nos preparemos para isso, exige uma nova conformação. É utópico esperar do negro ou do árabe que realizem o esforço de inserir valores abstratos em sua *Weltanschauung*, enquanto mal puderem saciar a fome. Exigir que um negro do Alto Níger calce sapatos, dizer dele que é incapaz de se tornar um Schubert não é menos absurdo do que se admirar de que um trabalhador da Berliet[21] não dedique suas noites ao estudo do lirismo na literatura hindu ou do que declarar que ele nunca será um Einstein.

Na verdade, absolutamente nada impede tais coisas. Nada – exceto o fato de que os interessados não têm a possibilidade de fazer isso.

Mas eles não reclamam! Eis a prova:

> No fim da madrugada, para além de meu pai, de minha mãe, o casebre rachando em bolhas, como um pessegueiro atormentado pelo fungo, e o telhado fino, remendado com pedaços de tonel de gasolina, e isso faz pântanos de ferrugem na pasta cinzenta sórdida fétida da palha, e quando sopra o vento, essas disparidades fazem bizarro barulho, no princípio como um crepitar de fritura, depois como um tição que se mergulha na água com a fumaça das fagulhas que esvoaça... E a cama de tábuas de onde se ergueu minha raça, toda a minha raça dessa cama de tábuas, com suas patas de lata de Querosene, como se sofresse de elefantíase a cama, e sua pele de cabrito, e suas folhas de bananeira secas, e seus farrapos, uma nostalgia de colchão a cama da minha avó (acima da cama, num pote cheio de azeite, uma candeia e a chama dança como um gordo inseto... sobre o pote em letras de ouro: GRAÇAS).[22]

20 Citado por G. Balandier, ibid., p. 610.
21 Automobiles Marius Berliet foi uma fábrica de veículos fundada em Lyon em 1899 e incorporada pela Renault em 1974. [N.T.]
22 A. Césaire, *Diário de um retorno ao país natal*, op. cit., p. 23.

Infelizmente,

> essa atitude, esse comportamento, essa vida trôpega presa ao laço da vergonha e do desastre insurge-se, contesta-se, contesta, ladra e, enfim, perguntam-lhe:
> — O que [pode ser feito]?
> — É preciso começar!
> — Começar o quê?
> — A única coisa no mundo que vale a pena começar:
> O Fim do mundo ora essa.[23]

O que Mannoni esqueceu foi que o malgaxe não existe mais; esqueceu que o malgaxe *existe com o europeu*. O branco, ao chegar a Madagascar, subverteu os horizontes e os mecanismos psicológicos. Como todo mundo já disse, a alteridade para o negro não é o negro, mas o branco. Uma ilha como Madagascar, invadida de um dia para o outro pelos "pioneiros da civilização", ainda que estes se tivessem comportado da melhor forma possível, passou por uma desestruturação. Aliás, foi Mannoni que afirmou: "No início da colonização, cada tribo queria ter o seu branco".[24] Que isso se explique por mecanismos mágico-totêmicos, por uma necessidade de contato com o Deus terrível ou pela ilustração de um sistema de dependência, permanece o fato de que algo novo se havia produzido nessa ilha e que deveríamos levar em conta – sob pena de tornar a análise falsa, absurda, caduca. Tendo-se interposto um novo elemento, era necessário buscar o entendimento das novas relações.

O branco, ao desembarcar em Madagascar, provocou uma ferida absoluta. As consequências dessa irrupção europeia em Madagascar não são apenas psicológicas, pois, como todo mundo já disse, há relações internas entre a consciência e o contexto social.

---

23 Ibid., p. 43.
24 O. Mannoni, op. cit., p. 81.

As consequências econômicas? Mas era o processo da colonização que precisava ser feito!
Sigamos com nosso estudo.

> Em termos abstratos, o malgaxe pode aceitar não ser um homem branco. O cruel foi ter descoberto, antes, que era um homem (por identificação) e, *depois*, que essa unidade se cinde em brancos e negros. Se o malgaxe "abandonado" ou "traído" mantém sua identificação, ela então se torna reivindicatória; e ele exigirá *igualdades* das quais não sentia absolutamente nenhuma necessidade. Essas igualdades teriam sido vantajosas para ele antes que ele as pleiteasse, mas, depois, são um remédio insuficiente para seus males: pois todo progresso em relação às igualdades possíveis tornará ainda mais insuportáveis as diferenças que, de súbito, surgem como dolorosamente indeléveis. É dessa forma que ele [o malgaxe] passa da dependência à inferioridade psicológica.[25]

Aqui de novo nos deparamos com o mesmo mal-entendido. É de fato evidente que o malgaxe pode perfeitamente aceitar não ser um branco. Um malgaxe é um malgaxe; ou melhor, não; um malgaxe não *é* um malgaxe: é absolutamente inexistente a sua "malgaxeria". Se ele é malgaxe, é porque o branco chegou, e se, em determinado momento da sua história, ele foi levado a se perguntar se era ou não um homem, é porque lhe questionavam essa realidade de homem. Em outras palavras, começo a sofrer por não ser um branco na medida em que o homem branco me impõe uma discriminação, faz de mim um colonizado, extorque de mim todo o valor, toda a originalidade, diz que eu parasito o mundo, que preciso o quanto antes acertar o passo com o mundo branco, "que somos bestas brutas; [...] que somos um esterco ambulante hediondamente promissor de canas tenras e algodão sedoso

---

25 Ibid., p. 85.

e [...] que não temos nada a fazer no mundo".[26] Então tentarei basicamente me tornar branco, isto é, obrigarei o branco a reconhecer a minha humanidade. Mas, Mannoni haverá de nos dizer, vocês não podem, pois existe no fundo de vocês um complexo de dependência.

"Nem todos os povos estão aptos a ser colonizados, apenas aqueles que têm essa necessidade." E, mais adiante: "Em quase todos os lugares onde os europeus fundaram colônias do tipo que atualmente está 'em questão', pode-se dizer que eram esperados, até desejados, no inconsciente de seus súditos. Por toda parte, lendas os prefiguravam sob a forma de estrangeiros vindos do mar e destinados a trazer benefícios".[27]

Como se vê, o branco obedece a um complexo de autoridade, a um complexo de chefe, enquanto o malgaxe obedece a um complexo de dependência. Todo mundo fica satisfeito.

Quando se trata de compreender por que o europeu, o estrangeiro, foi chamado de *vazaha*, isto é, "honorável estrangeiro" [em malgaxe]; quando se trata de compreender por que os europeus náufragos foram acolhidos de braços abertos, por que o europeu, o estrangeiro, nunca foi concebido como inimigo; em vez de fazê-lo com base na humanidade, na benevolência, na civilidade, traços fundamentais do que Césaire chama de as "velhas civilizações corteses",[28] dizem-nos que é simplesmente porque havia, inscrito nos "fatídicos hieróglifos"[29] – o inconsciente, especificamente –, algo que fazia do branco o senhor esperado. O inconsciente, sim, chegamos a ele. Mas não é preciso extrapolar. Quando um negro me conta o seguinte sonho: "Caminho por muito tempo, estou muito cansado, tenho a impressão de que algo me espera, atravesso barreiras e paredes, chego a um cômodo vazio e, detrás de uma porta, escuto um barulho, hesito antes de entrar, por fim me decido, entro, há bran-

---

26 A. Césaire, *Diário de um retorno ao país natal*, op. cit., pp. 53 e 79.
27 O. Mannoni, op. cit., pp. 87–88.
28 A. Césaire, *Discours sur le colonialisme*, op. cit., p. 19 [p. 35].
29 Id., *Diário de um retorno ao país natal*, op. cit., p. 73.

cos nesse segundo cômodo, percebo que eu também sou branco", e, quando busco compreender esse sonho, analisá-lo, sabendo que esse amigo tem dificuldades para progredir, concluo que esse sonho realiza um desejo inconsciente. No entanto, fora do meu laboratório de psicanalista, quando a questão for integrar minhas conclusões ao contexto do mundo, direi:

1º Meu paciente sofre de um complexo de inferioridade. Sua estrutura psíquica corre o risco de se dissolver. É preciso preservá-la e, pouco a pouco, libertá-la desse desejo inconsciente.

2º Se ele se encontra a tal ponto imerso no desejo de ser branco, é porque vive em uma sociedade que torna possível seu complexo de inferioridade, uma sociedade que extrai sua consistência da preservação desse complexo, uma sociedade que afirma a superioridade de uma raça; é na exata medida em que essa sociedade lhe cria dificuldades que ele se vê colocado numa situação neurótica.

Surge, então, a necessidade de uma ação combinada junto ao indivíduo e ao grupo. Como psicanalista, devo ajudar meu cliente a *conscientizar* seu inconsciente, a não mais buscar uma lactificação alucinatória, mas a agir no sentido de uma mudança das estruturas sociais.

Em outras palavras, o negro não deve mais se ver colocado diante deste dilema: branquear-se ou desaparecer, mas deve poder tomar consciência de uma possibilidade de existir; dito de outra maneira, se a sociedade lhe cria dificuldades em razão da sua cor, se constato em seus sonhos a expressão de um desejo inconsciente de mudar de cor, meu objetivo não será dissuadi-lo, aconselhando-o a "manter distância"; ao contrário, meu objetivo será, uma vez elucidados os motivos, colocá-lo em condições de *escolher* a ação (ou a passividade) diante da verdadeira fonte conflitual – isto é, diante das estruturas sociais.

Mannoni, preocupado em considerar o problema por todos os ângulos, não deixou de perscrutar o inconsciente do malgaxe.

Para isso, analisou sete sonhos: sete relatos que nos dão acesso ao inconsciente e entre os quais se encontram seis que manifestam uma dominante de terror. São crianças e um adulto que nos contam seus sonhos, e nós os vemos trêmulos, esquivos, infelizes.

> SONHO DO COZINHEIRO: "Estou sendo perseguido por um furioso touro *negro*.[30] Aterrorizado, subo numa árvore, onde fico até o perigo passar. Desço tremendo por inteiro...".
>
> SONHO DE RAHEVI, MENINO DE TREZE ANOS: "Caminhando pela floresta, encontro dois homens *negros*.[31] Ah, digo, estou perdido! Vou (quero) fugir, mas é impossível. Eles me cercam e tartamudeiam do seu jeito. Acho que dizem: 'Você vai ver o que é a morte'. Tremo de medo e lhes digo: 'Deixem-me, senhores, estou com tanto medo!'. Um desses homens sabe francês, mas a despeito de tudo eles me dizem: 'Venha até o nosso chefe'. No caminho, eles me fazem andar à sua frente e me mostram seus fuzis. Meu medo [se] redobra, mas, antes de chegar ao acampamento deles, devemos atravessar um curso d'água. Eu (me) afundo na água. Graças a meu sangue-frio, chego a uma gruta de pedra e nela me escondo. Quando os dois homens se vão, fujo e volto à casa dos meus pais...".
>
> SONHO DE JOSETTE: "O sujeito (uma jovem) se perdeu e se sentou num tronco de árvore caído. Uma mulher vestida de branco lhe informa que ela se encontra em meio a bandidos. O relato continua assim: 'Sou estudante, respondi tremendo, e ao voltar da escola me perdi aqui'. Ela me diz: 'Siga por esse caminho e chegará à sua casa'...".
>
> SONHO DE RAZAFI, MENINO ENTRE TREZE E CATORZE ANOS: "Ele está sendo perseguido por fuzileiros (senegaleses) que, ao correr, 'fazem um barulho de cavalo galopando'; 'exibem seus fuzis à frente do corpo'. O sujeito escapa tornando-se invisível. Sobe uma escada e encontra a porta de casa...".
>
> SONHO DE ELPHINE, MENINA ENTRE TREZE E CATORZE ANOS: "Sonho com um boi *negro*[32] que me persegue com raiva. É um boi vigoroso. Sua

---

30 Grifo nosso.
31 Grifo nosso.
32 Grifo nosso.

cabeça, quase malhada de branco (*sic*), carrega seus dois longos chifres bem pontudos. Ah, que desgraça!, penso. O caminho se estreita, o que posso fazer? Eu me apoio em uma mangueira. Ai de mim! Caio no meio dos arbustos. Então ele pressiona seus chifres contra mim. Meu intestino escapa e o boi o come...".

SONHO DE RAZA: "Em seu sonho, o sujeito ouve dizer na escola que os senegaleses estão chegando. 'Saí do pátio da escola para ver.' É verdade, os senegaleses estão chegando. Ele foge, toma o caminho de casa. 'Mas nossa casa também foi revirada por eles...'".

SONHO DE SI, MENINO DE CATORZE ANOS: "Passeava no jardim, quando senti algo formar uma sombra por trás de mim. As folhas crepitavam à minha volta, despencando como (se) houvesse um bandido que quisesse me pegar. Por qualquer caminho que eu trilhasse, a sombra continuava me seguindo. Fui então tomado pelo medo e comecei a fugir, mas a sombra vinha a passos largos e estendia sua mão enorme para me agarrar [com] (por) minhas roupas. Senti minha camisa rasgar e gritei. Ao escutar esse grito, meu pai pulou da cama e olhou para mim, mas a grande *sombra* tinha desaparecido e eu já não sentia meu medo tão grande".[33]

Há cerca de dez anos, ficamos surpresos ao constatar que os norte-africanos detestavam os homens de cor. Era-nos realmente impossível entrar em contato com os nativos. Deixamos a África com destino à França, sem entender a razão dessa animosidade. No entanto, alguns fatos nos levaram a refletir. O francês não gosta do judeu, que não gosta do árabe, que não gosta do negro... Ao árabe, dizemos: "Se vocês são pobres, é porque foram enganados pelo judeu, que levou tudo o que tinham"; ao judeu, dizemos: "Vocês não estão em pé de igualdade com os árabes porque, na realidade, vocês são brancos e têm um Bergson e um Einstein"; ao negro, dizemos: "Vocês são os melhores soldados do Império Francês, os árabes se julgam superiores a vocês, mas estão enganados". Aliás, isso não é

---

33 O. Mannoni, op. cit., cap. 1 ("Les Rêves", pp. 55–59).

verdade, não dizemos nada ao negro, não temos nada a lhe dizer, o fuzileiro senegalês é um fuzileiro, o bom-fuzileiro-do-seu-capitão, o destemido que só-enxerga-a-ordem-dada.

— Você não passar.
— Por quê?
— Eu não saber. Você não passar.[34]

Incapaz de lidar com todas as reivindicações, o branco se exime das suas responsabilidades. Chamo esse processo de divisão racial da culpa.

Dissemos que alguns fatos nos surpreenderam. Toda vez que havia um movimento insurrecional, a autoridade militar mobilizava apenas soldados de cor. São os "povos de cor" que reduzem a nada as tentativas de libertação de outros "povos de cor", prova de que não se justificava universalizar o processo: se os árabes, esses indolentes, metiam na cabeça a ideia de se revoltar, não era em nome de princípios confessáveis, mas simplesmente no afã de desafogar seu inconsciente de "*bicots*".[35]

De um ponto de vista africano, dizia um estudante de cor no XXV Congresso dos Estudantes Católicos, durante o debate sobre Madagascar, "sou contra o envio de fuzileiros senegaleses e o abuso que isso gera". Sabemos, aliás, que um dos torturadores da delegacia de polícia de Antananarivo era senegalês. Assim, sabendo de tudo isso, sabendo o que o arquétipo senegalês pode significar para um malgaxe, as descobertas de Freud não têm nenhuma utilidade para nós. É preciso situar esse sonho *em seu tempo*, e esse tempo é o período em que 80 mil nativos foram mortos, isto é, um a cada cinquenta habitantes; e *em seu lugar*, e esse lugar é uma ilha de 4 milhões de habitantes, onde nenhuma relação genuína pode ser instaurada, onde as desavenças brotam por toda parte, onde a mentira e a demagogia são as senhoras

---

34 Em petit-nègre no original: "— *Toi pas passer.* — *Pourquoi?* — *Moi y en a pas savoir. Toi pas passer*". [N.T.]
35 Ver nota 25, no capítulo 1, p. 47. [N.T.]

incontestes da situação.[36] É preciso dizer que, em certos momentos, o *socius* é mais importante do que o homem. Penso em Pierre Naville, que escreveu:

[36] Destacamos estes depoimentos prestados ao longo do julgamento em Antananarivo.
Audiência de 9 de agosto. Rakotovao declara:
O sr. Baron me diz: "Já que você não quis aceitar o que acabei de dizer, farei com que passe pela sala das reflexões [...]". Passei para a sala contígua. A sala das reflexões já estava repleta de água e, além disso, havia um tonel cheio de água suja, para dizer o mínimo. O sr. Baron me diz: "Eis aqui o instrumento que o ensinará a confessar o que acabei de mandar declarar". Um senegalês recebeu do sr. Baron a ordem de me "fazer passar pelo que os outros passaram". Ele me fez ficar de joelhos, com os punhos estendidos, pegou uma torquês de madeira e espremeu minhas mãos, então, de joelhos e com minhas mãos espremidas, colocou seus pés sobre a minha nuca e afundou a minha cabeça no tonel. Vendo que eu ia desmaiar, levantou o pé para me deixar retomar o fôlego. E isso se repetiu até que eu estivesse completamente extenuado. Então disse: "Levem-no daqui e deem-lhe uma surra". O senegalês lançou mão do vergalho, mas o sr. Baron entrou na sala de tortura e participou pessoalmente da flagelação. Ela se estendeu, acho, por quinze minutos, ao fim dos quais declarei que não conseguia mais aguentar, pois, apesar da minha juventude, era insuportável. Foi quando ele disse: "Então você precisa confessar o que acabei de lhe dizer!".
"Não, senhor diretor, não é verdade."
Nesse momento, ele me fez entrar na câmara de tortura, chamou outro senegalês, pois um só não bastava, e deu a ordem para me virarem de ponta-cabeça e enfiarem meu corpo no tonel até a altura do peito. E repetiram isso diversas vezes. Por fim, eu disse: "Já é demais! Deixem-me falar com o sr. Baron", e disse-lhe: "Peço, ao menos, tratamentos dignos da França, senhor diretor", e ele me respondeu: "Aqui estão os tratamentos da França!".
Não aguentando mais, disse-lhe: "Então eu aceito a primeira parte da sua declaração". O sr. Baron me respondeu: "Não, não quero a primeira parte, quero tudo". "Devo mentir então?" "Mentira ou não mentira, você precisa aceitar o que digo..."
O depoimento prossegue:
Imediatamente o sr. Baron disse: "Submetam-no a outro tipo de tortura". Nesse momento, levaram-me à sala vizinha, onde havia uma pequena escada de cimento. Com os braços atados pelas costas, os dois senegaleses pu-

Falar dos sonhos da sociedade como se fala dos sonhos do indivíduo, das vontades de poder coletivas como se fala do instinto sexual pessoal é inverter de novo a ordem natural das coisas, tendo em vista que, ao contrário, são as condições econômicas e sociais das lutas de classes que explicam e determinam as condições reais nas quais se expressa a sexualidade individual, e o conteúdo dos sonhos de um ser humano também depende, no fim das contas, das condições gerais da civilização em que ele vive.[37]

O touro negro furioso não é o falo. Os dois homens negros não são os dois pais – um que representaria o pai real e o outro, o ances-

---

xaram meus pés para o alto e me fizeram subir e descer a pequena escada arrastado assim. Isso começou a se tornar insuportável e, por mais que eu tivesse forças suficientes, era insustentável. Então disse aos senegaleses: "Digam ao seu chefe que aceito o que ele vai me fazer dizer".
Audiência de 11 de agosto. O acusado Robert relata:
O gendarme me agarrou pelo colarinho do casaco e me deu chutes por trás e socos na cara. Depois me fez ficar de joelhos e o sr. Baron começou a me bater de novo. Sem saber como, ele passou por trás de mim e senti pontadas de fogo na minha nuca. Ao tentar me proteger com as mãos, elas também sofreram queimaduras... Caindo ao chão pela terceira vez, perdi a consciência e não lembro mais o que aconteceu. O sr. Baron me disse para assinar um documento já todo preparado; com um sinal, eu disse: "Não"; então o diretor chamou novamente o senegalês e ele, apoiando o meu corpo, levou-me a uma outra sala de tortura: "Você deve aceitar, do contrário morrerá", disse o senegalês. "Pior para ele, precisamos começar a operação, Jean", disse o diretor. Ataram-me os braços por trás, forçaram-me a ficar de joelhos e mergulharam minha cabeça em um tonel cheio de água. No momento exato em que eu ia me afogar, puxaram-me para fora. E assim repetiram diversas vezes, até meu completo esgotamento...
Recordemos, para que ninguém esqueça, que o depoente Rakotovao foi condenado à morte. Então, ao lermos tais coisas, parece que, de fato, Mannoni deixou escapar uma dimensão dos fenômenos que analisa: o touro negro, os homens negros são nada mais nada menos do que os senegaleses da Segurança Nacional.
37 Pierre Naville, *Psychologie, marxisme, matérialisme: Essais critiques* [1946]. Paris: Marcel Rivière, 1948, p. 151.

tral. Eis o que uma análise forçada teria sido capaz de apresentar, com base nas próprias conclusões de Mannoni no parágrafo precedente, "O culto dos mortos e a família".

O fuzil do soldado senegalês não é um pênis, mas realmente um fuzil Lebel 1916. O boi negro e o bandido não são os *lolos*, "almas substanciais", mas realmente a irrupção, durante o sono, de fantasmas reais. O que representa essa estereotipia, esse tema central dos sonhos, senão um retorno ao bom caminho? Sejam fuzileiros *negros*, sejam touros *negros* com a cabeça malhada de branco, seja literalmente uma branca, muito gentil, aliás. O que encontramos em todos esses sonhos senão esta ideia central: "Distanciar-se da rotina é passear na floresta; ali se encontra o touro que faz você voltar desembestado para casa"?[38]

Malgaxes, fiquem quietos, continuem em seu lugar.

Depois de descrever a psicologia malgaxe, Mannoni se propõe explicar a razão de ser do colonialismo. Ao fazê-lo, acrescenta um novo complexo à lista preexistente: o "complexo de Próspero" – definido como o conjunto de disposições neuróticas inconscientes que delineiam simultaneamente "a figura do paternalismo colonial" e "o retrato do racista cuja filha foi objeto de uma tentativa de estupro (imaginário) por parte de um ser inferior".[39]

Próspero, como se sabe, é o personagem principal da peça *A tempestade*, de Shakespeare. Diante dele estão Miranda, sua filha, e Caliban. Em relação a este, Próspero adota uma atitude que os americanos do sul dos Estados Unidos conhecem bem. Eles não dizem que os negros apenas esperam uma oportunidade para se jogar em cima das mulheres brancas? Em todo caso, o interessante nessa parte da obra é a intensidade com que Mannoni nos faz apreender os conflitos mal resolvidos que parecem estar na base da vocação colonial. Ele nos diz, na verdade, que

---

38 O. Mannoni, op. cit., p. 71.
39 Ibid., p. 108.

o que falta ao colono, assim como a Próspero, aquilo de que se encontra privado, é o mundo dos Outros, onde os outros se fazem respeitar. Esse mundo, o tipo colonial o abandonou, afugentado pela dificuldade de aceitar os homens como são. Essa fuga está relacionada a uma necessidade de dominação de origem infantil, que a adaptação ao social não conseguiu disciplinar. Pouco importa que o colono tenha cedido ao "propósito único de viajar", ao desejo de fugir do "horror da sua terra natal" ou das "antigas trincheiras", ou que deseje, mais grosseiramente, uma "vida mais ampla" [...]. Trata-se sempre de um compromisso com a tentação de um mundo sem homens.[40]

Se lembrarmos que muitos europeus vão para as colônias porque nelas têm a possibilidade de enriquecer em pouco tempo e que, salvo raras exceções, o colonialista é um comerciante, ou melhor, um traficante, teremos compreendido a psicologia do homem que provoca no autóctone "o sentimento de inferioridade". Quanto ao "complexo de dependência" malgaxe, ao menos sob a única forma em que nos é acessível e analisável, ele também provém da chegada dos colonizadores brancos à ilha. A respeito da sua outra forma, do complexo original, em estado puro, que teria caracterizado a mentalidade malgaxe durante todo o período anterior, Mannoni não parece ter nenhuma base para tirar conclusões, por mínimas que sejam, no tocante à situação, aos problemas ou às possibilidades dos autóctones no período atual.

40 Ibid., p. 106.

Capítulo 5

A EXPERIÊNCIA VIVIDA DO NEGRO

"**N**egro imundo!" Ou simplesmente: "Olhe, um negro!". Vim ao mundo preocupado em suscitar um sentido nas coisas, minha alma cheia do desejo de estar na origem do mundo, e eis que me descubro objeto em meio a outros objetos.

Encerrado nessa objetividade esmagadora, supliquei a outro alguém. Seu olhar libertador, deslizando sobre o meu corpo subitamente livre de asperezas, restituiu em mim uma leveza que eu acreditava perdida e, afastando-me do mundo, devolveu-me ao mundo. Mas, lá, tropecei já na contravertente, e o outro, por meio de gestos, atitudes, olhares, fixou-me, como se fixa um corante com um estabilizador. Eu me enfureci, exigi uma explicação... Nada adiantou. Explodi. Eis aqui os estilhaços recolhidos por um outro eu.

Enquanto o negro estiver em seu lar, não precisará, exceto por ocasião de lutas internas de menor gravidade, pôr seu ser à prova de outrem. É óbvio que existe o momento de "ser para o outro", de que fala Hegel, mas qualquer ontologia se torna irrealizável em uma sociedade colonizada e civilizada. Isso parece não ter recebido atenção suficiente daqueles que escreveram sobre a questão. Existe, na *Weltanschauung* de um povo colonizado, uma impureza, uma tara que impugna qualquer explicação ontológica. Talvez possam objetar que o mesmo acontece a qualquer indivíduo, mas isso significaria mascarar um problema fundamental. A ontologia, quando se admite de uma vez por todas que ela deixa de lado a existência, não nos permite compreender o ser do negro. Pois o negro já não precisa ser negro, mas precisa sê-lo diante do branco. Alguns teimarão em nos lembrar de que a situação tem duplo sentido. Respondemos que isso é falso. O negro não tem resistência ontológica aos olhos do branco. Os negros, de um dia para o outro, passaram a ter dois sistemas de referência em relação aos quais era preciso se situar. Sua metafísica, ou, menos pretensiosamente, seus costumes e as instâncias às quais remetem foram abolidos, pois estavam em contradição com uma civilização que eles desconheciam e que lhes foi imposta.

O negro em seu lar, no século xx, ignora o momento em que sua inferioridade passa pelo outro... Sem dúvida, chegamos a discutir o problema negro com amigos ou, mais raramente, com negros americanos. Juntos, protestamos e afirmamos a igualdade dos homens perante o mundo. Também nas Antilhas havia esse pequeno hiato entre a branquelada, a mulatada e a negrada.[1] Mas nos contentávamos com uma compreensão intelectual dessas divergências. De fato, isso não era nada dramático. E então...

Então nos coube enfrentar o olhar branco. Um peso fora do comum passou a nos oprimir. O mundo real disputava o nosso espaço. No mundo branco, o homem de cor encontra dificuldades na elaboração do seu esquema corporal. O conhecimento do corpo é uma atividade puramente negacional. É um conhecimento em terceira pessoa. Ao redor do corpo, reina uma atmosfera de clara incerteza. Eu sei que, se quiser fumar, precisarei esticar o braço direito para alcançar o maço de cigarros que está na outra ponta da mesa. Os fósforos, por sua vez, estão na gaveta da esquerda; precisarei recuar um pouco. E todos esses gestos, eu os faço não por hábito, mas por um conhecimento implícito. Lenta construção do meu eu enquanto corpo no interior de um mundo espacial e temporal, parece ser esse o esquema. Ele não se impõe a mim, é em vez disso uma estruturação definitiva do eu e do mundo – definitiva, porque se estabelece uma dialética efetiva entre meu corpo e o mundo.

Já faz alguns anos que laboratórios tentam descobrir uma poção de desnegrificação; com a maior seriedade do mundo, laboratórios enxaguaram seus tubos de ensaio, calibraram suas balanças e deram início a pesquisas que permitirão aos pobres negros se branquearem e, assim, não mais terem de carregar o peso dessa maldição corporal. Eu havia criado, por baixo do esquema corporal, um esquema histórico-racial. Os elementos que utilizei

---

[1] No original, *békaille*, *mulâtraille* e *négraille*, alusão aos estamentos raciais na sociedade colonial antilhana francesa ou caribenha de um modo mais amplo. *Békaille*, coletivo afrancesado do termo *béké*, refere-se aos brancos locais. Para a etimologia e os sentidos do termo *béké*, ver a nota 3, no capítulo 2, p. 56. [N.T.]

não me foram fornecidos por "resíduos de sensações e percepções de ordem sobretudo tátil, vestibular, cinestésica e visual",[2] mas pelo outro, o branco, que teceu para mim milhares de detalhes, anedotas, relatos. Achava que tinha de construir um eu fisiológico, equilibrar o espaço, localizar sensações, e eis que me pediam um suplemento. "Olhe, um negro!" Era um estímulo externo que me futucava de passagem. Eu esboçava um sorriso.

"Olhe, um negro!" Era verdade, eu me divertia.

"Olhe, um negro!" O círculo pouco a pouco se estreitava. Eu me divertia abertamente.

"Mamãe, olhe o negro, estou com medo!" Medo! Medo! E eis que agora eu era temido. Queria me divertir com isso até engasgar, mas isso se havia tornado impossível para mim.

Eu não aguentava mais, pois já sabia que existiam lendas, histórias, a história e, acima de tudo, a *historicidade*, sobre a qual Jaspers me havia ensinado. O esquema corporal, atacado em vários pontos, então desabou, dando lugar a um esquema epidérmico racial. A partir daí, não se tratava mais de um conhecimento do meu corpo na terceira pessoa, mas em tripla pessoa. A partir daí, em vez de um, deixavam-me dois, três assentos livres no trem. Eu já não me divertia mais. Não encontrava mais nenhuma das coordenadas febris do mundo. Eu existia triplamente: ocupava um lugar, ia na direção do outro... e o outro – evanescente, hostil, mas não opaco, e sim transparente, ausente – desaparecia. Era nauseante...

Eu era a um só tempo responsável pelo meu corpo, pela minha raça e pelos meus ancestrais. Eu me percorri com um olhar objetivo, descobri minha negrura, meus traços étnicos – e então me arrebentaram o tímpano com a antropofagia, o atraso mental, o fetichismo, as taras raciais, os negreiros e, acima de tudo, acima de tudo o mais: "*Y'a bon banania*".[3]

---

2 Jean Lhermitte, *L'Image de notre corps*. Paris: Ed. de la Nouvelle Revue Critique, 1939, p. 17.
3 Ver a nota 27, no capítulo 1, p. 48. [N.T.]

Àquela altura, desorientado, incapaz de sair por aí com o outro, o branco implacável que me aprisionava, fui para longe da minha própria presença, muito longe, e me fiz objeto. O que mais seria isso para mim, senão um descolamento, uma extração, uma hemorragia que fazia sangue negro coagular por todo o meu corpo? Mesmo assim, eu não queria essa reconsideração, essa tematização. Queria simplesmente ser um homem entre outros homens. Queria ter chegado lépido e jovial a um mundo que fosse nosso e que juntos construíssemos.

Mas eu recusava qualquer tetanização afetiva. Queria ser humano, nada além de humano. Alguns me vinculavam aos meus ancestrais, escravizados, linchados: decidi aceitar. Foi por meio do plano universal do intelecto que compreendi este parentesco interno – eu era neto de escravos nos mesmos termos em que o presidente Lebrun o era de camponeses sujeitos à corveia e ao arbítrio.[4] No fundo, o alvoroço se dissipou rapidamente.

Nos Estados Unidos, os negros são segregados. Na América do Sul, grevistas negros são açoitados nas ruas e metralhados. Na África Ocidental, o negro é uma besta. E aqui, muito perto de mim, bem ao meu lado, este colega de faculdade, originário da Argélia, que me diz: "Enquanto insistirem em fazer do árabe uma pessoa como nós, nenhuma solução será viável".

— Veja só, meu caro, o preconceito de cor é algo que desconheço... Mas, claro, senhor, pode entrar, o preconceito de cor não existe aqui entre nós... Exatamente, o negro é uma pessoa como nós... Não é porque é negro que ele é menos inteligente que nós... Tive um colega senegalês no regimento, ele era muito fino...

Onde me situar? Ou, se preferirem: onde me enfiar?

— Martinicano, oriundo das "nossas" velhas colônias.

4 Albert Lebrun, eleito presidente da República Francesa em 1932 e reeleito em 1939 para um segundo mandato que iria até 1946, foi removido da presidência com a instauração do regime de Vichy e impedido de retomá-la após o fim da guerra, em vista do governo formado em torno de Charles de Gaulle. Vinha de uma família de camponeses lorenos. [N.T.]

Onde me esconder?

— Olhe o negro!... Mamãe, um negro!... Quieto! Ele vai se zangar... Não lhe dê atenção, meu senhor, ele não sabe que o senhor é tão civilizado quanto a gente...

Meu corpo me era devolvido desmembrado, desmantelado, arrebentado, todo enlutado naquele dia branco de inverno. O negro é uma besta, o negro é mau, o negro é malicioso, o negro é feio; olhe, um negro, faz frio, o negro treme, o negro treme porque sente frio, o menino treme porque tem medo do negro, o negro treme de frio, aquele frio de torcer os ossos, o belo menino treme porque acha que o negro treme de raiva, o menino branco corre para os braços da mãe: mamãe, o negro vai me comer.

À minha volta o branco, no alto o céu se rasga pelo umbigo, sob meus pés a terra range e um canto branco, branco. Toda essa brancura que me calcina...

Sento-me ao pé do fogo e encontro a minha libré. Não a havia visto antes. Ela é realmente feia. Mas paro aqui, pois quem me dirá o que é a beleza?

Onde me enfiar dali em diante? Sentia subir das incontáveis dispersões do meu ser um fluxo facilmente reconhecível. Eu ia ficar com raiva. Fazia tempo que o fogo estava apagado, mas o negro voltava a tremer.

— Olhe como é bonito esse negro...

— O negro bonito quer que a senhora se foda, madame!

A vergonha ornava seu rosto. Finalmente eu me libertava da minha ruminação. Realizava duas coisas de uma só vez: identificava meus inimigos e causava escândalo. Satisfação plena. Podíamos afinal nos divertir.

Delimitado o campo de batalha, entrei na disputa.

Como? Enquanto eu esquecia, perdoava e somente desejava amar, minha mensagem me era devolvida como uma bofetada em pleno rosto. O mundo branco, o único respeitável, negava-me qualquer participação. De um homem se exigia uma conduta de homem. De mim, uma conduta de homem negro [*noir*] – ou, se tanto, uma conduta de negro [*nègre*]. Eu saudava o mundo com um aceno e o mundo me amputava o entusiasmo. Estavam pedindo que eu me confinasse, que eu me encolhesse.

Eles iam ver só! Mas eu já os havia advertido... Escravidão? Não se falava mais disso, era uma lembrança ruim. Minha suposta inferioridade? Um gracejo, do qual era melhor rir. Esqueci isso tudo, mas com a condição de que o mundo não se esquivasse mais de mim. Eu tinha que testar meus incisivos. Podia senti-los robustos. E então...

Como? Embora fosse eu que tivesse todos os motivos para odiar, para detestar, eles me rejeitavam? Embora devessem me suplicar e rogar, negavam-me qualquer tipo de reconhecimento? Já que era impossível que eu me desprendesse de um *complexo inato*, decidi me afirmar como NEGRO [*Noir*]. Já que o outro hesitava em me reconhecer, só restava uma solução: fazer com que me conhecessem.

Jean-Paul Sartre, em "Reflexões sobre a questão judaica", escreveu: "[Os judeus] deixaram-se envenenar por determinada representação que os outros fazem deles e vivem no temor de que seus atos se conformem a tal representação. Assim, poderíamos dizer, retomando um termo de que nos servimos há pouco, que suas condutas apresentam-se perpetuamente superdeterminadas a partir do interior".[5]

Mesmo assim, o judeu pode ser ignorado em sua judeidade. Ele não é integralmente aquilo que é. Esperam por ele, aguardam-no. Seus atos e seu comportamento serão decisivos, em última instância. É um branco e, com exceção de alguns traços muito discutíveis, pode até passar despercebido. Pertence à raça dos que, por toda a história, evitaram a antropofagia. Mas que ideia, devorar o próprio pai! Se tudo estiver em ordem, basta não ser negro. É claro que os judeus são intimidados – o que estou dizendo? –, são perseguidos, exterminados, enviados aos fornos,

---

[5] J.-P. Sartre, "Reflexões sobre a questão judaica", op. cit., p. 65.

mas essas são querelas em família. O judeu deixa de ser amado a partir do momento em que é identificado. Mas, no meu caso, tudo ganha uma *nova* cara. Nenhuma chance me é concedida. Sou sobredeterminado a partir do exterior. Não sou escravo da "ideia" que os outros fazem de mim, mas da minha aparência.

Chego lentamente ao mundo, já acostumado a não me arrogar aparições repentinas. Eu me movo rastejando. E já me dissecam os olhares brancos, os únicos verdadeiros. Sou *fixado*. Uma vez ajustado seu micrótomo, eles objetivamente realizam cortes na minha realidade. Sou traído. Sinto, vejo nesses olhares brancos que não é um homem novo que está entrando, mas um novo tipo de homem, um novo gênero. Um negro, ora essa!

Eu me arrasto pelos cantos, encontrando com minhas longas antenas os axiomas dispersos pela superfície das coisas – a roupa do negro cheira a negro – os dentes do negro são brancos – os pés do negro são grandes – o peito largo do negro –; eu me arrasto pelos cantos, fico em silêncio, aspiro ao anonimato, ao esquecimento. Vejam só, aceito tudo, desde que possa passar despercebido!

— Ei, venha cá que apresento você ao meu colega negro... Aimé Césaire, homem negro, catedrático da universidade... Marian Anderson, a maior cantora negra... O dr. Cobb, inventor do sangue branco, é um negro...[6] Ei, diga olá ao meu amigo martinicano (tenha cuidado, ele é muito suscetível)...

A vergonha. A vergonha e o desprezo por mim mesmo. A náusea. Quando me amam, dizem que é a despeito da minha cor. Quando

---

6 William Montague Cobb, médico formado em 1929 pela Howard University, foi o primeiro negro a obter doutorado em antropologia nos Estados Unidos, em 1932, e permaneceu o único até meados de 1950. Pioneiro em diversos campos acadêmicos, dedicou-se a combater ideias e estereótipos racistas. A discussão sobre os processos históricos e culturais que explicariam a distribuição do "sangue branco", do "sangue africano" e do "sangue indígena" na conformação da diversidade demográfica norte-americana ressurge em diversos de seus textos, entre eles, "The Negro as a Biological Element in the American Population". *Journal of Negro Education*, v. 8, n. 3, 1939, pp. 336-48. [N.T.]

me detestam, acrescentam que não é por causa da minha cor... Por um lado ou por outro, sou prisioneiro do círculo vicioso.

Afasto-me desses perscrutadores do pré-dilúvio e me agarro aos meus irmãos, negros como eu. Para o meu horror, eles me rejeitam. São quase brancos, eles. E além disso se casarão com uma branca. Terão filhos levemente morenos... Quem sabe, pouco a pouco, eventualmente...

Eu havia sonhado.

— Como vê, senhor, sou um dos mais negrófilos de Lyon.

A evidência estava ali, implacável. Minha negrura estava ali, densa e indiscutível. E ela me atormentava, me perseguia, me inquietava, me exasperava.

Os negros são selvagens, estúpidos, analfabetos. Mas, no meu caso, eu sabia que essas proposições eram falsas. Havia um mito do negro que era preciso demolir a qualquer preço. Não estávamos mais no tempo em que as pessoas se maravilhavam ao ver um padre negro. Tínhamos médicos, professores, estadistas... Sim, mas nesses casos persistia algo de insólito. "Temos um professor de história senegalês. Ele é muito inteligente... Nosso médico é um negro. Ele é muito afável."

Era o professor negro, o médico negro; eu, que começava a me fragilizar, tremia ao menor sinal de alerta. Sabia, por exemplo, que, se o médico cometesse um erro, estariam acabados ele e todos os que o sucedessem. O que se pode esperar, na verdade, de um médico negro? Enquanto tudo estivesse correndo bem, era alçado às nuvens, mas cuidado, não faça nenhuma besteira, em hipótese alguma! O médico negro jamais saberá a que ponto sua posição beira o descrédito. Eu lhes digo, já estive emparedado: nem minhas atitudes civilizadas, nem meus conhecimentos literários, nem minha compreensão da teoria quântica eram vistos com bons olhos.

Eu reclamava, exigia explicações. Delicadamente, como se fala a uma criança, revelavam-me a existência de determinada opinião compartilhada por certas pessoas, mas acrescentavam que "era de esperar que logo desaparecesse". O que seria aquilo? O preconceito de cor.

O preconceito de cor nada mais é do que um ódio irracional de uma raça por outra, o desprezo dos povos fortes e ricos por aqueles que consideram inferiores a si próprios e, subsequentemente, o amargo ressentimento daqueles que são subjugados à força e com frequência insultados. Como a cor é o sinal externo mais visível da raça, tornou-se o critério a partir do qual se julgam as pessoas, sem levar em conta suas conquistas educacionais e sociais. As raças de pele clara passaram a desprezar as raças de pele escura e estas se recusam a aceitar por mais tempo a condição apagada que se pretende impor a elas.[7]

Li com atenção. Era ódio; eu era odiado, detestado, desprezado, não pelo vizinho da frente ou pelo primo materno, mas por toda uma raça. Estava diante de algo irracional. Os psicanalistas dizem que não há nada mais traumatizante para a criança pequena do que o contato com o racional. Pessoalmente, eu diria que, para um homem que só tem a razão como arma, não há nada mais neurótico que o contato com o irracional.

Senti brotarem em mim lâminas afiadas. Tomei a decisão de me defender. Como bom estrategista, queria racionalizar o mundo, mostrar ao branco que ele estava enganado.

Há no judeu, diz Jean-Paul Sartre,

> uma espécie de imperialismo apaixonado da razão: pois não deseja apenas convencer seus interlocutores de que está com a verdade, mas seu objetivo é convencê-los de que existe um valor absoluto e incondicionado do racionalismo. Considera-se um missionário do universal; em face da universalidade da religião católica, da qual está excluído, quer estabelecer a "catolicidade" do racional, instrumento para atingir o verdadeiro laço espiritual entre os homens.[8]

---

7 A. Burns, op. cit., p. 14.
8 J.-P. Sartre, "Reflexões sobre a questão judaica", op. cit., p. 77.

E, acrescenta o autor, por mais que haja judeus dispostos a fazer da intuição a categoria fundamental da sua filosofia, sua intuição

> não se assemelha em nada ao espírito de sutileza pascaliano; e é esse espírito de sutileza, incontestável e movediço, alicerçado em milhares de percepções imperceptíveis, que parece ao judeu o seu pior inimigo. Quanto a Bergson, sua filosofia oferece o curioso aspecto de uma doutrina anti-intelectualista inteiramente erigida pela inteligência mais raciocinadora e crítica. É argumentando que estabelece a existência de uma duração pura, de uma intuição filosófica; e essa mesma intuição que descobre a duração ou a vida é universal porque cada qual pode praticá-la e visa o universal porquanto seus objetos podem ser nomeados e concebidos.[9]

Com afinco, passei a inventariar, a sondar o entorno. Ao longo do tempo, vimos a religião católica justificar e depois condenar a escravidão e as discriminações. Mas, ao reduzir tudo à noção de dignidade humana, desentranhava-se o preconceito. Os cientistas, após muitas reticências, admitiram que o negro era um ser humano; tanto *in vivo* quanto *in vitro*, o negro havia se revelado análogo ao branco; mesma morfologia, mesma histologia. A razão assegurava a vitória em todos os aspectos. Eu voltava a ser admitido às assembleias. Mas precisei perder as ilusões.

A vitória brincava de gato e rato; debochava de mim. Como dizia o outro, quando estou em um lugar, ela não está, e, quando ela está, sou eu que já não estou. No plano das ideias, estávamos de acordo: o negro é um ser humano. Quer dizer, acrescentavam os menos convictos, ele tem como nós o coração à esquerda. Mas o branco, em certas questões, seguia irredutível. Por nada no mundo ele admitia intimidade entre as raças, pois, como se sabe, "os cruzamentos entre raças diferentes baixam o nível psíquico e mental... Até que tenhamos um conhecimento mais bem fundado sobre os

---

[9] Ibid., p. 79.

efeitos do cruzamento das raças, faríamos bem em evitar os cruzamentos entre raças muito distantes".[10]

Quanto a mim, saberia bem como reagir. E, em certo sentido, se precisasse me definir, diria que espero; questiono o entorno, interpreto tudo com base nas minhas descobertas, tornei-me sensitivo.

No princípio da história que os outros me contaram, colocaram em posição de destaque o pedestal da antropofagia, para que eu não a esquecesse. A respeito dos meus cromossomos, descreviam alguns genes mais ou menos espessos, representando o canibalismo. Assim como os *sex-linked*, descobriam os *racial-linked*. Uma vergonha essa ciência!

Mas entendo esse "mecanismo psicológico". Pois, como todo o mundo sabe, é apenas psicológico esse mecanismo. Há dois séculos, eu estava perdido para a humanidade, para sempre um escravo. E então chegaram homens declarando que tudo aquilo já havia perdurado tempo demais. Minha tenacidade fez o resto; estava a salvo do dilúvio civilizador. Dei um passo à frente...

Tarde demais. Tudo foi planejado, encontrado, comprovado, explorado. Minhas mãos nervosas nada trouxeram de volta; a jazida se esgotou. Tarde demais! Mas isso eu também quero entender.

Faz tempo que há quem se queixe de ter chegado tarde demais e de tudo já ter sido dito, parece existir uma nostalgia do passado. Seria esse o paraíso original perdido de que falava Otto Rank? Quantos daqueles aparentemente fixados ao útero do mundo dedicaram a vida à intelecção dos oráculos de Delfos ou se esforçaram para refazer o périplo de Ulisses! Os pan-espiritualistas, querendo provar a existência de uma alma nos animais, utilizam o seguinte argumento: um cachorro se deitou sobre o túmulo de seu dono e ali morreu de fome. Coube a [Pierre] Janet demonstrar que o tal cachorro, ao contrário do ser humano, foi simplesmente incapaz de liquidar o passado. Falam da grandeza grega, diz Artaud; mas,

---

10 J. A. Moein, II Congresso Internacional de Eugenia, apud Sir Alan Burns, op. cit.

ele acrescenta, se hoje as pessoas já não compreendem as *Coéforas*, de Ésquilo, é Ésquilo que está errado. É em nome da tradição que os antissemitas valorizam seu "ponto de vista". É em nome da tradição, desse longo passado histórico, desse parentesco de sangue com Pascal e Descartes, que se diz aos judeus: vocês seriam incapazes de encontrar seu lugar na comunidade. Recentemente, um desses bons franceses declarou, num trem em que eu havia tomado assento: "Que as virtudes verdadeiramente francesas subsistam e a raça estará salva! No momento atual, é preciso concretizar a união nacional. Chega de lutas internas! Confrontemos os estrangeiros" (e, virando-se para o meu lado:) "quem quer que sejam".

Deve-se dizer em sua defesa que ele fedia a vinhaça; se pudesse, teria dito que meu sangue de escravo liberto não era capaz de se agitar ao nome de Villon ou de Taine.

Uma vergonha!

O judeu e eu: não satisfeito em me racializar, por um feliz acaso, eu me humanizava. Eu me unia ao judeu, irmãos na desgraça.

Uma vergonha!

À primeira vista, pode parecer surpreendente que a atitude do antissemita se assemelhe à do negrófobo. Foi meu professor de filosofia, de origem antilhana, que me alertou um dia: "Quando ouvir falar mal dos judeus, fique atento, estão falando de você". E achei que ele tinha razão num sentido universal, compreendendo naquilo que eu era responsável, em meu corpo e em minha alma, pelo destino reservado ao meu irmão. De lá para cá, entendi que ele basicamente queria dizer: um antissemita é necessariamente um negrófobo.

Vocês chegaram muito tarde, tarde demais. Sempre haverá um mundo – branco – entre vocês e nós... Essa impossibilidade de o outro liquidar de uma vez por todas o passado. É compreensível que, diante dessa ancilose afetiva do branco, eu chegasse a decidir soltar meu grito negro. Pouco a pouco, lançando pseudópodos aqui e ali, secretei uma raça. E essa raça cambaleava sob o peso de um elemento fundamental. Qual era ele? O *ritmo*! Ouçam Senghor, nosso bardo:

É a coisa mais sensível e a menos material. É o elemento vital por excelência. É a condição primordial e o signo da Arte, como a respiração da vida; a respiração que se acelera ou se demora, que se torna regular ou espasmódica, conforme a tensão do ser, o grau e a qualidade da emoção. Esse é o ritmo primitivamente em sua pureza, tal como nas obras-primas da Arte Negra, sobretudo da escultura. Ele é feito de um tema – forma escultural – que se contrapõe a um tema irmão, como a inspiração em relação à expiração, e que é retomado. Não é do tipo de simetria que engendra a monotonia; o ritmo é vivo, é livre... É assim que o ritmo atua sobre o que há de menos intelectual em nós, despoticamente, para nos fazer penetrar na espiritualidade do objeto; e esse nosso gesto de entrega é em si mesmo rítmico.[11]

Será que li corretamente? Voltei a ler inúmeras vezes. Do lado de lá do mundo branco, uma feérica cultura negra me saudava. Escultura negra! Comecei a enrubescer de orgulho. Estava ali a salvação?

Eu havia racionalizado o mundo e o mundo me havia rejeitado em nome do preconceito de cor. Já que, no plano da razão, o entendimento não era possível, recuei para a irracionalidade. Compete ao branco ser mais irracional que eu. Em prol da causa, eu havia adotado o processo regressivo, mas permanecia o fato de que se tratava de uma arma que me era estranha; aqui estou em casa; fui feito do irracional; estou atolado no irracional. Irracional até o pescoço. E agora, vibre, minha voz!

Os que não inventaram nem a pólvora nem a bússola
os que nunca souberam domar o vapor nem a eletricidade
os que não exploraram nem os mares nem o céu
mas conhecem nos seus menores recantos o país do sofrimento
os que só provaram viagens de desenraizamentos
os que se tornaram flexíveis nos ajoelhamentos

---

[11] L. Sédar Senghor, "Ce que l'Homme noir apporte", em S. E. Jean Verdier et al., *L'Homme de couleur*. Paris: Plon, 1939, pp. 309–10.

os que foram domesticados e cristianizados
os que foram inoculados de abastardamento...

Sim, todos esses são meus irmãos – uma "fraternidade áspera" nos enlaça por igual. Depois de ter sustentado a tese menor, invoco outra coisa por cima da amurada.

... mas aqueles sem os quais a terra não seria a terra
gibosidade tanto mais benfazeja quanto mais a terra deserta a terra
silo onde se preserva e amadurece o que a terra tem de mais terra
minha negritude não é uma pedra, sua surdez lançada contra o clamor
 do dia
minha negritude não é uma mancha de água morta sobre o olho
 morto da terra
minha negritude não é uma torre nem uma catedral

ela mergulha na carne rubra do solo
ela mergulha na carne ardente do céu
ela perfura o abatimento opaca com sua reta paciência.[12]

Eia! O tam-tam algaravia a mensagem cósmica! Só o negro é capaz de transmiti-la, de decifrar o seu sentido, o seu alcance. Montado sobre o mundo, com os calcanhares vigorosamente contra os flancos do mundo, lustro o pescoço do mundo, tal como o sacrificador faz no intercílio da vítima.

... mas se abandonam, por inteiro, à essência de todas as coisas
ignorantes das superfícies mas entregues ao movimento de todas as coisas
despreocupados de domar, mas jogando o jogo do mundo

verdadeiramente os filhos primogênitos do mundo
porosos a todos os sopros do mundo

---

12 A. Césaire, *Diário de um retorno ao país natal*, op. cit., pp. 61–65.

eira fraterna de todos os sopros do mundo
leito sem dreno de todas as águas do mundo
fagulha do fogo sagrado do mundo
carne da carne do mundo palpitando com o próprio movimento do mundo![13]

Sangue! Sangue!... Nascimento! Vertigem do devir! Três quartos de mim avariados no desatino do dia, sentia-me vermelhar de sangue. As artérias do mundo, revolvidas, rasgadas, arrancadas, voltaram-se para mim e me fecundaram.

Sangue! Sangue! todo o nosso sangue movido pelo coração másculo do sol[14]

O sacrifício servira de meio-termo entre mim e a criação – encontrei não mais as origens, mas a Origem. Contudo, era preciso desconfiar do ritmo, da amizade Terra-Mãe, esse casamento místico, carnal, entre o grupo e o cosmos.

Em *La Vie sexuelle en Afrique noire* [A vida sexual na África Negra], trabalho rico em observações, De Pédrals sugere que ainda existe na África, qualquer que seja o âmbito considerado, certa estrutura mágico-social. E, acrescenta,

> todos esses elementos são aqueles que encontramos numa escala ainda mais ampla no que se refere às sociedades secretas. Na medida, aliás, em que os circuncisos e as excisadas, operados na adolescência, não devem, sob pena de morte, divulgar aos não iniciados aquilo a que foram submetidos, e na medida em que a iniciação a uma sociedade secreta sempre recorre a atos de *amor sagrado*, seria apropriado concluir considerando a circuncisão, a excisão e os ritos que eles ilustram como constitutivos de sociedades secretas menores.[15]

13 Ibid., p. 65.
14 Ibid., p. 67.
15 Denis-Pierre de Pédrals, *La Vie sexuelle en Afrique noire*. Paris: Payot, 1950, p. 83.

Caminho sobre cardos brancos. Lençóis de água ameaçam minha alma de fogo. Perante esses ritos, redobro minha atenção. Magia negra! Orgias, sabás, cerimônias pagãs, gris-gris. O coito é a ocasião para invocar os deuses da fratria. É um ato sagrado, puro, absoluto, favorecendo a intervenção de forças invisíveis. O que pensar de todas essas manifestações, de todas essas iniciações, de todas essas operações? Para onde quer que eu olhe, vejo a obscenidade de danças, de oferecimentos. Ao pé do meu ouvido ressoa um cântico:

> *Nossos corações costumavam ficar quentes*
> *Agora estão frios*
> *Agora só pensamos no Amor*
> *Voltando à aldeia*
> *Quando encontraremos um grande falo*
> *Ah, como será bom o amor que faremos*
> *Pois nosso sexo estará seco e limpo.*[16]

O solo, ainda há pouco mensageiro contido, começa a brincar. Serão elas virgens, essas ninfomaníacas? Magia Negra, mentalidade primitiva, animismo, erotismo animal, tudo isso reflui para mim. Tudo isso caracteriza povos que não acompanharam a evolução da humanidade. Trata-se aí, conforme se queira, de uma humanidade rebaixada. Tendo chegado a este ponto, hesitei longamente antes de me envolver. As estrelas se tornaram agressivas. Eu tinha que escolher. Que estou dizendo? Eu não tinha escolha...

Sim, nós (os negros) somos primitivos, diretos, livres nas nossas manifestações. É que o corpo, para nós, não se contrapõe ao que vocês chamam de mente. Estamos no seio do mundo. E viva o casal Homem-Terra! Aliás, os nossos homens de letras me ajudam a convencê-los; a sua civilização branca negligencia as riquezas finas, a sensibilidade. Ouçam:

---

[16] Antonin Marius Vergiat, *Les Rites secrets de l'Oubangui*. Paris: Payot, 1936, p. 113.

Sensibilidade emotiva. *A emoção é negra como a razão é helênica.* Água que todos os suspiros encrespam? Alma de campo aberto, sacudida pelos ventos e de onde o fruto costuma cair antes de madurar? Sim, até certo ponto, o negro hoje é mais rico *em dons do que em obras*. Mas a árvore mergulha suas raízes na terra. O rio corre fundo, arrastando lascas preciosas. E como canta o poeta afro-americano Langston Hughes:

Conheci rios:
Rios antigos, escuros.

Minha alma se tornou profunda como os rios.

A própria natureza da emoção, da sensibilidade do negro, explica, por outro lado, sua atitude diante do objeto apreendido com uma violência tão elementar. É uma entrega que se torna necessidade, atitude ativa de comunhão, ou mesmo de identificação, por menor que seja a força da ação – diria até da personalidade – do objeto. Atitude rítmica, guardemos esse termo.[17]

E eis o negro reabilitado, "de pé no passadiço", governando o mundo com sua intuição, o negro recuperado, recomposto, reavido, assumido, e é um negro, não, não é um negro, mas o negro, alertando as antenas fecundas do mundo, plantado no palco do mundo, aspergindo o mundo com sua força poética, "poroso a todos os sopros do mundo". Eu me caso com o mundo! Eu sou o mundo! O branco jamais compreendeu essa substituição mágica. O branco quer o mundo; ele o quer apenas para si mesmo. Ele se descobre senhor predestinado deste mundo. Ele o escraviza. Estabelece-se entre o mundo e ele um vínculo apropriativo. Mas existem valores que só combinam com o meu molho. Como feiticeiro, roubo do

17 L. Sédar Senghor, "Ce que l'Homme noir apporte", op. cit., p. 295. Grifos nossos. [Os versos de Langston Hughes citados são os versos finais do poema "The Negro Speaks of Rivers": *I've known rivers:/Ancient, dusky rivers.// My soul has grown deep like the rivers*, N.T.]

branco "um certo mundo", perdido para ele e para os seus. Naquele dia, o branco deve ter sentido como resposta um choque que não conseguiu identificar, tão pouco habituado que está a essas reações. É que, por cima do mundo objetivo das terras e das bananeiras ou seringueiras, eu havia delicadamente instituído o mundo verdadeiro. A essência do mundo era o meu bem. Entre mim e o mundo se estabelecia uma relação de coexistência. Eu havia recuperado o Um primordial. Minhas "mãos sonoras" devoravam a garganta histérica do mundo. O branco teve a penosa sensação de que eu lhe escapava e de que levava algo comigo. Ele me revirou os bolsos. Passou a sonda até a mais recôndita das minhas circunvoluções. Por todo lado eram coisas conhecidas. Mas era evidente que eu guardava um segredo. Interrogaram-me; esquivando-me com um ar misterioso, murmurei:

> *Tokô'Waly, meu tio, você lembra das noites de outrora, quando minha cabeça se abatia sobre as costas da sua paciência?*
> *Ou que, de mãos dadas, a sua mão me guiava por trevas e signos?*
> *Os campos estão floridos de vaga-lumes; as estrelas pousam na relva nas árvores.*
> *O silêncio ao redor.*
> *A zumbir só os aromas de mato, enxames de abelhas pedreiras que dominam a sutil vibração dos grilos*
> *E um tam-tam velado, a respiração no fundo da noite.*
> *Você, Tokô'Waly, você escuta o inaudível*
> *E você me explica o que dizem os Ancestrais na serenidade marinha das constelações*
> *O Touro o Escorpião o Leopardo, O Elefante os Peixes conhecidos*
> *E a pompa láctea dos Espíritos pela crosta celeste que não tem fim.*
> *Mas vejam a inteligência da deusa Lua e que caiam os véus das trevas.*
> *Noite da África minha noite negra, mística e clara negra e brilhante*[18]

---

18 L. Sédar Senghor, "Que m'accompagnent kôras et balafong", da coletânea *Chants d'ombre* [1945], em *Poèmes*. Paris: Seuil, 1979, pp. 28–37.

Eu me tornava o poeta do mundo. O branco havia descoberto uma poesia que nada tinha de poética. A alma do branco estava corrompida e, como me disse um amigo que dava aulas nos Estados Unidos: "Os negros, perante os brancos, representam em certa medida uma garantia para a humanidade. Quando os brancos se sentem por demais mecanizados, voltam-se aos homens de cor para lhes pedir um pouco de alimento humano". Finalmente eu era reconhecido, já não era um nada.

Não tardaria a perder as ilusões. O branco, atônito por um instante, logo me explicou que, geneticamente, eu representava um estágio: "Suas qualidades foram exauridas por nós. Tivemos místicos da terra como vocês jamais conhecerão. Debrucem-se sobre nossa história, vocês compreenderão até onde foi essa fusão". Então tive a impressão de repetir um ciclo. Minha originalidade era extorquida de mim. Passei um bom tempo a chorar e depois voltei à vida. Mas eu era atormentado por uma série de fórmulas dissolventes: o odor *sui generis* do negro... a bonomia *sui generis* do negro... a ingenuidade *sui generis* do negro...

Eu havia tentado fugir de esguelha, mas os brancos vieram para cima de mim e me talharam o jarrete esquerdo. Percorri os limites da minha essência; que não restem dúvidas, eram bem estreitos. Foi nesse nível que se deu minha descoberta mais extraordinária. Essa descoberta, a bem dizer, foi uma redescoberta.

Vasculhei vertiginosamente a antiguidade negra. O que nela descobri me deixou sem fôlego. Em seu livro *L'Abolition de l'esclavage* [A abolição da escravidão], Schœlcher nos ofereceu argumentos peremptórios. Depois disso, Frobenius, Westermann, Delafosse, todos brancos, engrossaram o coro: Segu, Djenné, cidades de mais de 100 mil habitantes. Falaram de doutores negros (doutores em teologia que iam a Meca discutir o Corão). Tudo isso exumado, esparramado, com as vísceras ao vento, permitiu que eu encontrasse uma categoria histórica válida. O branco tinha se enganado, eu não era um primitivo, tampouco um meio homem; eu pertencia a uma raça que já trabalhava o ouro e a prata havia

2 mil anos. Além disso, havia outra coisa, outra coisa que o branco era incapaz de entender. Ouçam:

> Quem eram, afinal, esses homens a quem, ao longo dos séculos, uma selvageria inigualável arrancou de seu país, de seus deuses, de suas famílias?
> Homens gentis, educados, corteses, certamente superiores a seus algozes, esse bando de aventureiros que destruíam, violavam, insultavam a África para melhor despojá-la.
> Eles eram capazes de construir casas, administrar impérios, erguer cidades, cultivar os campos, fundir os minerais, fiar o algodão, forjar o ferro.
> Sua religião era bela, feita de misteriosos contatos com o fundador da cidade. Seus costumes cativantes, fundados na solidariedade, no altruísmo, no respeito aos mais velhos.
> Nenhuma coerção, mas sim cooperação, a alegria de viver, a disciplina livremente consentida.
> Ordem – Intensidade – Poesia e Liberdade.
> Do indivíduo livre de angústia ao chefe quase fabuloso, uma cadeia contínua de entendimento e de confiança. Não havia ciência? Com certeza, mas para protegê-los do medo eles tinham grandes mitos, nos quais a observação mais apurada e a imaginação mais arrojada se equilibravam e se fundiam. Não havia arte? Tinham sua magnífica estatuária, na qual a emoção humana nunca explode com fúria tal que se furte a ordenar, em função das obsessivas leis do ritmo, os grandes planos de uma matéria intimada a captar, para redistribuí-las, as mais secretas forças do universo [...].

Monumentos em pleno coração da África? Escolas? Hospitais? Não havia um só burguês do século xx, nenhum Durand, nenhum Smith ou Brown que suspeitasse de sua existência na África de antes dos europeus [...].

Mas Schœlcher aponta sua existência, invocando [René] Caillié, [Gaspard Théodore] Mollien e os irmãos [Richard e John] Lander. E, apesar de não mencionar em lugar nenhum que, ao desembarcar nas margens do Congo em 1498, os portugueses descobriram um Estado rico e florescente e que, na capital Ambasse, os dignitários da corte estavam vestidos com seda e brocado, ele pelo menos sabe que a África se alçou por conta própria a uma concepção jurídica do Estado e desconfia, em pleno século do imperialismo, que a civilização europeia, apesar de tudo, é só uma civilização entre outras – e não a mais afável delas.[19]

Coloquei o branco no seu lugar; entusiasmado, empurrei-o e joguei na sua cara: ajuste-se você a mim, eu não me ajusto a ninguém. Eu gargalhava com a boca apinhada de estrelas. A olhos vistos, o branco grunhia. Seu tempo de reação alongava-se indefinidamente... Eu havia vencido. Exultei.

"Deixe de lado sua história e suas pesquisas sobre o passado e tente se ajustar ao nosso ritmo. Numa sociedade como a nossa, industrializada ao extremo, cientificizada, já não há lugar para sua sensibilidade. É preciso ser duro para ser considerado apto a viver. Não se trata mais de jogar o jogo do mundo, mas de subjugá-lo a golpes de integrais e de átomos. Obviamente", diziam-me, "de tempos em tempos, quando estivermos cansados da vida em nossos arranha-céus, iremos ao encontro de vocês, como fazemos com nossas crianças... virgens... maravilhadas... espontâneas. Iremos ao encontro de vocês como quem volta à infância do mundo. Vocês são tão verdadeiros em suas vidas, quer dizer, tão gaiatos... Afastemo-nos por alguns momentos da nossa civilização cerimoniosa e polida e examinemos essas cabeças, esses rostos encantadoramente expressivos. De certa forma, vocês nos reconciliam com nós mesmos."

Assim, ao meu irracional, contrapunham o racional. Ao meu racional, o "racional verdadeiro". Todas as vezes em que jogava, eu perdia. Vivenciei minha hereditariedade. Fiz um balanço completo da minha doença. Queria ser tipicamente negro – isso já não

---

19 A. Césaire, "Préface", em Victor Schœlcher, *Esclavage et colonisation*. Paris: PUF, 1948, pp. 7–8.

era possível. Queria ser branco – disso, o melhor era rir. E, sempre que tentava, no plano das ideias e da atividade intelectual, reivindicar minha negritude, arrancavam-na de mim. Mostravam-me como minha atitude não passava de um termo na dialética:

> Mas há algo mais grave: o negro, afirmamos, cria para si mesmo um racismo antirracista. Não aspira de modo algum a dominar o mundo: quer a abolição dos privilégios étnicos, venham de onde vierem; afirma sua solidariedade com os oprimidos de todas as cores. De pronto, a noção subjetiva, existencial, étnica de negritude "passa", como diz Hegel, àquela – objetiva, positiva, exata – de proletariado. "Para Césaire, declara Senghor, o 'branco' simboliza o capital, como o Negro o trabalho... Através dos homens de pele negra de sua raça, ele canta a luta do proletariado mundial."
>
> É fácil dizer e menos fácil pensar. E, sem dúvida, não é por acaso que os bardos mais ardentes da Negritude são ao mesmo tempo militantes marxistas.
>
> Isso não impede, todavia, que a noção de raça não torne a cruzar-se com a de classe: aquela é concreta e particular, esta universal e abstrata; uma depende do que Jaspers chama compreensão e a outra da intelecção; a primeira é produto de um sincretismo psicobiológico e a outra, uma construção metódica a partir da experiência. Na realidade, a Negritude aparece como o tempo fraco de uma progressão dialética: a afirmação teórica e prática da supremacia do branco constitui a tese; a posição da Negritude como valor antitético não possui autossuficiência e os negros que o usam o sabem muito bem; sabem que visa preparar a síntese ou a realização do humano numa sociedade sem raças. Assim a Negritude é para se destruir, é passagem e não término, meio e não fim último.[20]

Quando li essa página, senti como se roubassem minha última chance. Declarei a meus amigos: "A geração dos jovens poetas negros

---

[20] J.-P. Sartre, "Orfeu negro", op. cit., p. 145.

acaba de receber um golpe que não poupa ninguém". Havíamos apelado para um amigo das pessoas de cor e esse amigo não encontrou nada melhor para mostrar do que a relatividade da nossa ação. Dessa vez, esse hegeliano inato esqueceu que a consciência precisa se perder na noite do absoluto, única condição para alcançar a consciência de si. Contra o racionalismo, ele reiterava o lado negativo, mas esquecendo que essa negatividade extrai seu valor de uma absolutez quase substancial. A consciência implicada na experiência ignora, deve ignorar as essências e as determinações do seu ser.

Orfeu negro é um marco na intelectualização do *existir* negro. E o erro de Sartre foi ter querido não apenas chegar à fonte da fonte, mas, de certa forma, estancá-la:

> Estancará a fonte da Poesia? Ou, apesar de tudo, tingirá o grande rio negro o mar em que se lança? Não importa: a cada época sua poesia; em cada época, as circunstâncias da história elegem uma nação, uma raça, uma classe para retomar o facho, criando situações que só podem exprimir-se ou superar-se pela Poesia; e ora o ímpeto poético coincide com o ímpeto revolucionário, ora divergem. Saudemos hoje a oportunidade histórica que permitirá aos negros *com tal vigor gritar o grande grito negro que os alicerces do mundo sejam abalados*.[21]

E aí está, não sou eu que crio um sentido para mim mesmo, mas é o sentido que já está lá, preexistente, esperando por mim. Não é com a minha miséria de negro mau, com os meus dentes de negro mau e com a minha fome de negro mau que moldo uma tocha

---

[21] Ibid., p. 149. [Grifos do original, a citação de Césaire foi reproduzida conforme a tradução de Guinsburg. A passagem original – *et je pousserai d'une telle raideur le grand cri nègre que les assises du monde en seront ébranlées* – foi extraída de *Les Armes miraculeuses* (Paris: Gallimard, 1946, p. 156) posteriormente publicada à parte como *Et les chiens se taisaient* (Paris: Présence africaine, 1958, p. 81), e traduzida em português como *E os cães deixaram de ladrar* (trad. Armando da Silva Carvalho. Lisboa: Diabril, 1975, p. 87): "Quero soltar do peito o grande grito negro que sacudirá os alicerces do mundo", N.T.]

para incendiar o mundo, mas é a tocha que já está lá, à espera dessa oportunidade histórica.

Em termos de consciência, a consciência negra se apresenta como densidade absoluta, repleta de si mesma, como etapa preexistente a qualquer cisão, a qualquer abolição de si próprio pelo desejo. Jean-Paul Sartre, nesse estudo, destruiu o entusiasmo negro. Ao devir histórico, havia a imprevisibilidade a ser contraposta. Eu precisava me perder plenamente na negritude. Quiçá algum dia, no seio desse infeliz romantismo...

Em todo caso, *eu precisava* ignorar. Essa luta, mais essa descida, deviam assumir um aspecto de completude. Nada mais desagradável do que a frase: "Você vai mudar, meu rapaz; quando eu era jovem, eu também... Você vai ver, tudo passa...".

A dialética que introduz a necessidade na base de sustentação da minha liberdade me expulsa de mim mesmo. Ela rompe a minha posição irrefletida. Sempre em termos de consciência, a consciência negra é imanente a si mesma. Não sou uma potencialidade de alguma outra coisa, sou plenamente aquilo que sou. Não tenho que perseguir o universal. Não reside em meu íntimo nenhuma probabilidade. Minha consciência negra não se revela como carência. Ela *é*. Ela é adepta de si mesma.

Mas certamente nos dirão que essas afirmações evidenciam um desconhecimento do processo histórico. Então ouçam:

África guardei tua memória África
estás em mim

Como o espinho na ferida
como um fetiche tutelar no centro da aldeia
faz de mim a pedra da tua funda
da minha boca os lábios da tua chaga
dos meus joelhos as colunas partidas da tua derrocada...

PORÉM

quero ser apenas da vossa raça
operários camponeses de todos os países [...]
Operário branco de Detroit peão negro do Alabama
multidão incalculável das galés capitalistas
o destino nos coloca lado a lado
e renegando a antiga maldição dos tabus de sangue
pisoteamos os destroços das nossas solidões

Se a torrente é fronteira
arrancaremos à ravina sua cabeleira
inesgotável
se a Sierra é fronteira
destroçaremos a mandíbula dos vulcões
atestando as cordilheiras
e a planície será a esplanada da aurora
onde se reagruparão nossas forças dispersas
pelo ardil dos nossos senhores
Como a contradição dos traços
se resolve na harmonia do rosto
proclamamos a unidade do sofrimento
e da revolta
de todos os povos por toda a superfície da terra

e misturamos o cimento dos momentos fraternos
ao pó dos ídolos.[22]

Justamente, responderemos, a experiência negra é ambígua, pois não existe *um negro*, mas sim *negros*. Quanta diferença em relação a este outro poema, por exemplo:

---

[22] Jacques Roumain, "Prélude", em *Bois d'ébene, suivi de Madrid* [1945]. Montreal: Mémoire d'Encrier, 2004.

> *O branco matou meu pai*
> *Pois meu pai era altivo*
> *O branco estuprou minha mãe*
> *Pois minha mãe era bela*
> *O branco vergou meu irmão sob o sol das estradas*
> *Pois meu irmão era forte*
> *Então o branco se virou para mim*
> *Suas mãos vermelhas de sangue negro*
> *Cuspiu-me na cara o seu desprezo*
> *E com sua voz de senhor:*
> *"Ei, boy, um jarro, toalha e água".*[23]

Também em relação a este:

> *Meu irmão com dentes que reluzem ao elogio hipócrita*
> *Meu irmão com óculos de ouro*
> *Sobre os olhos azulecidos pela palavra do Senhor*
> *Meu pobre irmão de smoking com lapelas de seda*
> *Piando e ciciando e pavoneando nos salões da Condescendência*
> *Você nos dá pena*
> *O sol da sua terra não é mais do que uma sombra*
> *Sobre a sua fronte serena de civilizado*
> *E o casebre da sua avó*
> *Faz corar um rosto empalidecido por anos de humilhação e mea-culpa*
> *Mas quando farto de palavras sonoras e ocas*
> *Como a caixola que extrapola os seus ombros*
> *Você pisar a terra amarga e vermelha da África*
> *Estas palavras angustiadas cadenciarão os seus passos inquietos:*
> *Sinto-me só, tão só aqui!*[24]

---

23 David Diop, "Le Temps du martyre/ Trois poèmes". *Présence Africaine*, v. 1, n. 2, 1948, pp. 235–36.
24 Id., "Le Renégat", em *Coups de pilon*. Paris: Présence Africaine, 1956.

Em alguns momentos, dá vontade de parar. Exprimir o real é tarefa árdua. Mas, quando se mete na cabeça o desejo de exprimir a existência, corre-se o risco de encontrar somente o inexistente. O que é certo é que, no momento em que arrisco uma apreensão do meu ser, Sartre, que continua a ser o Outro, priva-me de qualquer ilusão ao me nomear. Então eu lhe digo:

minha negritude não é uma torre nem uma catedral

ela mergulha na carne rubra do solo
ela mergulha na carne ardente do céu
ela perfura o abatimento opaco com sua reta paciência.[25]

Enquanto eu, no paroxismo do vivido e do furor, proclamo isso, ele me lembra de que a minha negritude é apenas um tempo fraco.[26] Em verdade, em verdade vos digo, meus ombros escorregaram da estrutura do mundo, meus pés deixaram de sentir a carícia do chão. Sem um passado negro e sem um futuro negro, foi-me impossibilitado existir a minha negraria. Sem que me tivesse tornado branco, já não era mais propriamente negro, eu era um condenado. Jean-Paul Sartre esqueceu que o negro sofre em seu corpo de forma diversa do branco.[27] Entre mim e o branco, existe uma inextricável relação de transcendência.[28]

Mas esqueceram a constância do meu amor. Eu me defino como tensão inicial absoluta. E assumo esta negritude, cujo me-

---

25 A. Césaire, *Diário de um retorno ao país natal*, op. cit., p. 65.
26 No original, *temps faible*, remetendo, no campo da música, ao acento métrico na organização da escrita rítmica. [N.T.]
27 Apesar de os estudos de Sartre sobre a existência de um outro seguirem válidos (na medida em que, conforme recordamos, *O ser e o nada* descreve uma consciência alienada), sua aplicação a uma consciência negra se mostra inválida. É que o branco é não apenas o Outro, mas também o senhor, real ou imaginário.
28 No sentido conferido ao termo por Jean Wahl, "Être et penser", *Existence humaine et transcendance*. Neuchâtel: Éditions de la Baconnière, 1944.

canismo recomponho com os olhos marejados. Por minhas mãos, estas lianas intuitivas, aquilo que havia sido despedaçado é reconstruído, edificado.

Ainda mais violento ressoa o meu clamor: sou um negro, sou um negro, sou um negro...

Como também meu pobre irmão – vivendo sua neurose até o limite e percebendo que está paralisado:

> O NEGRO: *Não posso, madame.*
> LIZZIE: *O quê?*
> O NEGRO: *Não posso atirar nos brancos.*
> LIZZIE: *Francamente! Isso poderia incomodá-los, por certo!*
> O NEGRO: *Eles são brancos, madame!*
> LIZZIE: *E daí? Por serem brancos, eles têm o direito de sangrá-lo como um porco?*
> O NEGRO: *Eles são brancos.*

Sentimento de inferioridade? Não, sentimento de inexistência. O pecado é negro como a virtude é branca. Todos esses brancos reunidos, de revólver na mão, não podem estar errados. Eu sou culpado. Não sei de quê, mas sinto que sou um miserável.

> O NEGRO: *É assim, madame, é sempre assim com os brancos.*
> LIZZIE: *Você também se sente culpado?*
> O NEGRO: *Sim, madame.*[29]

É Bigger Thomas – que tem medo, um medo terrível. Ele tem medo, mas tem medo de quê? De si mesmo. Não se sabe ainda quem ele é, mas ele sabe que o medo habitará o mundo quando o mundo souber. E, sempre que o mundo sabe, o mundo espera algo do negro. Ele tem medo de que o mundo saiba, tem medo do

---

29 J.-P. Sartre, *A prostituta respeitosa* [1947], trad. Miroel Silveira. Rio de Janeiro: Civilização Brasileira, 1961.

medo que seria o medo do mundo se o mundo soubesse. Como esta velha senhora que nos implorou de joelhos para amarrá-la à sua cama:

— Doutor, sinto o tempo todo esta coisa que me arrebata.
— Que coisa?
— A vontade de me suicidar. Amarre-me, tenho medo.

Por fim, Bigger Thomas age. Para pôr fim à tensão, ele age, responde à expectativa do mundo.[30]

É o personagem de *Se ele chiar, deixa rolar*[31] que faz justamente aquilo que não queria fazer. Essa loira enorme que a todo momento se mete em seu caminho, desfalecente, sensual, oferecida, receptiva, temendo (ansiando) o estupro, acaba por se tornar sua amante.

O negro é um brinquedo nas mãos do branco; então, para romper esse círculo vicioso, ele explode. Não consigo ir ao cinema sem dar de cara comigo. Fico à espera de mim mesmo. No intervalo, pouco antes de o filme recomeçar, espero por mim. Os que estão na minha frente me observam, me espiam, me aguardam. É um negro-pajem que está vindo. O coração me revira a cabeça.

O mutilado da Guerra do Pacífico disse ao meu irmão: "Aceite a sua cor como eu aceito o meu coto; ambos somos vítimas de acidentes".[32]

No entanto, recuso com todo o meu ser essa amputação. Sinto em mim uma alma tão vasta quanto o mundo, uma alma realmente profunda como o mais profundo dos rios, meu peito tem um poder de expansão infinito. Sou dádiva, mas me aconselham a humildade do inválido... Ontem, ao abrir os olhos para o mundo,

---

30 Richard Wright, *Filho nativo: Tragédia de um negro americano* [1940], trad. Monteiro Lobato. São Paulo: Companhia Editora Nacional, 1941.
31 Chester Himes, *Se ele chiar, deixa rolar* [1948], trad. Wladir Dupont. São Paulo: Marco Zero, 1988.
32 *O clamor humano*, filme de Mark Robson, de 1949.

vi o céu se retorcer de uma ponta a outra. Quis me levantar, mas o silêncio eviscerado fluía de volta para mim, com as asas paralisadas. Irresponsável, cavalgando o espaço entre o Nada e o Infinito, comecei a chorar.

Capítulo 6

O NEGRO E A PSICOPATOLOGIA

As escolas psicanalíticas estudaram as reações neuróticas que se originam em determinados ambientes, em determinados setores da civilização. Deveríamos, para cumprir uma exigência dialética, perguntar-nos em que medida as conclusões de Freud ou Adler podem ser empregadas numa tentativa de explicar a visão de mundo do homem de cor.

A psicanálise, nunca é demais enfatizar, busca compreender determinados comportamentos – no interior do grupo específico que a família representa. E, quando se trata de uma neurose vivenciada por um adulto, a tarefa do analista é encontrar, na nova estrutura psíquica, uma analogia com alguns elementos infantis, uma repetição, uma cópia dos conflitos surgidos no seio da constelação familiar. Em todos os casos, a família deve ser considerada "um objeto e uma circunstância psíquicos".[1]

Aqui, no entanto, os fenômenos haverão de se tornar particularmente complicados. A família, na Europa, representa na verdade uma certa forma que o mundo tem de se oferecer à criança. A estrutura familiar e a estrutura nacional preservam estreitos laços. A militarização e a centralização da autoridade em um país automaticamente acarretam uma exacerbação da autoridade paterna. Na Europa e em todos os países ditos civilizados ou civilizadores, a família é um pedaço da nação. A criança que deixa o ambiente da casa dos pais se depara com as mesmas leis, os mesmos princípios, os mesmos valores. Uma criança normal, que tenha crescido em uma família normal, será uma pessoa normal.[2] Não há desproporção entre a vida fa-

---

1 Jacques Lacan, "Le Complexe, facteur concret de la psychologie familiale", em *Encyclopédie française* 8.40–5, 1938.
2 Queremos crer que não seremos processados em razão desta última sentença. Bem poderão os céticos perguntar: "O que você chama de normal?". Por ora, não é nosso propósito responder a essa questão. Para afastar a demanda mais urgente, citemos *O normal e o patológico* [1966] (Rio de Janeiro: Forense Universitária, 2009), trabalho muito instrutivo de Georges Cangui-

miliar e a vida nacional. Por outro lado, se considerarmos uma sociedade fechada, isto é, que se tenha protegido do fluxo civilizador, encontraremos as mesmas estruturas descritas anteriormente. *L'Âme du pygmée d'Afrique* [A alma do pigmeu da África], do padre Trilles, por exemplo, convence-nos disso;[3] percebe-se a todo momento o anseio de catolicizar a alma negrilha,[4] mas a descrição que ali se encontra da cultura – esquemas cultuais, persistência de ritos, sobrevivência de mitos – não transmite a impressão artificial que se tem com *A filosofia bantu*.[5]

Em ambos os casos, há uma projeção das características do ambiente familiar sobre o ambiente social. É verdade que filhos de ladrões ou de bandidos, acostumados a determinado regramento clânico, ficarão surpresos ao descobrir que o resto do mundo se comporta de maneira diferente, mas uma nova educação – excetuando-se casos de perversão ou atraso (Heuyer)[6] – deve ser capaz de levá-los a moralizar sua perspectiva, a socializá-la.

---

lhem, embora centrado exclusivamente no problema biológico. Acrescentamos apenas que, no domínio mental, é anormal aquele que suplica, apela, implora.
3 R. P. (Henri-Louis-Marie-Paul) Trilles, *L'Âme du pygmée d'Afrique: Au coeur de la forêt équatoriale*. Paris: Les Éditions du Cerf, 1945. [N.T.]
4 *Négrille* no original. O neologismo, um diminutivo de *nègre* utilizado em referência aos povos pigmeus da África Equatorial, foi cunhado e disseminado com base no ensaio de Ernest Théodore Harny, "Essai de coordination des matériaux récemment recueillis sur l'ethnologie des négrilles ou pygmées de l'Afrique équatoriale" (*Bulletins et Mémoires de la Société d'Anthropologie de Paris*, v. 2, 1879, pp. 79–101), publicado como excerto pela A. Hennuyer (Paris) em 1879. [N.T.]
5 Placide Frans Tempels, *A filosofia bantu* [1945], trad. Amélia Arlete Mingas e Zavoni Ntondo. Luanda: Kuwindula, Faculdade de Letras da Universidade Agostinho Neto, 2012. [N.T.]
6 Embora essa reserva seja, em si mesma, questionável. Ver, por exemplo, a comunicação de Juliette Boutonnier: "Não seria a perversão um profundo atraso afetivo, mantido ou gerado pelas condições em que viveu a criança pelo menos tanto quanto pelas disposições constitucionais, que evidentemente continuam a ser implicadas, mas que provavelmente não são as únicas responsáveis?" (*Revue Française de Psychanalyse*, v. 3, 1949, pp. 403–04).

Percebe-se, em todos esses casos, que a morbidade se situa no ambiente familiar.

> A autoridade no Estado é para o indivíduo a reprodução da autoridade familiar pela qual ele foi moldado em sua infância. O indivíduo assimila à autoridade paterna as autoridades encontradas posteriormente: ele percebe o presente nos termos do passado. Como todos os outros comportamentos humanos, o comportamento diante da autoridade é aprendido. E é aprendido no seio de uma família que se distingue, do ponto de vista psicológico, por sua organização específica, quer dizer, pela forma como nela a autoridade é distribuída e exercida.[7]

Porém, e este é um ponto muito importante, vemos o oposto no caso do homem de cor. Uma criança negra normal, tendo crescido em uma família normal, passará a ser anormal ao menor contato com o mundo branco. Essa proposição não será facilmente compreendida. Assim, recuaremos para avançar. Fazendo justiça ao dr. [Josef] Breuer, Freud escreveu:

> Quase todos [os sintomas] se haviam formado desse modo, como resíduos – como "precipitados", se quiserem – de experiências emocionais, que, por essa razão, foram denominadas posteriormente "traumas psíquicos"; e o caráter particular a cada um desses sintomas se explicava pela relação com a cena traumática que o causara. Eram, segundo a expressão técnica, determinados pelas cenas cujas lembranças representavam resíduos, não havendo já necessidade de considerá-los produtos arbitrários ou enigmáticos da neurose. Registremos apenas uma complicação que não fora prevista: nem sempre era um único acontecimento que deixava atrás de si os sintomas; para produzir tal efeito uniam-se na maioria dos casos numerosos traumas, às vezes análogos

---

[7] Joachim Marcus, "Structure familiale et comportements politiques: L'Autorité dans la famille et dans l'État". *Revue Française de Psychanalyse*, v. 13, n. 2, 1949, pp. 277–313.

e repetidos. Toda essa cadeia de recordações patogênicas tinha então de ser reproduzida em ordem cronológica e precisamente inversa – as últimas em primeiro lugar e as primeiras por último –, sendo completamente impossível chegar ao primeiro trauma, muitas vezes o mais ativo, saltando-se sobre os que ocorreram posteriormente.[8]

Não se poderia ser mais assertivo; existem determinadas *Erlebnis* na origem das neuroses.[9] Mais adiante, Freud acrescentou:

> Chegamos à convicção, pelo exame dos doentes histéricos e outros neuróticos, de que a repressão das ideias, a que o desejo insuportável está apenso, malogrou. Expeliram-nas da consciência e da lembrança; com isso os pacientes se livraram aparentemente de grande soma de dissabores. Mas o impulso desejoso continua a existir no inconsciente à espreita de oportunidade para se revelar, concebe a formação de um substituto do reprimido, disfarçado e irreconhecível, para lançar à consciência, substituto ao qual logo se liga a mesma sensação de desprazer que se julgava evitada pela repressão.[10]

Tais *Erlebnis* são reprimidas no inconsciente.

No caso do negro, o que vemos? A menos que se utilize esse dado vertiginoso – tão desestabilizados ele nos deixa – do *inconsciente coletivo* de Jung, não se compreende absolutamente nada. Todos os dias, o drama se repete nos países colonizados. Como explicar, por exemplo, que um calouro negro, chegando à Sorbonne para ali obter o diploma em filosofia, antes que quaisquer elementos conflituais se organizem à sua volta, já assuma de antemão uma postura defensiva? René Ménil relatou essa reação em ter-

---

8 Sigmund Freud, "Cinco lições de psicanálise" [1910] *Cinco lições de psicanálise, Leonardo da Vinci e outros trabalhos*. Edição standard, v. XI, trad. Verlaine Freitas. Rio de Janeiro: Imago, 1996, p. 10. [N.T.]
9 Em alemão, no original, *Erlebnis* é comumente traduzido como experiência ou vivência. [N.T.]
10 S. Freud, op. cit., p. 18.

mos hegelianos. Ele a via como "a consequência da instauração na consciência do escravo, em lugar do espírito 'africano' reprimido, de uma instância representativa do senhor, instância instituída no âmago da coletividade e que a deve vigiar como uma guarnição na cidade conquistada".[11]

Veremos, em nosso capítulo sobre Hegel, que René Ménil não se enganou. Contudo, temos o direito de nos perguntar: como explicar a persistência disso no século XX, sendo que há, ao mesmo tempo, plena identificação com o branco? Frequentemente, o negro que se anormaliza nunca teve sequer contato com o branco. Terá havido uma experiência anterior reprimida no inconsciente? Terá a criança negra visto seu pai ser espancado ou linchado pelo branco? Terá havido um trauma efetivo? A tudo isso respondemos: não. Mas então o quê?

Se quisermos responder adequadamente, somos obrigados a recorrer à noção de *catarse coletiva*. Em qualquer sociedade, em qualquer coletividade, existe, deve existir, um canal, uma porta de saída, por onde as energias acumuladas sob a forma de agressividade possam ser liberadas. É a que visam as brincadeiras nas instituições que acolhem crianças, os psicodramas nas terapias coletivas e, de forma mais ampla, as revistas ilustradas para os jovens – naturalmente, cada tipo de sociedade requer uma forma específica de catarse. As histórias de Tarzan, de exploradores mirins, de Mickey e de todas as revistas ilustradas visam uma genuína descompressão da agressividade coletiva. São revistas escritas por brancos para crianças brancas. Mas o drama reside nisso. Nas Antilhas, e temos todas as razões para acreditar que a situação seja a mesma nas outras colônias, são essas mesmas revistas ilustradas que são devoradas pelos jovens nativos. E o Lobo, o Diabo, o Gênio Maligno, o Mal, o Selvagem são sempre representados por um negro ou um índio, e, como há sempre uma identificação com

---

11 Citação [de René Ménil, "Situation de la poésie aux Antilles" (*Tropiques*, n. 11, 1944, p. 132)], tomada de empréstimo a Michel Leiris, op. cit., pp. 1345-68.

o vencedor, a criança negra se torna o explorador, o aventureiro, o missionário "que corre o risco de ser comido pelos negros malvados" com a mesma facilidade com que o faz a criança branca. Dirão talvez que isso não é tão importante; mas só porque não refletiram sobre o papel dessas revistas ilustradas. Eis o que diz a respeito Gershon Legman:

> Salvo raras exceções, cada criança americana que tinha seis anos de idade em 1938 já absorveu até agora um mínimo de 18 mil cenas de tortura cruel e violência sanguinária... Com exceção dos bôeres, os americanos são o único povo moderno que, na memória recente, varreu completamente a população autóctone da terra em que se estabeleceu.[12] Somente os Estados Unidos, portanto, carregariam um peso na consciência nacional, que seria mitigado por meio da forja do mito do "Bad Injun",[13] para que então pudessem reintroduzir a figura histórica do nobre Pele-Vermelha, a defender sem sucesso o seu chão contra os invasores armados com bíblias e rifles; a punição que merecemos só pode ser evitada negando a responsabilidade pelo mal, jogando a culpa na vítima; provando – pelo menos aos nossos olhos – que, ao desferir o primeiro e único golpe, estávamos apenas agindo em legítima defesa.

Considerando o impacto dessas revistas ilustradas na cultura americana, o autor acrescenta:

> Permanece em aberto a questão de saber se essa fixação maníaca com a violência e a morte seria um substituto para a sexualidade censurada ou se, em vez disso, teria por função canalizar, pelo caminho mantido aberto pela censura sexual, o desejo de agressão das crianças e dos adultos contra a estrutura política e social que os perverte, por mais que o faça com o consentimento deles. Em ambos os

---

12 Cabe apontar, aliás, que os caraíbas sofreram a mesma desventura nas mãos de aventureiros espanhóis e franceses.
13 Corruptela pejorativa de *"Bad Indian"*.

casos, a causa da perversão, seja ela de ordem sexual ou econômica, é essencial; é por isso que, até que sejamos capazes de ir atrás desses recalques fundamentais, continuará sendo fútil qualquer ataque contra meros mecanismos de fuga como os *comic books*.[14]

Nas Antilhas, o jovem negro, que na escola repete incessantemente "nossos pais, os gauleses",[15] identifica-se com o explorador, com o civilizador, com o branco que traz a verdade aos selvagens, uma verdade toda branca. Há identificação, ou seja, o jovem negro adota subjetivamente uma atitude de branco. Ele imputa ao herói, que é branco, toda a sua agressividade – que, nessa idade, está intimamente relacionada à oblatividade: uma oblatividade carregada de sadismo. Uma criança de oito anos que oferece algo, mesmo a um adulto, seria incapaz de tolerar uma recusa. Pouco a pouco, vemos formarem-se e cristalizarem-se no jovem antilhano uma atitude e um hábito de pensar e de ver que são essencialmente brancos. Quando, na escola, ele às vezes lê histórias de selvagens nos livros brancos, sempre pensa nos senegaleses. Quando estávamos na escola, tivemos ocasião de discutir por horas a fio a respeito dos supostos costumes dos selvagens senegaleses. Havia no que dizíamos uma inconsciência no mínimo paradoxal. Mas é que o antilhano não se considera negro; ele se considera antilhano. O negro vive na África. Subjetivamente, intelectualmente, o antilhano se comporta como um branco. Mas ele é um negro. Isso ele perceberá ao chegar à Europa, e, quando falarem de negros, ele saberá que se trata dele tanto quanto do senegalês. Sobre esse ponto, o que podemos concluir?

---

14 Gershon Legman, "Psychopathologie des comics". *Les Temps Modernes*, n. 43, 1949, pp. 916–ss.
15 Como em muitas outras circunstâncias, é o sorriso que despertamos ao relatar esse lado do ensino na Martinica. É inevitável constatar o caráter cômico disso, mas não mencionamos suas consequências de longo prazo. Porém, são elas que importam, pois é com base em três ou quatro dessas frases que se desenvolve a visão de mundo do jovem antilhano.

Impor os mesmos "Gênios Malignos" ao branco e ao negro constitui um grave erro pedagógico. Se houver disposição para compreender o "Gênio Maligno" como uma tentativa de humanização do "id",[16] será possível apreender o nosso ponto de vista. A rigor, diríamos que as cantigas infantis estão sujeitas à mesma crítica. Já se percebe que almejamos nem mais nem menos que a criação de revistas ilustradas dedicadas especialmente aos negros, canções para crianças negras e, no limite, livros de história, pelo menos até a conclusão do ciclo escolar. Pois, até prova em contrário, acreditamos que, se existe trauma, ele se situa nessa época. O jovem antilhano é um francês que a todo momento é chamado a conviver com compatriotas brancos. Costuma-se esquecer disso com demasiada frequência.

A família branca é a depositária de uma certa estrutura. A sociedade é efetivamente o conjunto das famílias. A família é uma instituição que prenuncia uma instituição mais ampla: o grupo social ou nacional. Os eixos de referência permanecem os mesmos. A família branca é o lugar em que se é preparado e treinado para uma vida em sociedade. "A estrutura familiar é internalizada no superego e projetada no comportamento político [social, diríamos]."[17]

O negro, desde que permaneça em sua terra, cumpre mais ou menos a mesma sina da criança branca. Mas, se for à Europa, terá de rever seu destino. Pois o negro na França, em seu próprio país, acabará se sentindo diferente dos outros. Apressadamente se diz: o negro se inferioriza. A verdade é que o inferiorizamos. O jovem antilhano é um francês que a todo momento é chamado a conviver com compatriotas brancos. Mas a família antilhana praticamente não mantém nenhum vínculo com a estrutura nacional, isto é, francesa, europeia. O antilhano deve então escolher entre a sua família

---

16 *Ça* no original, em referência a *Es*, cunhado por George Groddeck e desenvolvido por Freud em *O ego e o id*, de 1923, publicado em versão brasileira como *O ego e o id e outros trabalhos (1923-1925)*. Edição standard, v. XIX, trad. Verlaine Freitas (Rio de Janeiro: Imago, 1996). [N.T.]

17 J. Marcus, op. cit., p. 288.

e a sociedade europeia; em outras palavras, o indivíduo que *galga* a sociedade – a branca, a civilizada – tende a rejeitar a família – a negra, a selvagem – no plano do imaginário, em relação às *Erlebnis* infantis que descrevemos anteriormente.

E o esquema de Marcus se torna, neste caso:
Família ← Indivíduo → Sociedade,
sendo a estrutura familiar descarregada no "id".

O negro se dá conta da irrealidade de muitas das proposições que havia assumido como suas, por referência à atitude subjetiva do branco. Tem início então seu verdadeiro aprendizado. E a realidade se revela extremamente resistente... Porém, dirão, você não faz nada além de descrever um fenômeno universal – sendo o critério da virilidade justamente a adaptação ao social. Nossa resposta é que essa crítica induz em erro, pois mostramos justamente que, para o negro, existe um mito a confrontar. Um mito firmemente ancorado. O negro não tem consciência disso enquanto sua existência decorrer em meio aos seus; mas, ao primeiro olhar branco, ele sente o peso da sua melanina.[18]

Em seguida, há o inconsciente. Como o drama racial tem lugar a céu aberto, o negro não tem tempo de o "inconscientizar". O branco, por outro lado, em certa medida consegue fazê-lo; é porque ocorre a aparição de um novo elemento: a culpa. O complexo de superioridade dos negros, seu complexo de inferioridade ou

---

[18] A respeito disso, recordemos o que escreveu Sartre: "Certos garotos trocaram, aos seis anos, socos com colegas de escola que os apelidaram *youpins*. Outros foram mantidos durante longo tempo na ignorância de sua origem. Certa jovem israelita, numa família que eu conheço, ignorava até os quinze anos a acepção mesma do termo judeu. Durante a ocupação, um médico judeu de Fontainebleau, que vivia fechado em sua casa, criava os netos sem lhes dizer palavra acerca de sua proveniência. Mas, seja como for, algum dia devem inteirar-se da verdade: às vezes é pelo sorriso das pessoas que os rodeiam, outras vezes por um rumor ou por insultos. Quanto mais tardia a descoberta, mais violento é o abalo: de repente, percebem que os outros sabem a respeito deles algo que ignoravam, que se lhes aplica esse qualificativo equívoco e inquietante que não é empregado em suas famílias", em "Reflexões sobre a questão judaica", op. cit., p. 51.

seu sentimento igualitário são *conscientes*. A todo momento, eles os transpõem. Eles vivem o seu drama. Não ocorre entre eles a amnésia emocional que caracteriza a neurose típica.

Toda vez que lemos uma obra de psicanálise, discutimos com nossos professores ou conversamos com pacientes europeus, ficamos impressionados com a inadequação entre os esquemas correspondentes e a realidade que o negro nos apresentava. Concluímos paulatinamente que há uma substituição da dialética quando se passa da psicologia do branco à do negro.

Os *valores básicos*, de que fala Charles Odier,[19] são diferentes para o branco e para o negro. O esforço de socialização não se refere às mesmas intenções. Nós efetivamente passamos de um mundo a outro. Um estudo rigoroso deveria proceder da seguinte forma:
– interpretação psicanalítica da experiência vivida do negro;
– interpretação psicanalítica do mito negro.

Mas o real, que é o nosso único recurso, não nos permite tais operações. Os fatos são muito mais complicados. Em que consistem?

O negro é um objeto fobígeno e ansiógeno. Da paciente de Sérieux e Capgras[20] à jovem que nos confessou que dormir com um negro representa para ela algo aterrorizante, encontramos todos os graus daquilo que denominaremos negrofobigênese. Muito já se falou da psicanálise em relação ao negro. Desconfiando das aplicações que dela poderiam ser feitas,[21] preferimos intitular este capítulo "O negro e a psicopatologia", já que nem Freud, nem Adler, nem mesmo o cósmico Jung contemplaram os negros no decorrer de suas pesquisas. No que estavam cobertos de razão. Com demasiada frequência se esquece de que a neurose não é constitutiva da realidade

---

19 Charles Odier, *Les Deux Sources conciente et inconsciente de la vie morale*. Neuchâtel: Édition de la Baconnière, 1943.
20 Paul Sérieux e Joseph Capgras, *Les Folies raisonnantes: Le Délire d'interprétation* (Paris: Félix Alcan, 1909), apud Angelo Hesnard, *L'Univers morbide de la faute* (Paris: PUF, 1949, p. 97).
21 Consideramos especialmente os Estados Unidos; ver, por exemplo, *O clamor humano* (*Home of the Brave*), filme de Mark Robson, de 1949.

humana. Queira-se ou não, o complexo de Édipo está longe de ser uma realidade entre os negros. Poderiam objetar, com Malinowski, que o regime matriarcal é o único responsável por essa ausência. Mas, além de nos perguntarmos se os etnólogos, imbuídos dos complexos da sua civilização, afinal não se esforçaram para encontrar a cópia destes nos povos por eles estudados, seria relativamente fácil para nós demonstrar que, nas Antilhas francesas, 97% das famílias são incapazes de gerar uma neurose edipiana. Incapacidade digna de todo o nosso louvor.[22]

A despeito de algumas falhas verificadas em ambiente fechado, podemos dizer que qualquer neurose, qualquer comportamento anormal, qualquer eretismo afetivo em um antilhano são decorrentes da situação cultural. Em outras palavras, existe uma constelação de dados, uma série de proposições que, lentamente, insidiosamente, por intermédio dos textos literários, dos jornais, da educação, dos livros escolares, dos cartazes, do cinema, do rádio, penetram um indivíduo – constituindo a visão do mundo da coletividade a que ele pertence.[23] Nas Antilhas, essa visão do mundo é branca porque

[22] Sobre esse ponto, os psicanalistas hesitarão em compartilhar nossa opinião. O dr. Lacan, por exemplo, fala da "fecundidade" do complexo de Édipo. Mas, se a criança deve matar o pai, ainda assim é preciso que este aceite morrer. Pensamos em Hegel dizendo que "o berço da criança é o túmulo dos pais"; em Nicolas Calas (*Foyers d'incendie*. Paris: Denoël, 1938); em Jean Lacroix (*Force et faiblesse de la famille*. Paris: Seuil, 1951). [J. Lacan, "Os complexos familiares na formação do indivíduo: Ensaio de análise de uma função em psicologia" [1938], em *Outros escritos*, trad. Vera Ribeiro. Rio de Janeiro: Zahar, 2003, p. 63.]

O fato de ter havido um colapso dos valores morais na França após a guerra pode ter sido decorrência da derrota da pessoa moral que a nação representa. Sabemos o que podem acarretar traumas como esse no âmbito familiar.

[23] Recomendamos o experimento a seguir àqueles que não estiverem convencidos: assistir à exibição de um filme de Tarzan nas Antilhas e na Europa. Nas Antilhas, o jovem negro se identifica *de facto* com Tarzan contra os negros. Em um cinema da Europa, a coisa fica muito mais difícil, pois o público, que é branco, o assimila automaticamente aos selvagens na tela. Esse experimento é decisivo. O negro sente que não se é negro impunemente. Um documentário

simplesmente inexiste expressão negra. O folclore martinicano é pobre e, em Fort-de-France, são muitos os jovens que desconhecem as histórias do "Compadre Coelho", réplicas do Tio Remus da Louisiana. Um europeu, por exemplo, informado a respeito das atuais manifestações poéticas negras, ficaria surpreso ao saber que, até 1940, nenhum antilhano era capaz de se ver como negro. Só com o surgimento de Aimé Césaire foi possível ver nascer uma reivindicação, uma assunção da negritude. A prova mais concreta disso, aliás, é esta impressão que têm as gerações mais jovens de estudantes que chegam a Paris: são necessárias algumas semanas para entender que o contato com a Europa os obriga a enfrentar uma série de problemas que até então não haviam aflorado. E nem por isso esses problemas careciam de visibilidade.[24]

Todas as vezes em que discutimos com nossos professores ou conversamos com pacientes europeus, percebemos as diferenças capazes de se interpor entre os dois mundos. Conversando recentemente com um médico que sempre atuou em Fort-de-France, manifestamos a ele nossas conclusões; ele foi ainda além, dizendo que isso era verdade não apenas em termos de psicopatologia, mas também na medicina geral. Assim, acrescentou, você nunca encontra uma febre tifoide pura, tal como estudou nos tratados de medicina; ela sempre vem associada a uma malária mais ou

---

sobre a África, exibido em uma cidade francesa e em Fort-de-France, provoca reações semelhantes. Melhor ainda: afirmamos que os bosquímanos e os zulus arrancam ainda mais gargalhadas dos jovens antilhanos. Seria interessante mostrar que, nesse caso, o exagero da reação deixa entrever um indício de reconhecimento. Na França, o negro que assiste a esse documentário fica literalmente petrificado. A partir dali, já não há escapatória: ele é a um só tempo antilhano, bosquímano e zulu.

24 Mais especificamente, eles percebem que a linha de autoestima que lhes era própria deve ser invertida. De fato, vimos que o antilhano que chega à França concebe essa viagem como o último estágio da sua personalidade. Podemos dizer literalmente, sem medo de errar, que o antilhano que vai à França com o intuito de se convencer de sua brancura lá acaba encontrando sua verdadeira face.

menos evidente. Seria interessante considerar, por exemplo, uma descrição da esquizofrenia vivenciada por uma consciência negra – se é que esse tipo de distúrbio sequer ocorre por lá.

O que estamos sugerindo? Basicamente o seguinte: quando os negros se acercam do mundo branco, ocorre uma certa ação sensibilizadora. Se a estrutura psíquica se mostra frágil, assistimos a um colapso do ego. O negro deixa de se comportar como indivíduo *acional*. O alvo de sua ação será um Outro (na forma do branco), pois só um Outro é capaz de estimá-lo. Isso no plano ético: autoestima. Mas há ainda outra coisa.

Dissemos que o negro era "fobígeno". O que é a fobia? Responderemos a essa pergunta com base na obra mais recente de Hesnard: "A fobia é uma neurose caracterizada pelo medo ansioso de um objeto (no sentido mais amplo de qualquer coisa externa ao indivíduo) ou, por extensão, de uma situação".[25] Naturalmente, esse objeto deverá possuir determinados elementos. Deve, diz Hesnard, despertar o medo e a repulsa. Mas é aí que nos deparamos com uma dificuldade. Aplicando o método genético à compreensão da fobia, Charles Odier escreveu: "Toda ansiedade deriva de uma certa insegurança subjetiva associada à ausência da mãe".[26] Isso acontece, de acordo com o autor, por volta do segundo ano de vida.

Em busca da estrutura psíquica do fóbico, ele chegou à seguinte conclusão: "Antes de se lançar diretamente contra as crenças dos adultos, convém analisar em todos os seus elementos a estrutura infantil de que emanam e que implicam".[27] A escolha do objeto fobígeno é, portanto, *sobredeterminada*. Esse objeto não emerge da noite do Nada, ele, em determinada circunstância, provocou um afeto no sujeito. A fobia é a presença latente desse afeto no substrato que alicerça o mundo do sujeito; existe

---

25 A. Hesnard, op. cit., p. 37.
26 Charles Odier, *L'Angoisse et la pensée magique: Essai d'analyse psychogénétique appliquée à la phobie et la névrose d'abandon*. Neuchâtel e Paris: Delachaux et Niestlé, 1948, p. 38.
27 Ibid., p. 65.

uma organização, uma conformação. Pois, obviamente, o objeto não precisa estar ali, basta que ele *seja*: é uma possibilidade. Esse objeto é dotado de más intenções e de todos os atributos de uma força maligna.[28] No fóbico, há uma priorização do afeto em detrimento de qualquer pensamento racional. Como se pode ver, o fóbico é um indivíduo que obedece às leis da pré-lógica racional e da pré-lógica afetiva: um processo de pensar e sentir que remete à época em que se produziu o acidente que gerou a insegurança. A dificuldade anunciada é a seguinte: houve algum trauma que gerou insegurança naquela jovem de que falávamos há pouco? Com a maioria dos negrófobos masculinos, houve tentativa de sequestro? Tentativa de felação forçada? A rigor, eis o que obteríamos aplicando as conclusões analíticas: se um objeto muito assustador – como um agressor mais ou menos imaginário, por exemplo, pois no mais das vezes se trata de uma mulher – desperta o terror, é também e acima de tudo um medo que se confunde com horror sexual. O "tenho medo dos homens" implica dizer, quando se elucida o motivo do pavor: porque eles poderiam fazer comigo todo tipo de coisas, mas não sevícias quaisquer: sevícias sexuais, quer dizer, imorais, degradantes.[29]

"Um mero *toque* é suficiente para causar ansiedade. Pois o toque é, paralelamente, o próprio tipo esquemático de ação sexual inicial (toques, carícias – sexualidade)."[30] Como estamos habituados a todos os artifícios que o ego mobiliza para se defender, sabemos que é preciso evitar levar ao pé da letra suas recusas. Acaso não estamos na presença de um transitivismo integral? No fundo, esse *medo* do estupro não invoca justamente o estupro? Assim como existem faces que pedem uns tapas, não seria possível descrever mulheres que anseiam pelo estupro? Em *Se ele chiar, deixa rolar*, Chester Himes descreve bem esse mecanismo. A loira

---

28 Ibid., pp. 58 e 78.
29 A. Hesnard, op. cit., p. 38.
30 Ibid., p. 40.

enorme desfalece sempre que o negro se aproxima. No entanto, ela não tem o que temer, pois a fábrica está cheia de brancos... No fim das contas, eles dormem juntos.

Quando estávamos no exército, pudemos observar o comportamento das mulheres brancas, de três ou quatro países da Europa, diante dos negros nos bailes. Na maior parte do tempo, as mulheres esboçavam um movimento de fuga, de recuo, o rosto tomado por um temor indisfarçável. Contudo, os negros que as convidavam seriam incapazes, ainda que o desejassem, de fazer a elas o que quer que fosse. O comportamento das mulheres em questão é perfeitamente compreensível no plano do imaginário. É que a negrófoba é, na realidade, apenas uma parceira sexual putativa – assim como o negrófobo é um homossexual reprimido.

Em relação ao negro, na realidade, tudo se desenrola no plano genital. Há alguns anos, costumávamos dizer aos amigos com quem conversávamos que, de modo geral, o branco se comporta em relação ao negro como um primogênito reage ao nascimento de um irmão. Desde então, soubemos que, nos Estados Unidos, Richard Sterba vê a coisa da mesma forma. No plano fenomenológico, teríamos que estudar uma dupla realidade. O medo que se tem do judeu é por seu potencial de apropriação. "Eles" estão por toda parte. Os bancos, as bolsas, o governo estão infestados deles. Eles governam tudo. Logo o país pertencerá a eles. Passam nos concursos à frente dos "verdadeiros" franceses. Daqui a pouco ditarão a lei em nossa terra. Ainda há pouco, um colega aspirante à Escola de Administração nos dizia: "Você pode dizer o que quiser, eles se apoiam mutuamente. Por exemplo, enquanto [Jules] Moch esteve no poder, foi ultrajante o número de *youpins*[31] nomeados". No campo da medicina, a situação não é diferente. Qualquer estudante judeu que passe em um concurso foi "apadrinhado". Os negros, por sua vez, têm a potência sexual. Imaginem só, com toda

---

31 Termo pejorativo utilizado com caráter antissemita na língua francesa desde o século XIX. [N.T.]

a liberdade de que desfrutam no meio do mato! Ao que parece, fazem sexo não importa o lugar nem a hora. São genitais. Eles têm tantos filhos que até perdem a conta. Precisamos ser cautelosos, pois acabarão nos inundando de pequenos mestiços.

Decididamente, tudo vai mal...

O governo e a administração sob o cerco dos judeus.

Nossas mulheres sob o dos negros.

Pois o negro tem uma potência sexual alucinante. É exatamente esse o termo: é preciso que essa potência *seja* alucinante. Os psicanalistas que refletem sobre a questão rapidamente encontram as engrenagens de qualquer neurose. A preocupação sexual predomina nesse caso. Todas as mulheres negrófobas que conhecemos tinham uma vida sexual anormal. Seus maridos as abandonaram; eram viúvas e não ousavam substituir o finado; estavam divorciadas e hesitavam diante de um novo investimento objetal. Todas dotavam o negro de poderes que outros (maridos, amantes episódicos) não possuíam. E então intervém um elemento de perversidade, persistência da estrutura infantil: sabe Deus como eles fazem amor! Deve ser assustador.[32]

Há uma expressão que, com o passar do tempo, tornou-se particularmente erotizada: um atleta negro. Tem ali, confidenciou-nos uma jovem, alguma coisa que embrulha o estômago. Uma prostituta nos disse que, de início, a mera ideia de dormir com um negro lhe provocava o orgasmo. Ela procurava por eles, evitando cobrar

---

[32] Encontramos no trabalho de Joachim Marcus a opinião de que a neurose social, ou, se assim se preferir, o comportamento anormal em face do Outro, seja qual for, está intimamente relacionado com a situação individual: "A apuração dos questionários mostrou que os indivíduos mais ferrenhamente antissemitas pertenciam às estruturas familiares mais conflitivas. Seu antissemitismo era uma reação às frustrações sofridas no ambiente familiar. O que evidencia que os judeus são objeto de substituição no antissemitismo é o fato de que as mesmas situações familiares engendram, de acordo com as circunstâncias locais, o ódio aos negros, o anticatolicismo ou o antissemitismo. Portanto, e na contramão da opinião mais difundida, é possível dizer que é a atitude que encontra um conteúdo, e não o conteúdo que cria uma atitude" (J. Marcus, op. cit., p. 282).

deles qualquer dinheiro. Mas, acrescentou, "dormir com eles não tinha nada de extraordinário em relação aos brancos. Era antes do ato que eu chegava ao orgasmo. Eu pensava em (imaginava) tudo o que eles poderiam fazer comigo: e isso é que era formidável".

Ainda no plano genital, o branco que odeia o negro não atenderia a um sentimento de impotência ou de inferioridade sexual? O ideal sendo uma virilidade absoluta, não haveria um fenômeno de diminuição em relação ao negro, percebido como um símbolo peniano? O linchamento do negro não seria uma vingança sexual? Sabemos tudo o que as sevícias, as torturas e os espancamentos comportam de sexual. Basta reler algumas páginas do Marquês de Sade e seremos facilmente convencidos disso. A superioridade do negro é real? Todo mundo *sabe* que não. Mas essa não é a questão. O pensamento pré-lógico do fóbico decidiu que assim fosse.[33] Outra mulher passou a ter fobia do negro após a leitura de *Vou cuspir no seu túmulo*.[34] Tentamos mostrar a ela a irracionalidade de sua postura, apontando que as vítimas brancas eram tão mórbidas quanto o negro. Também acrescentamos que aquelas não eram reivindicações negras, como sugeria o título, já que seu autor era Boris Vian. Foi preciso reconhecer que nossos esforços foram em vão. A jovem não estava disposta a escutar. Qualquer um que tenha lido o livro compreenderá facilmente a ambivalência expressa por essa fobia. Conhecemos um estudante de medicina negro que não ousava realizar o toque vaginal nas pacientes que eram atendidas no consultório de ginecologia. Ele nos revelou um dia que havia ouvido de uma paciente esta reflexão: "Tem um negro ali dentro. Se ele me tocar, dou-lhe um tapa. Com eles, nunca se sabe. Ele deve ter mãos grandes e, seja como for, certamente é brutal".

---

33 Para nos mantermos na perspectiva de Charles Odier, seria mais preciso dizer "paralógico": "Poderia ser proposto o termo 'paralógico' quando se trata de regressão, ou seja, de processos próprios ao adulto" (C. Odier, *L'Angoisse et la pensée magique*, op. cit., p. 95).

34 Boris Vian, *Vou cuspir no seu túmulo* [1946], trad. Onézio Paiva. Rio de Janeiro: Nova Fronteira, 1986.

Se quisermos compreender em termos psicanalíticos a situação racial, concebida não globalmente, mas vivida por consciências específicas, devemos conferir uma grande importância aos fenômenos sexuais. No caso do judeu, pensa-se em dinheiro e em seus derivados. No caso do negro, em sexo. O antissemitismo é passível de racionalização no plano imobiliário. É porque os judeus açambarcam o país que são perigosos. Recentemente, um colega nos disse que, mesmo sem ser antissemita, era obrigado a constatar que a maioria dos judeus que conheceu durante a guerra se comportavam como canalhas. Tentamos em vão fazê-lo reconhecer que o que havia nessa conclusão resultava de uma intenção deliberada de detectar a essência judia onde quer que pudesse ser encontrada.

No plano clínico, recordamos a história de uma jovem que passou a apresentar um delírio de toque, lavando constantemente as mãos e os braços a partir do dia em que foi apresentada a um israelita.

Tendo Jean-Paul Sartre estudado magistralmente o problema do antissemitismo, procuremos ver o que acontece com a negrofobia. Essa fobia se situa no plano instintual, biológico. No limite, podemos dizer que o negro, com seu corpo, obstrui a ultimação do esquema postural do branco, no momento, obviamente, em que o negro irrompe no mundo fenomenal do branco. Não seria aqui o lugar para expor as conclusões a que chegamos ao refletir a respeito da influência sobre o corpo exercida pela irrupção de outro corpo. (Suponhamos, por exemplo, um grupo de quatro jovens de quinze anos, esportistas mais ou menos assíduos. No salto em altura, um deles obtém o primeiro lugar com 1,48 metro. Surgindo um quinto que saltasse 1,52 metro, os quatro corpos sofreriam uma desestruturação.) O importante para nós é mostrar que, com o negro, tem início o ciclo *biológico*.[35]

[35] Certamente valeria a pena, com base na noção lacaniana do estádio do espelho, questionar em que medida a *imago* do semelhante, construída no jovem branco na idade que já sabemos, não sofreria uma agressão imaginária quando surgisse o negro. Quando se compreende esse processo descrito por

Não ocorreria, por exemplo, a nenhum antissemita a ideia de castrar um judeu. Ou ele é morto ou esterilizado. Mas o negro é

Lacan, não há mais dúvida de que o verdadeiro Outrem do branco é e continua sendo o negro. E vice-versa. Só que, para o branco, o Outrem é percebido no plano da imagem corporal, exatamente como o não eu, quer dizer, o não identificável, o não assimilável. Para o negro, mostramos que as realidades históricas e econômicas eram levadas em conta. Diz Lacan: "[...] o reconhecimento pelo sujeito da sua imagem no espelho é um fenômeno que, para a análise desse estágio, é duplamente significativo: o fenômeno aparece depois de seis meses e o seu estudo, nesse momento, revela demonstrativamente as tendências que então constituem a realidade do sujeito; a imagem especular, justamente em razão destas afinidades, fornece um bom símbolo desta realidade: de seu valor afetivo, tão ilusório quanto a imagem, e de sua estrutura, que, como ela, é reflexo da forma humana" ("Os complexos familiares na formação do indivíduo", em *Outros escritos*, op. cit., p. 47).

Veremos que essa descoberta é fundamental: toda vez que o sujeito vislumbra sua imagem e a saúda, é sempre, de alguma forma, "a unidade mental que lhe é inerente" que é aclamada. Em termos de patologia mental, por exemplo, se considerarmos os delírios alucinatórios ou de interpretação, vemos que há sempre um respeito por essa autoimagem. Em outras palavras, em todas as etapas do comportamento delirante, há uma certa harmonia estrutural, uma totalidade do indivíduo e das construções pelas quais ele transita. Por mais que se possa atribuir essa fidelidade aos conteúdos afetivos, mantém-se como uma evidência que seria anticientífico ignorar. Sempre que existe convicção delirante, existe autorreprodução. É sobretudo na fase de ansiedade e desconfiança, que [Maurice] Dide e [Paul] Guiraud descreveram, que o outro intervém. Portanto, não causa surpresa encontrar o negro na forma de um sátiro ou de um assassino. Mas, na fase de sistematização, quando se elabora a certeza, não há mais lugar para o estrangeiro. No limite, aliás, não hesitaríamos em dizer que o tema do negro em determinados delírios (quando ele não é central) ocupa o seu lugar ao lado de outros fenômenos, como as zoopsias. [Joseph] Lhermitte descreveu a emancipação da imagem corporal. É aquilo que clinicamente se designa como heautoscopia. O caráter repentino da aparição desse fenômeno, diz Lhermitte, é sumamente curioso. Ele ocorre inclusive em pessoas normais (Goethe, Taine etc.). Afirmamos que, para o antilhano, a alucinação especular é sempre neutra. Aos que nos relataram tê-la observado em si mesmos, era praxe perguntarmos: "De que cor você era?". "Eu não tinha cor." Melhor ainda, nas visões hipnagógicas, e especialmente naquilo que, por alusão a Duhamel, tem sido chamado de

castrado. O pênis, símbolo da virilidade, é destruído, quer dizer, é negado. Percebe-se a diferença entre as duas atitudes. O judeu é

"salavinizações", o processo se repete. Não sou eu enquanto negro quem age, pensa ou é elevado às alturas. [A alusão remete a Georges Duhamel, autor da pentalogia *Vie et aventures de Salavin* (Vida e aventuras de Salavin), publicada pela editora parisiense Mercure de France entre 1920 e 1932: *Confession de minuit* (1920), *Deux Hommes* (1924), *Journal de Salavin* (1927), *Le Club des Lyonnais* (1929) e *Tel qu'en Lui-même* (1932). Dois dos títulos do ciclo foram publicados em português: *Confissão de meia-noite*, trad. Isa Silveira e Miroel Silveira (Curitiba: Guaíra, 1938), e *Diário de Salavin*, trad. Antonio Quadros (Porto: Tavares Martins, 1945), N.T.]

 De resto, aconselhamos a quem estiver interessado nessas conclusões a ler algumas redações em francês de crianças antilhanas de dez a catorze anos de idade. A respeito do tópico proposto "Impressões antes de sair de férias", elas respondem como verdadeiras pequenas parisienses e encontramos os seguintes temas: "Gosto das férias, pois poderei correr pelos campos e respirar ar fresco e voltarei com as bochechas *rosadas*". Fica evidente que não nos equivocamos ao sugerir que existe da parte do antilhano um desconhecimento da sua condição de negro. Foi só por volta dos treze anos que tivemos a oportunidade de ver senegaleses pela primeira vez. Sabíamos a respeito deles aquilo que contavam os veteranos de 1914: "Eles atacam com baionetas e, se isso não dá certo, avançam de machete em punho debaixo da saraivada das metralhadoras... Decepam cabeças e colecionam orelhas". Estavam de passagem pela Martinica, vindos da Guiana [Francesa]. Avidamente procurávamos nas ruas por seu uniforme, do qual nos haviam falado: fez e cinturão vermelhos. Nosso pai chegou a aliciar dois deles, que então levou para casa, onde fizeram a alegria da família. Na escola, a mesma situação se perpetuava: nosso professor de matemática, tenente da reserva, que, em 1914, comandou uma unidade de fuzileiros senegaleses, fazia-nos estremecer relembrando: "Quando estão rezando, não devem ser importunados, porque aí não tem mais tenente. São leões na peleia, mas respeitem seus costumes". Que ninguém mais estranhe que Mayotte Capécia se visse branca e rósea em seus sonhos; diríamos que isso é normal.

 Talvez possam objetar que, se para o branco há uma elaboração da *imago* do semelhante, um fenômeno análogo deveria ocorrer no antilhano, tendo em vista que a percepção visual é a tela em que se esboça essa elaboração. Mas isso significaria esquecer que, nas Antilhas, a percepção se situa sempre no plano do imaginário. Por lá, é em termos de branco que se percebe seu

atingido na sua personalidade confessional, na sua história, na sua raça, nos laços que mantém com seus antepassados e seus descendentes; no judeu que é esterilizado, sua estirpe é morta; toda vez que um judeu é perseguido, é toda a raça que se persegue por intermédio dele. Mas é em sua corporeidade que o negro é atingido. É na condição de personalidade concreta que ele é linchado. É na condição de ser presente que ele é perigoso. O perigo judeu é substituído pelo medo da potência sexual do negro. Octave Mannoni, em *Psychologie de la colonisation*, escreveu:

> Um argumento usado pelos racistas em todo o mundo contra aqueles que não compartilham suas convicções merece ser mencionado em virtude do seu caráter revelador. "O quê?", dizem esses racistas,

semelhante. Pode-se, por exemplo, dizer de alguém que é "muito negro"; não há nada de surpreendente em ouvir, no seio de uma família, a mãe declarar: "X. é o mais negro dos meus filhos". Quer dizer, o menos branco... Só nos resta repetir a reflexão de uma colega europeia com quem falamos sobre isso: em termos humanos, é uma verdadeira mistificação. Digamos uma vez mais, é em referência à essência do branco que todo antilhano é chamado a ser percebido por seu semelhante. Tanto nas Antilhas como na França, encontramos o mesmo mito; em Paris se diz: ele é negro, mas muito inteligente; na Martinica, não se exprime de forma diferente. Durante a guerra, professores guadalupenses vinham a Fort-de-France corrigir as provas do *baccalauréat* [exame nacional de acesso à educação superior] e, impelidos pela curiosidade, íamos ver de perto, até mesmo no hotel em que estava hospedado, o sr. B., um professor de filosofia que tinha a fama de ser excessivamente negro; como se diz na Martinica, não sem alguma ironia, ele era "azul". Tal família é muito bem-vista: "São muito negros, mas todos gente de bem". Na verdade, um é professor de piano, ex-aluno do Conservatório, outro é professor de ciências naturais no liceu feminino e por aí afora. Quanto ao pai, que diariamente caminhava na sua varanda ao anoitecer, a partir de dado momento, diziam, não se conseguia mais enxergá-lo. Dizia-se que, em outra família, no campo, quando às vezes faltava luz à noite, as crianças tinham que rir para que se dessem conta de que estavam ali. Às segundas-feiras, imaculados em seus ternos de tecido branco, alguns funcionários martinicanos parecem, de acordo com o simbolismo local, "uma ameixa em uma tigela de leite".

"*se você tivesse uma filha solteira, você a entregaria a um negro?*" Já vi pessoas, que em nada pareciam racistas, perderem todo o senso crítico, aturdidas com esse tipo de argumento. É que um argumento desses mexe com sentimentos muito nebulosos (para ser mais exato, *incestuosos*), que levam ao racismo pela via de uma reação defensiva.[36]

Antes de continuar, parece-nos importante fazer a seguinte observação: reconhecendo que existem tendências inconscientes ao incesto, por que essas tendências haveriam de se manifestar mais especificamente em relação ao negro? Em que exatamente um genro negro difere de um branco? Não haveria em ambos os casos afloramento das tendências inconscientes? Por que não considerar, por exemplo, que o pai se insurge porque, segundo ele, o negro introduzirá sua filha a um universo sexual para o qual ele não possui a chave, as armas, os atributos?

Toda aquisição intelectual exige em troca perda do potencial sexual. O branco civilizado preserva a nostalgia irracional de épocas extraordinárias de desregramento sexual, espetáculos orgíacos, estupros impunes, incestos irrefreados. Essas fantasias, em certo sentido, respondem ao instinto de vida de Freud. Projetando suas intenções no negro, o branco se comporta "como se" o negro realmente as tivesse. Quando se trata do judeu, o problema é evidente: desconfia-se dele porque quer possuir as riquezas ou se instalar nos postos de comando. O negro, por outro lado, está fixado no genital; ou, pelo menos, foi onde o fixaram. Dois domínios: o intelectual e o sexual. *O pensador*, de Rodin, com uma ereção, eis uma imagem chocante. Não seria decente "se manter durão" em todo lugar. O negro representa o perigo biológico. O judeu, o perigo intelectual.

Ter a fobia do negro é ter medo do biológico. Pois o negro é apenas biológico. São animais. Vivem nus. E só Deus sabe... Octave Mannoni acrescentou:

---

36 O. Mannoni, *Psychologie de la colonisation*. Paris: Seuil, 1950, p. 109.

Essa necessidade de encontrar nos macacos antropoides, em Caliban ou nos negros, e até mesmo nos judeus, a figura mitológica dos sátiros atinge na alma humana uma *profundidade*[37] em que o pensamento é confuso e a excitação sexual é estranhamente ligada à agressividade e à violência, molas propulsoras de grande poder.[38]

O autor integra o judeu à escala. Não vemos inconveniente nisso. Mas aqui o negro domina. É o especialista na área: quem diz estupro está dizendo negro.

Ao longo de três ou quatro anos, entrevistamos cerca de quinhentos indivíduos da raça branca: franceses, alemães, ingleses, italianos. Nós nos valíamos de certo tom de confidência, de certa descontração, esperávamos, em todo caso, que nossos interlocutores não tivessem medo de se abrir conosco, ou seja, que estivessem convencidos de que não haveriam de ferir nossos sentimentos. Ou então, durante as associações livres, inseríamos a palavra *negro* em meio a umas vinte outras. Quase seis de cada dez respostas se manifestavam assim:

Negro = biológico, sexo, forte, atlético, potente, boxeador, Joe Louis, Jesse Owens, fuzileiros senegaleses, selvagem, animal, diabo, pecado.

A expressão "fuzileiro senegalês" evocava as seguintes: terrível, sanguinário, grandalhão, forte.

É interessante verificar que, para a palavra *negro*, um a cada cinquenta respondeu: nazista, ss; quando se sabe o valor afetivo da imagem da ss, vê-se que a diferença em relação às respostas anteriores é mínima. Cabe acrescentar que alguns europeus nos ajudaram e apresentaram a questão aos colegas: a proporção aumentou de maneira significativa. Devemos ver nisso uma consequência do fato de sermos negros: havia inconscientemente alguma contenção.

---

37 Considerando as respostas propiciadas pelo sonho acordado, veremos que essas figuras mitológicas, "arquétipos", de fato se localizam bem fundo na alma humana. Toda vez que o indivíduo desce até lá, encontramos o negro, concreta ou simbolicamente.
38 O. Mannoni, op. cit., p. 109.

O negro simboliza o biológico. Antes de mais nada, a puberdade para eles começa aos nove anos, têm filhos aos dez; são quentes, têm o sangue forte; são robustos. Como nos disse um branco recentemente, com certa amargura na voz: "Vocês são de temperamento forte". É uma bela raça, vejam só os fuzileiros senegaleses... Durante a guerra, não os chamávamos de nossos Diabos Negros?... Mas devem ser brutais... Não os quero tocando as minhas costas com suas mãos enormes. Sinto calafrios de horror. Sabendo muito bem que, em determinados casos, convém ler o oposto do que é dito, entendemos essa mulher tão delicada: no fundo, o que ela pode ver perfeitamente é o negro robusto martirizando suas frágeis costas. Sartre diz que paira no ar, quando se pronuncia a expressão "jovem judia", um cheiro imaginário de estupro, de pilhagem... Inversamente, poderíamos dizer que existe uma "possível" alusão a fenômenos semelhantes na expressão "belo negro". Sempre me impressionou a rapidez com que se passa de "belo jovem negro" a "jovem potro, garanhão". No filme *Conflito de paixões*, boa parte da trama é baseada na rivalidade sexual.[39] Orin recrimina sua irmã, Vinnie, por admirar os esplêndidos nativos nus da Ilha do Amor. Ele não a perdoa.[40]

---

39 *Mourning Becomes Electra*, filme de 1947, dirigido por Dudley Nichols, é a adaptação para o cinema da peça homônima de Eugene O'Neill, que transpõe para um cenário moderno, posterior ao fim da Guerra Civil Americana, as três tragédias da *Oréstia*, de Ésquilo (*Agamêmnon*, *Coéforas* e *Eumênides*), que acompanham o ocaso da Casa de Atreu após o retorno de Agamêmnon da Guerra de Troia. [N.T.]

40 Deve-se notar, contudo, que a situação é ambígua. Orin também tem ciúmes do noivo da irmã. No plano psicanalítico, eis como a ação se apresenta: Orin é um abandônico com fixação na mãe e é incapaz de fazer com sua libido um autêntico investimento objetal. Basta ver, por exemplo, seu comportamento em relação à pretendida. Vinnie, que por sua vez tem fixação no pai, mostra a Orin que sua mãe o está traindo. Mas não nos enganemos quanto a isso. É como uma instância requisitória (processo de introjeção) que ela age. Diante da evidência da traição, Orin mata o rival. Reativamente, a mãe se suicida. A libido de Orin, que precisa ser investida da mesma forma, volta-se

A análise do real é delicada. Um pesquisador pode adotar duas atitudes em relação ao seu tema. Ou ele se contenta em descrever, como fazem os anatomistas que invariavelmente ficam surpresos quando, no meio de uma descrição da tíbia, alguém lhes pergunta quantas depressões anteperoneais eles próprios possuem. É que, em suas pesquisas, nunca se trata deles mesmos, mas dos outros; no início dos nossos estudos médicos, após algumas sessões nauseantes de dissecção, suplicamos a um dos já calejados que nos apontasse uma maneira de evitar esses desconfortos. Ele nos respondeu com toda a simplicidade: "Meu caro, finja que está dissecando um gato e tudo ficará bem...". – Ou então, depois de descrever o real, ele se propõe transformá-lo. Em princípio, aliás, a intenção de descrever parece mesmo implicar uma preocupação crítica e, portanto, uma exigência de ir mais além rumo a uma solução. A literatura oficial ou anedótica produziu demasiadas histórias de negros para que sejam silenciadas. Reuni-las, porém, não representa avanço nenhum na verdadeira tarefa, que é expor seu mecanismo. O essencial para nós não é acumular fatos, comportamentos, mas encontrar seu sentido. Nisso, poderíamos invocar Jaspers, quando escreve: "Muitas vezes o aprofundamento penetrante num caso particular ensina fenomenologicamente o que é geral para inúmeros casos. O que se apreendeu uma vez encontra-se na maioria das vezes logo a seguir. Na fenomenologia importa menos acumularem-se casos sem fim do que a visão interna, o mais possível completa, de casos particulares".[41]

---

para Vinnie. De fato, em seu comportamento e até mesmo em sua aparência, Vinnie substitui a mãe. Dessa maneira, e isso é algo que recebe uma belíssima interpretação no filme, trata-se de um Édipo incestuoso que é vivido por Orin. É compreensível, portanto, que Orin troveje seus lamentos e recriminações quando o casamento da irmã é anunciado. Mas, na luta com o noivo, é com o sentimento, com a afetividade que ele se depara; com o negro, os esplêndidos nativos, o conflito se situa no plano genital, biológico.

41 Karl Jaspers, *Psicopatologia geral* [1913], v. 1., trad. Samuel Penna Reis. Rio de Janeiro: Atheneu, 1973, p. 72.

A questão que se coloca é a seguinte: pode o branco se comportar de forma sadia em relação ao negro, pode o negro se comportar de forma sadia em relação ao branco?

Pseudoquestão, dirão alguns. Mas, quando dizemos que a cultura europeia possui uma *imago* do negro como responsável por todos os conflitos que possam surgir, não estamos indo além do real. No capítulo sobre a linguagem, mostramos que na tela os negros reproduziram fielmente essa *imago*. Até escritores sérios se converteram em seus arautos. Foi assim que Michel Cournot foi capaz de escrever:

> A espada do negro é uma espada. Quando ele passou tua mulher pelo seu fio, ela sentiu algo. Foi uma revelação. No abismo que eles deixaram para trás, teu penduricalho se perdeu. De tanto remar, deixarias o quarto inundado em suor, e seria como se só estivesses a cantarolar. Pode-se dar adeus... Quatro negros de membro exposto tapariam as fendas de toda uma catedral. Para sair, precisariam esperar a volta à normalidade; e, nesse enrosco, não é moleza [...].
>
> Para se sentirem à vontade sem complicações, resta-lhes o ar livre. Mas uma dura afronta ali os espreita: a da palmeira, da árvore-do-pão e de tantos temperamentos altivos que não se curvariam nem para um império, eretos como estão para toda a eternidade e atingindo alturas que, apesar de tudo, dificilmente são alcançáveis.[42]

Quando lemos essa passagem umas dez vezes e quando nos deixamos levar, quer dizer, quando nos entregamos ao movimento das imagens, não percebemos mais o negro, e sim um membro: o negro foi eclipsado. Virou membro. Ele *é* pênis. É fácil imaginar o que tais descrições são capazes de provocar em uma jovem lionesa. Horror? Desejo? Em todo caso, não a indiferença. Mas qual é a verdade? O comprimento médio do pênis do negro africano, diz o

---

[42] Michel Cournot, *Martinique*. Collection Métamorphoses. Paris: Gallimard, 1949, pp. 13–14.

dr. Palès, raramente excede 120 milímetros. Testut, em seu *Traité d'anatomie humaine* [Tratado de anatomia humana],[43] apresenta os mesmos números para o europeu. Mas esses são fatos que não convencem ninguém. O branco está convencido de que o negro é uma besta; se não é o comprimento do pênis, é a potência sexual que o afeta. Ele precisa se defender diante desse "diferente dele". Ou seja, caracterizar o Outro. O Outro será o suporte de suas preocupações e de seus desejos.[44] A prostituta que mencionamos anteriormente nos relatou que sua busca por negros remontava ao

---

[43] Léo Testut, *Traité d'anatomie humaine*, 4 v. Paris: Gaston Doin et Cie., 1887. [N.T.]

[44] Alguns autores tentaram, aceitando desse modo os preconceitos (no sentido etimológico), mostrar por que o branco não entende bem a vida sexual do negro. Assim, podemos ler em De Pédrals esta passagem que, embora expresse a verdade, desconsidera as causas profundas da "opinião" branca: "A criança negra não experimenta nem surpresa nem vergonha das manifestações genésicas, porque lhe é oferecido aquilo que quiser saber a respeito. É bastante óbvio, e sem precisar recorrer às sutilezas da psicanálise, que essa diferença dificilmente deixará de produzir efeitos sobre a maneira de pensar e, portanto, de agir. Sendo que o ato sexual lhe é apresentado como a coisa mais natural, até mesmo a mais recomendável, tendo em vista o propósito que cumpre – a fecundação –, o africano continuará, ao longo de toda a sua vida, a ter sempre em mente essa noção, enquanto o europeu, por toda a sua vida, preservará inconscientemente um complexo de culpa que nem a razão nem a experiência jamais conseguirão fazer desaparecer por completo. Dessa forma, o africano mostra-se disposto a considerar sua vida sexual apenas uma ramificação da sua vida fisiológica, assim como comer, beber e dormir... Pelo que se imagina, uma concepção desse tipo é exclusiva dos desvios pelos quais as mentes europeias foram treinadas para seguir, a fim de conciliar as tendências de uma consciência torturada, de uma razão vacilante e de um instinto entravado. Daí uma diferença fundamental, não de natureza ou de constituição, mas de concepção; daí também o fato de que o instinto genésico, privado da auréola com que o adornam os monumentos da nossa literatura, não é de maneira nenhuma na vida do africano o elemento dominante que representa na nossa própria vida, ao contrário das afirmações de *muitos observadores dispostos a explicar aquilo que viram por meio apenas da autoanálise*". Cf. Denis-Pierre de Pédrals, *La Vie sexuelle en Afrique noire* (Paris: Payot, 1950, pp. 28–29). Grifo nosso.

dia em que lhe foi contada a seguinte história: uma mulher, na noite em que dormiu com um negro, perdeu a razão; permaneceu louca por dois anos, mas, depois de curada, recusava-se a dormir com qualquer outro homem. Ela não sabia o que havia enlouquecido aquela mulher. Enfurecida, porém, tentava reproduzir a situação, encontrar esse segredo que comungava do inefável. É preciso entender que o que ela desejava era uma ruptura, uma dissolução de si mesma no plano sexual. Cada experiência que tentava com um negro consolidava seus limites. Aquele delírio orgástico a eludia. Ela não o conseguia vivenciar, então se vingava, entregando-se à especulação.

A respeito disso, vale mencionar um fato: uma branca que dormiu com um negro tem dificuldade em aceitar um amante branco. Pelo menos é uma crença que encontramos principalmente entre os homens: "Quem saberá dizer o que 'eles' dão a elas?". Com efeito, *quem* saberá dizer? Não "eles", decerto. Em relação a isso, não podemos deixar de mencionar esta observação de Étiemble:

> O ciúme racial incita os crimes de racismo: para muitos homens brancos, o negro é justamente essa espada maravilhosa pela qual, transfixadas, suas mulheres seriam transfiguradas para sempre. Meus serviços de estatística não me apresentaram nenhum documento a respeito disso. No entanto, conheci negros. Também brancas que conheceram negros. E, por fim, negras que conheceram brancos. Recolhi confidências suficientes para lamentar que o sr. Cournot tenha usado o seu talento para reavivar uma fábula na qual o branco sempre conseguirá encontrar um capcioso argumento: inconfessável, duvidoso e duplamente eficaz, portanto.[45]

Uma tarefa colossal, o inventário do real. Acumulamos fatos, comentamos sobre eles, mas a cada linha escrita, a cada frase enun-

---

45 René Étiemble, "Sur le *Martinique* de Michel Cournot". *Les Temps Modernes*, n. 52, 1950, pp. 1502–12.

ciada, temos uma impressão de incompletude. Acusando Jean-Paul Sartre, Gabriel d'Arboussier escreveu:

> Essa antologia, que coloca em pé de igualdade antilhanos, guianenses, senegaleses e malgaxes, cria uma lamentável confusão. Ao apresentar dessa forma o problema cultural dos países ultramarinos, descola-o da realidade histórica e social de cada país, das características nacionais e das diferentes condições impostas a cada um deles pela exploração e pela opressão imperialista. Então, quando Sartre escreve: "O negro, pelo mero mergulho na sua memória de ex-escravo, afirma que a dor é o quinhão que cabe aos homens e que nem por isso é menos imerecida", será que se dá conta do sentido que essa frase pode ter para um hova, um mouro, um targui, um peul ou um bantu do Congo ou da Costa do Marfim?[46]

Essa objeção é válida. Ela também nos atinge. Inicialmente, queríamos nos limitar às Antilhas. Mas, custe o que custar, a dialética retoma o controle da situação, e assim fomos obrigados a *ver* que o antilhano é, antes de tudo, um negro. Contudo, não poderíamos esquecer que existem negros de nacionalidade belga, francesa, inglesa; existem repúblicas negras. Como almejar a captura de uma essência quando esses fatos nos interpelam? A verdade é que a raça negra se dispersou, já não possui unidade. Durante a invasão da Etiópia pelas forças do Duce, iniciou-se um movimento de solidariedade entre as pessoas de cor. Mas, se dos Estados Unidos um ou dois aviões foram enviados aos agredidos, nenhum negro chegou a se mobilizar efetivamente. O negro tem uma pátria, ocupa o seu lugar em uma União ou em uma Commonwealth. Qualquer descrição deve estar situada no plano do fenômeno, mas também nesse registro somos remetidos a perspectivas infinitas. Existe ambiguidade na situação universal do negro, que se resolve, porém, na sua existência concreta.

---

46 Gabriel d'Arboussier, "Une Dangereuse mystification: La Théorie de la négritude". *La Nouvelle Critique*, n. 7, 1949, pp. 34–47.

É por esse caminho que, de certo modo, ele se reencontra com o judeu. Contra os obstáculos arrolados anteriormente, apelaremos para uma evidência: *aonde quer que vá, um negro continua sendo um negro.*

Em alguns países, o negro penetrou a cultura. Como já sugerimos, deve-se conferir a máxima importância à forma como as crianças brancas entram em contato com a realidade do negro. Nos Estados Unidos, por exemplo, o jovem branco, mesmo que não viva no Sul, onde tem a oportunidade de ver negros na vida real, conhece-os por intermédio do mito do Tio Remus. Na França, poderíamos evocar *A cabana do pai Tomás*.[47] O filho de Miss Sally e Mars John escuta, com uma mistura de espanto e admiração, as histórias de Br'er Rabbit. Bernard Wolfe considera essa ambivalência do branco o tema dominante da psicologia branca americana. Ele chega ao ponto de mostrar, com base na biografia de Joel Chandler Harris,[48] que a admiração corresponde a certa identificação do branco com o negro. Sabemos o que está em questão nessas histórias. Compadre Coelho [Br'er Rabbit] envolve-se em conflitos com quase todos os outros animais da criação e, naturalmente, sempre é o vencedor. Essas histórias pertencem à tradição oral dos negros das plantações. Por isso foi tão facilmente reconhecido o negro por baixo do disfarce extraordinariamente irônico e matreiro do coelho. Os brancos, para se proteger de seu masoquismo inconsciente, que os queria extasiados com as proezas do coelho – negro –, tentaram remover dessas histórias seu potencial agressivo. Foi assim que chegaram ao ponto de dizer a si mesmos que o negro faz os animais agirem "como uma ordem inferior da inteligência humana, uma ordem que o próprio negro [consegue] compreender". O negro se sente naturalmente "em contato mais

---

[47] Harriet Beecher Stowe, *A cabana do pai Tomás – ou a vida entre os humildes* [1852], trad. Bruno Gambarotto. São Paulo: Carambaia, 2018. [N.T.]

[48] Joel Chandler Harris (1848–1908), natural do estado americano da Geórgia, foi o folclorista responsável pela compilação, baseado no repertório de narrativas populares, do ciclo de histórias de Tio Remus e Br'er Rabbit. [N.T.]

próximo com [os animais inferiores] do que com o homem branco, que [é] tão superior a ele em todos os aspectos".[49]

Outros argumentaram, nem mais nem menos, que essas histórias não eram respostas à condição imposta aos negros nos Estados Unidos, mas meros *remanescentes africanos*. Wolfe nos oferece a chave para essas interpretações:

> Obviamente, o Compadre Coelho é um animal porque o negro deve ser um animal; o Coelho é um forasteiro porque o negro deve ser marcado como forasteiro até nos cromossomos. Desde o início da escravidão, sua culpa democrata e cristã pela condição de proprietário de escravos levou o sulista a definir o negro como uma besta, um africano inalterável, cujo caráter havia sido fixado no protoplasma por genes "africanos". Se o negro se viu condenado ao limbo humano, não foi por obra dos Estados Unidos, e sim da inferioridade constitutiva dos seus ancestrais da selva.

Assim, o sulista se recusava a ver nessas histórias a agressividade que lhes infundiu o negro. Mas, para Wolfe, Harris, o compilador, era um psicopata:

> ele era particularmente adequado para o trabalho; pois era cheio de obsessões raciais patológicas, muito além daquelas que devastam o Sul e, em menor grau, toda a América Branca... De fato, para Harris, como para muitos outros brancos americanos, o negro *parecia* ser, em todos os aspectos, um negativo do seu próprio eu inquieto: folgazão, sociável, oralmente expressivo, musculosamente descontraído, nunca entediado ou passivo, descaradamente exibicionista, livre de autocomiseração mesmo em situação de dor concentrada, emocionalmente fluido.

[49] Wolfe atribui a passagem a "um escritor sulista", apud Bernard Wolfe, "Uncle Remus and the Malevolent Rabbit: 'Takes a Limber-Toe Gemmun fer ter Jump Jim Crow'" (*Commentary*, jul. 1949). [N.T.]

Mas Harris sempre teve a sensação de ser limitado por uma deficiência. Por isso, Wolfe vê nele um homem frustrado, mas não de acordo com o esquema clássico: é em sua essência que reside a impossibilidade de viver da maneira "natural" do negro. Isso não lhe foi proibido: isso lhe é impossível. Não proibido, mas irrealizável. E é porque o branco se sente frustrado pelo negro que ele também o frustrará, envolvendo-o em proibições de todo tipo. E, mais uma vez, o branco é presa do seu inconsciente. Ouçamos Wolfe novamente:

> As histórias de Remus são um monumento à ambivalência do Sul. Harris, o arquetípico sulista, buscava o amor do negro e fingiu tê-lo recebido (o *grin* de Remus).[50] Mas ele buscava também o ódio do negro (Br'er Rabbit), e deleitou-se nele em uma orgia inconsciente de masoquismo – castigando a si mesmo, possivelmente, por não ser o negro, o negro estereotipado, o doador incansável. Não é possível que o Sul Branco, e talvez a maior parte da América Branca, aja muitas vezes dessa mesma forma em suas relações com o negro?

Há uma busca pelo negro, clamam pelo negro, não podem ficar sem o negro, exigem-no, mas o querem temperado de determinada maneira. Infelizmente, o negro desmantela o sistema e viola os tratados. Será que o branco se insurgirá? Não, ele se arranja com isso. Esse fato, diz Wolfe, explica por que muitos livros que tratam de questões raciais são *best-sellers*.[51]

> Com certeza, ninguém é obrigado a consumir histórias de negros fazendo amor com brancas (*Deep are the Roots*; "Strange Fruit"; *Uncle*

---

[50] O personagem Tio Remus é uma criação de Harris. A figura desse velho escravo açucarado e melancólico, com seu eterno *grin*, é uma das imagens mais típicas do negro americano. [A respeito do *grin* e de seu emprego ao longo do texto, ver nota 10, no capítulo 2, p. 62, N.T.].
[51] Ver também os inúmeros filmes negros da última década. Os produtores, porém, são todos brancos.

Remus), de brancos descobrindo que são negros (*Kingsblood Royal*; *Lost Boundaries*; *Uncle Remus*), de brancos estrangulados por negros (*Filho nativo*; *Se ele chiar, deixa rolar*; *Uncle Remus*)... Podemos embalar e exibir em grande escala o *grin* do negro na nossa cultura popular como um manto para esse masoquismo: a carícia adocica o ataque. E, como mostra Tio Remus, o jogo das raças, nesse caso, é em grande medida inconsciente. Quando é excitado pelo conteúdo sutil do *grin* estereotipado, o branco não se torna mais consciente do próprio masoquismo do que o negro em relação ao próprio sadismo quando converte o estereótipo em bordão cultural. Talvez até menos.[52]

Nos Estados Unidos, como podemos ver, o negro cria histórias nas quais lhe é possibilitado exercer sua agressividade; o inconsciente do branco justifica e aprecia essa agressividade, infletindo-a para si mesmo e reproduzindo, assim, o esquema clássico do masoquismo.[53]

Podemos agora estipular um marco. Para a maioria dos brancos, o negro representa o instinto sexual (não educado). O negro encarna a potência genital acima da moral e das proibições. As brancas, por sua vez, por obra de uma autêntica indução, vislumbram regularmente o negro junto à porta impalpável que se abre para o reino dos sabás, das bacanais, das sensações sexuais alucinantes... Mostramos que a realidade infirma todas essas crenças. Mas isso se insere no plano do imaginário, ou ao menos no de uma paralógica.

52 Bernard Wolfe, "L'Oncle Rémus et son Lapin". *Les Temps Modernes*, n. 43, 1949, pp. 888–915. [Versão ligeiramente distinta da publicada nos Estados Unidos: "Uncle Remus and the Malevolent Rabbit: 'Takes a Limber-Toe Gemmun fer ter Jump Jim Crow'", op. cit., N.T.]
53 É comum nos Estados Unidos ouvir dizer, quando se reivindica a emancipação dos negros: eles estão apenas esperando essa oportunidade para se atirarem sobre nossas mulheres. Como o branco se comporta de forma insultante em relação ao negro, ele se dá conta de que, no lugar do negro, não teria nenhuma piedade de seus opressores. Não surpreende, portanto, vê-lo identificar-se com o negro: orquestras brancas de *hot*, cantores de *blues*, de *spirituals*, escritores brancos compondo romances em que o herói negro elabora suas queixas, brancos se lambuzando de preto.

O branco que atribui ao negro uma influência maléfica regride no plano intelectual, porquanto mostramos que ele percebia com uma idade mental de oito anos (revistas ilustradas...). Não haverá concomitantemente regressão e fixação em fases pré-genitais da evolução sexual? Autocastração? (O negro é apanhado com um membro ultrajante.) Passividade explicada pelo reconhecimento da superioridade do negro em termos de virilidade sexual? Nota-se o volume de questões que seria interessante levantar. Há homens, por exemplo, que vão a "masmorras" para serem açoitados por negros; homossexuais passivos que exigem parceiros negros.

Outra solução seria a seguinte: de início, há agressividade sádica em relação ao negro, depois complexo de culpa decorrente da sanção que a cultura democrática do país em questão impõe a esse comportamento. Essa agressividade é então suportada pelo negro, daí o masoquismo. Mas, haverão de nos dizer, seu esquema é enganoso: não se encontram nele os elementos do masoquismo clássico. De fato, é possível que essa situação não seja clássica. Em todo caso, é a única maneira de explicar o comportamento masoquista do branco.

De um ponto de vista heurístico, sem pretender que seja a realidade, gostaríamos de propor uma explicação da fantasia: um negro me estupra. Desde os estudos de Hélène Deutsch[54] e de Marie Bonaparte,[55] tendo ambas retomado e de certo modo levado às últimas consequências as ideias de Freud sobre a sexualidade feminina, sabemos que, alternadamente clitoridiana, clitorídeo-vaginal e, por fim, vaginal pura, a mulher – mantendo mais ou menos imbricadas sua libido, concebida como passiva, e sua agressividade, tendo superado seu duplo complexo de Édipo – chega, no fim da sua progressão biológica e psicológica, à assunção de seu papel,

---

54 Hélène Deutsch, *The Psychology of Women*, 2 v. New York: Grune & Stratton, 1944–45.
55 Marie Bonaparte, "De la Sexualité de la femme". *Revue Française de Psychanalyse*, v. 13, n. 1 e 2, 1949 ("1ère Partie: De la bisexualité", pp. 1–52; "2ème Partie: La fonction érotique, fonction biopsychique", pp. 161–227).

que a integração neuropsíquica concretiza. No entanto, não podemos deixar de apontar certos lapsos ou certas fixações.

À fase clitoridiana corresponde um complexo de Édipo ativo, embora, segundo Marie Bonaparte, não exista sucessão, e sim coexistência do ativo e do passivo. A dessexualização da agressividade na menina é menos bem-sucedida do que no menino.[56] O clitóris é percebido como um pênis encurtado, mas, indo além do palpável, a menina se atém apenas à qualidade. É em termos qualitativos que ela apreende o real. Assim como no menino, haveria nela pulsões dirigidas à mãe; ela também gostaria de estripá-la.

Mas nos perguntamos se, juntamente à realização definitiva da feminilidade, não haveria persistência dessa fantasia infantil. "Uma aversão intensa demais da mulher às brincadeiras brutais do homem enseja, na verdade, a suspeita do estigma de relutância masculina e de bissexualidade excessiva. Uma mulher assim tem boas chances de ser clitoridiana."[57] Eis o que pensamos disso. De início, a menina vê um rival fraterno levar uma surra do pai, libidinal-agressivo. Nesse estágio (dos cinco aos nove anos), o pai, agora o polo libidinal, de certa forma se recusa a assumir a agressividade que o inconsciente da menina exige dele. Nesse momento, sem suporte, essa agressividade liberada demanda um investimento. Como é nessa idade que a criança adentra o folclore e a cultura sob a forma que os conhecemos, o negro se torna o depositário predestinado dessa agressividade. Se formos mais fundo no labirinto, haveremos de constatar: quando a mulher vive a fantasia do estupro por um negro, é de certa forma a realização de um sonho pessoal, de um desejo íntimo. Realizando o fenômeno do voltar-se contra si mesma, é a mulher que se estupra. Encontramos a prova cabal disso no fato de que não causa surpresa que, durante o coito, as mulheres digam ao parceiro: "Machuque-me". Elas estão simplesmente exprimindo esta ideia: machuque-me como eu me (ou o) faria se estivesse no

---

56 Ibid.
57 Ibid., p. 180.

seu lugar. A fantasia do estupro pelo negro é uma variante desta representação: "Desejo que o negro me estripe como eu faria com uma mulher". Sendo aceitas nossas conclusões sobre a psicossexualidade da mulher branca, poderiam perguntar quais sugeriríamos para a mulher de cor. Nada sabemos a respeito disso. O que podemos adiantar, ao menos, é que, para muitas antilhanas, que chamaremos de justabrancas, o agressor é representado pelo típico senegalês ou, em todo caso, por alguém inferior (considerado como tal).

O negro é o genital. A história toda consiste nisso? Infelizmente, não. O negro é outra coisa. Aqui, mais uma vez, encontramos o judeu. O sexo nos desemparelha, mas temos um ponto em comum. Ambos representamos o Mal. O negro ainda mais, pela simples razão de que é preto. Não se diz na simbologia a Cândida Justiça, a Clara Verdade, a Virgem Imaculada? Conhecemos um antilhano que, ao falar de outro, dizia: "Seu corpo é preto, sua língua é preta, sua alma também deve ser preta". Essa lógica é aplicada pelo branco cotidianamente. O negro é o símbolo do Mal e do Feio.

Henri Baruk, em seu mais recente compêndio de psiquiatria,[58] descreve aquilo que chama de psicoses antissemitas:

> Em um dos nossos pacientes, a vulgaridade e a obscenidade do delírio ultrapassavam tudo o que a língua francesa era capaz de abarcar e assumiam a forma de alusões óbvias e pederásticas,[59] por meio das

---

[58] Henri Baruk, *Précis de Psychiatrie*. Paris: Masson, 1950, p. 371.
[59] Cabe mencionar brevemente que não tivemos ocasião de constatar a ocorrência explícita de pederastia na Martinica. Isso deve ser interpretado como uma consequência da ausência do Édipo nas Antilhas. Na verdade, o esquema da homossexualidade é conhecido. Recordemos, porém, a existência daquilo que lá é chamado de "homens vestidos de mulher" ou "Minha Comadre". Vestem geralmente um conjunto de casaco e saia. Mas continuamos convencidos de que levam uma vida sexual normal. Tomam ponche como qualquer garotão e não são indiferentes aos encantos das mulheres – vendedoras de peixe, de legumes. Na Europa, por outro lado, tivemos alguns companheiros que se tornaram pederastas, sempre passivos. Mas não se tratava da homossexualidade neurótica; para eles era um meio de vida, como para outros a cafetinagem.

quais o sujeito defletia sua vergonha íntima, transferindo-a para o bode expiatório dos judeus, cujo massacre preconizava. Outro paciente, acometido por um surto delirante impulsionado pelos acontecimentos de 1940, apresentou repentinamente um delírio de interpretação antissemita tão violento que, estando certo dia em um hotel e suspeitando que o viajante no quarto vizinho fosse judeu, invadiu seu quarto à noite para abatê-lo...

Outro paciente, de constituição física enfermiça, sofrendo de colite crônica, sentia-se humilhado por sua saúde precária e acabou atribuindo-a ao envenenamento por um "caldo bacteriano" que lhe teria sido ministrado pelos enfermeiros de uma instituição onde havia estado anteriormente – enfermeiros anticlericais e comunistas, dizia ele, que o queriam punir por suas opiniões e convicções católicas. Quando chegou ao nosso serviço clínico, tendo escapado de um "grupo sindicalista", achou que tinha fugido de Cila para cair em Caríbdis, já que estava nas mãos de um judeu. Esse judeu só poderia ser, por definição, um bandido, um monstro, um homem capaz de qualquer crime.

Esse judeu, diante dessa escalada de agressividade, terá que tomar uma posição. É essa a ambiguidade toda que Sartre descreve. Certas páginas de "Reflexões sobre a questão judaica" são das mais belas que já lemos. Das mais belas porque o problema que expressam nos agarra pelas entranhas.[60]

[60] Pensamos mais especificamente neste trecho: "Tal é, pois, este homem acossado, condenado a escolher-se à base de falsos problemas e numa falsa situação, privado do sentido metafísico pela hostilidade ameaçadora da sociedade circundante, encurralado num racionalismo de desespero. Sua vida não passa de uma longa fuga diante dos outros e diante de si mesmo. Alienaram-lhe até o seu próprio corpo, bipartiram sua vida afetiva, reduziram-no a perseguir, num mundo que o rejeita, o sonho impossível de uma fraternidade universal. Por culpa de quem? São os nossos olhos que lhe devolvem a imagem inaceitável que ele quer dissimular a si próprio. São nossas palavras e nossos gestos – *todas* as nossas palavras e *todos* os nossos gestos, nosso antissemitismo, mas também nosso liberalismo condescendente – que o envenenaram até a medula; somos nós que o forçamos a *escolher-se judeu*, quer ele se evada, quer ele se reivindique,

O judeu, autêntico ou inautêntico, cai na alçada do "safado". A situação é tal que tudo o que ele faz está fadado a se voltar contra ele. Pois naturalmente o judeu escolhe esquecer sua judeidade, e às vezes ele a esquece, ele a esconde ou se esconde dela. É que admite então como válido o sistema do ariano. Há o Bem e o Mal. O Mal é judeu. Tudo o que é judeu é feio. Deixemos de ser judeus. Parei de ser judeu. Abaixo os judeus. Em tais circunstâncias, esses são os mais agressivos. Como o paciente de Baruk, acometido pelo delírio de perseguição, que, vendo-o um dia portando a estrela amarela, olhou-o com desapreço e desdenhosamente gritou: "Ah, é? Pois eu, meu senhor, sou francês!". E esta,

> em tratamento no serviço clínico do nosso colega, o dr. Daday, que está em uma ala em que uma de suas correligionárias foi objeto de zombaria e de comentários desagradáveis por parte de outros pacientes. Uma paciente não judia saiu em sua defesa. A primeira paciente passou então a tratar com desprezo aquela que havia saído em defesa dos judeus, cobrindo-a com todas as calúnias antissemitas e exigindo que se livrassem dessa judia.[61]

Esse é um bom exemplo de um fenômeno reativo. O judeu, para reagir contra o antissemitismo, torna-se antissemita. É o que mostra Sartre em *Sursis*,[62] em que Birnenschatz chega a viver sua negação com uma intensidade que beira o delírio. Veremos que a

---

somos nós que o encurralamos no dilema da inautenticidade ou da autenticidade judaica [...]. Esta espécie de homens que *testemunha sobre o homem* mais do que todas as outras porque nasceu de reações secundárias no interior da humanidade, esta quinta-essência de homem, desvalida, desarraigada, originalmente votada à inautenticidade ou ao martírio. Não há um de nós que, nessas circunstâncias, não seja totalmente culpado e mesmo criminoso; o sangue judeu que os nazistas derramaram recai sobre todas as nossas cabeças", em J.-P. Sartre, "Reflexões sobre a questão judaica", op. cit., pp. 92-93.

61 H. Baruk, op. cit., pp. 372-73.
62 J.-P. Sartre, *Sursis* [1947], trad. Sérgio Milliet. São Paulo: Difusão Europeia do Livro, 1958. [N.T.]

expressão não é exagero. Os americanos que vêm a Paris ficam espantados ao ver tantas brancas em companhia de negros. Ao caminhar em Nova York com Richard Wright, Simone de Beauvoir foi repreendida por uma senhora idosa. Sartre disse: aqui é o judeu, em outros lugares é o negro. O que é necessário é um bode expiatório. Baruk diz a mesma coisa: "A libertação em relação aos complexos de ódio somente será alcançada se a humanidade for capaz de renunciar ao complexo do bode expiatório".

O Pecado, a Culpa, a negação dessa culpa, a paranoia, estamos em território homossexual. Em suma, o que outros descreveram em relação aos judeus se aplica perfeitamente ao negro.[63]

Bem-Mal, Bonito-Feio, Branco-Negro: são esses os pares característicos do fenômeno que, para retomar uma expressão de Dide e Guiraud, chamaremos de "maniqueísmo delirante".[64]

Ver apenas um tipo de negro, assimilar o antissemitismo à negrofobia, parecem ser esses os erros de análise cometidos aqui. Alguém com quem falamos a respeito do nosso trabalho nos perguntou o que esperávamos dele. Desde o estudo seminal de Sartre *Que é a literatura?*,[65] a literatura está cada vez mais engajada em sua única tarefa verdadeiramente *atual*, que é levar a coletividade à reflexão e à mediação: este trabalho almeja ser um espelho de infraestrutura progressiva, em que o negro em processo de desalienação possa se encontrar.

---

[63] Assim escreve Marie Bonaparte: "Os antissemitas projetam no judeu, atribuem ao judeu todos os seus maus instintos mais ou menos inconscientes [...]. Assim, descarregando-os sobre as suas costas, depuram-se a si mesmos em relação a eles e surgem, diante dos próprios olhos, resplandecentes de pureza. Portanto, o judeu se presta maravilhosamente ao papel de projeção do Diabo [...]. Os negros nos Estados Unidos também assumem essa função de fixação" (*Mythes de guerre*. London: Imago, 1946, p. 145).
[64] Maurice Dide e Paul Guiraud, *Psychiatrie du médecin praticien*. Paris: Masson, 1922, p. 164.
[65] J.-P. Sartre, *Que é a literatura?* [1948], trad. Carlos Felipe Moisés. São Paulo: Ática, 2004.

Quando não há mais o "minimamente humano", não há cultura. Não me importa saber que "*Muntu* é Força" entre os Bantu,[66] ou melhor, poderia até me interessar, não fossem certos detalhes que me incomodam. Qual é o sentido das meditações sobre a ontologia bantu, quando ao mesmo tempo se lê que:

> Quando 75 mil mineiros negros entraram em greve em 1946, a Polícia Nacional os obrigou, a tiros de fuzil e golpes de baioneta, a retomar o trabalho. Vinte e cinco pessoas morreram e milhares ficaram feridas.
> Smuts era, na época, chefe de governo e delegado na Conferência de Paz. Nas fazendas dos brancos, os trabalhadores negros vivem quase como servos. Podem viver com suas famílias, mas nenhum homem pode deixar a fazenda sem autorização do patrão. Se fizer isso, a polícia é chamada e ele é reconduzido à força e açoitado [...].
> Por força da Native Administration Act [Lei da administração nativa], o governador-geral, na condição de chefe supremo, tem poderes autocráticos sobre os africanos. Ele pode, por meio de uma proclamação, prender ou deter qualquer africano considerado perigoso para a paz pública. Pode proibir, em qualquer área nativa, reuniões de mais de dez pessoas. Não existe *habeas corpus* para os africanos. A qualquer momento são executadas prisões em massa sem mandado.
> As populações não brancas da África do Sul estão num beco sem saída. Todas as formas modernas de escravidão as impedem de escapar desse flagelo. Em especial no caso dos africanos, a sociedade branca arruinou seu velho mundo sem lhe oferecer um novo. Ela destruiu as bases tribais tradicionais de sua existência e agora barra o caminho para o futuro, depois de ter interditado o caminho do passado [...].
> O *apartheid* pretende proibi-lo (o negro) de participar da história moderna como uma força independente e livre.[67]

---

[66] P. F. Tempels, op. cit.
[67] I. R. Skine, "Apartheid en Afrique du Sud". *Les Temps Modernes*, n. 57, 1950, p. 133.

Pedimos desculpas por esse longo excerto, mas ele permite evidenciar alguns possíveis erros negros. Alioune Diop, por exemplo, na sua introdução à obra *A filosofia bantu*,[68] observa que a ontologia bantu não conhece essa miséria metafísica da Europa. A inferência que ele extrai daí, contudo, é perigosa:

> A dupla questão que se coloca é saber se o gênio negro deve cultivar aquilo que constitui sua originalidade, essa juventude da alma, esse respeito inato pelo ser humano e pela criação, essa alegria de viver, essa paz que não é desfiguração do ser humano imposta e sofrida por higiene moral, mas harmonia natural com a feliz majestade da vida [...]. Questiona-se também o que o negro pode oferecer ao mundo moderno [...]. O que podemos dizer é que a própria noção de cultura, concebida como vontade revolucionária, é contrária ao nosso gênio, assim como a própria noção de progresso. O progresso não nos teria assombrado a consciência se não tivéssemos algumas queixas contra a vida, dádiva natural.

Mas, atenção, não se trata de encontrar o Ser no pensamento bantu, quando a existência dos Bantu se vê colocada no plano do não ser, do imponderável![69] Obviamente, a filosofia bantu não pode ser compreendida a partir de uma vontade revolucionária: mas é justamente na medida em que, estando a sociedade bantu fechada, nela não se pode encontrar essa substituição em que o proprietário toma o lugar das relações ontológicas das Forças. Porém, sabemos que a sociedade bantu não existe mais. E a segregação nada tem de ontológico. Basta desse escândalo.

Ultimamente, muito se tem falado sobre o negro. Um pouco em demasia. O negro gostaria de ser esquecido, para poder reagrupar suas forças, suas forças autênticas.

---

68 P. F. Tempels, op. cit.
69 Ver, por exemplo, Alan Paton, *Cry, the Beloved Country* (London: Jonathan Cape, 1948).

Um dia ele disse: "Minha negritude não é uma torre...".

E vieram helenizá-lo, orfeizá-lo... a esse negro que busca o universal. Ele busca o universal! Mas, em junho de 1950, os hotéis parisienses se recusaram a acomodar os peregrinos negros. Por quê? Simplesmente porque havia o risco de os clientes anglo-saxões (que são ricos e negrófobos, como todos sabem) mudarem de hotel.

O negro visa o universal, mas nas telas é mantida intacta sua essência negra, sua "natureza" negra:

sempre servente
sempre obsequioso e sorridente
eu nunca roubar, nunca mentir
eternamente y a bon banania...

O negro se universaliza, mas no Liceu Saint-Louis, em Paris, um deles foi expulso: cometeu a afronta de ler Engels.

Há uma tragédia em curso e os intelectuais negros correm o risco de se atolar nela.

Como? Mal abri os olhos que me haviam vendado e já querem me afogar no universal? E os outros? Aqueles que "não têm boca", aqueles que "não têm voz"... Preciso me perder na minha negritude, ver as cinzas, as segregações, as repressões, os estupros, as discriminações, os boicotes. Precisamos pôr o dedo em todas as feridas que estriam a libré negra.

Já podemos ver Alioune Diop se perguntando qual será a posição do gênio negro no coro universal. Mas nós dizemos que uma verdadeira cultura não tem como nascer nas condições atuais. Falaremos de gênio negro quando o ser humano tiver encontrado seu verdadeiro lugar.

Mais uma vez, invocaremos Césaire; gostaríamos que muitos intelectuais negros nele se inspirassem. Preciso repetir também para mim mesmo: "E sobretudo meu corpo assim como minha alma, livrai-vos de cruzar os braços na atitude estéril do espectador, porque a vida não é um espetáculo, um mar de dores não é um proscênio e um homem que grita não é um urso que dança...".[70]

Continuando a inventariar o real, num esforço para determinar o momento da cristalização simbólica, foi perfeitamente natural que eu me visse às portas da psicologia junguiana. A civilização europeia se caracteriza pela presença, dentro do que Jung chama de inconsciente coletivo, de um arquétipo: expressão dos maus instintos, do obscuro inerente a todo Ego, do selvagem não civilizado, do negro adormecido em cada branco. E Jung afirma ter encontrado nos povos não civilizados a mesma estrutura psíquica que seu diagrama reproduz. Pessoalmente, acho que Jung enganou a si mesmo. Na verdade, todos os povos que ele conheceu – índios Pueblo do Arizona ou negros do Quênia, na África Oriental britânica – tiveram contatos mais ou menos traumatizantes com os brancos. Já dissemos que, nas suas salavinizações, o jovem antilhano nunca é negro; e tentamos mostrar ao que corresponde esse fenômeno. Jung situa o inconsciente coletivo na substância cerebral herdada. Mas, sem que haja necessidade de recorrer aos genes, o inconsciente coletivo é simplesmente o conjunto de preconceitos, mitos, atitudes coletivas de um determinado grupo. Compreende-se, por exemplo, que os judeus que se instalaram em Israel darão origem em menos de cem anos a um inconsciente coletivo diferente daquele que lhes correspondia em 1945, nos países de onde foram expulsos.

No âmbito da discussão filosófica, caberia destacar aqui o velho problema do instinto e do hábito: o instinto, que é inato (sabemos o que se deve considerar a respeito dessa "inatidade"), invariável, específico; o hábito, que é adquirido. Nesse âmbito, caberia simplesmente demonstrar que Jung confunde instinto e hábito. De fato, segundo ele, o inconsciente coletivo e a estrutura cerebral são solidários, os mitos e os arquétipos são engramas permanentes da espécie. Esperamos ter mostrado que esse não é o caso e que, na verdade, esse inconsciente coletivo é cultural,

---

[70] A. Césaire, *Diário de um retorno ao país natal*, op. cit., p. 29.

isto é, adquirido. Assim como um jovem camponês dos Cárpatos, nas condições físico-químicas da região, verá surgir nele um mixedema, também um negro como René Maran, tendo vivido na França, respirado, ingerido os mitos e os preconceitos da Europa racista, assimilado o inconsciente coletivo dessa Europa, não terá como não se dar conta, desdobrando-se a si mesmo, do seu ódio ao negro. É preciso ir com calma, e é dramático ter que expor pouco a pouco mecanismos que se apresentam em sua totalidade. Seremos capazes de compreender esta proposição? *Na Europa, o Mal é representado pelo negro.* É preciso ir com calma, sabemos disso, mas é difícil. O carrasco é o homem negro, Satã é negro, falamos de trevas, estamos pretos quando estamos sujos – aplique-se isso à sujeira física ou à sujeira moral. Causaria espanto se nos déssemos ao trabalho de reuni-las, tamanho é o número das expressões que fazem do negro o pecado. Na Europa, o negro representa, seja concreta ou simbolicamente, o lado mau da personalidade. Enquanto não tivermos compreendido essa proposição, estaremos condenados a falar em vão sobre o "problema negro". O negro, o obscuro, a sombra, as trevas, a noite, os labirintos da terra, as profundezas abissais, denegrir a reputação de alguém; e, do outro lado: o olhar claro da inocência, a pomba branca da paz, a luz feérica, paradisíaca. Uma magnífica criança loira, quanta paz nessa expressão, quanta alegria e, acima de tudo, quanta esperança! Nada comparável com uma magnífica criança negra: literalmente, é algo insólito. Apesar de tudo, não haverei de revisitar as histórias dos anjos negros. Na Europa, ou seja, em todos os países civilizados e civilizadores, o negro simboliza o pecado. O arquétipo dos valores inferiores é representado pelo negro. E é precisamente a mesma antinomia que encontramos no *sonho acordado* de [Robert] Desoille. Como explicar, por exemplo, que o inconsciente, que representa as qualidades baixas e inferiores, tenha a cor preta? No trabalho de Desoille, onde, sem jogo de palavras, a situação é mais clara, trata-se sempre de descer ou subir. Quando desço, vejo cavernas, grutas onde dançam os selvagens.

O mais importante é não se enganar a respeito disso. Por exemplo, em uma das sessões de sonho acordado relatadas por Desoille, encontramos gauleses em uma caverna. Mas – será preciso dizer? – o gaulês é manso... Um gaulês em uma caverna, isso tem um ar familiar – consequência, talvez, de "nossos pais, os gauleses"... Acho que é preciso voltar a ser criança para compreender certas realidades psíquicas. É nisto que Jung é inovador: ele quer voltar à juventude do mundo. Mas se equivoca de maneira singular: ele só volta à juventude da Europa.

Formou-se nas profundezas do inconsciente europeu um recôncavo excessivamente negro, onde repousam as pulsões mais imorais, os desejos menos confessáveis. E, como todo ser humano sobe em direção à brancura e à luz, o europeu quis rejeitar esse incivilizado que tentava se defender. Quando a civilização europeia travou contato com o mundo negro, com esses povos de selvagens, todo mundo estava de acordo: esses negros eram o princípio do mal.

Jung normalmente equipara o estrangeiro com a obscuridade, com a má índole: ele tem plena razão. Esse mecanismo de projeção, ou de transitivismo, se assim preferirem, foi descrito pela psicanálise clássica. Na medida em que descubro em mim algo insólito, repreensível, só me resta uma solução: livrar-me disso, atribuir a paternidade disso a outro. Assim, ponho fim a um circuito tensional que ameaçava comprometer meu equilíbrio. No sonho acordado, é preciso ter cuidado nas primeiras sessões, pois não é bom que a descida se inicie rápido demais. É preciso que os mecanismos de sublimação sejam conhecidos pelo paciente antes de qualquer contato com o inconsciente. Se, na primeira sessão, aparece um negro, é preciso se livrar dele imediatamente; para isso, proponha a seu paciente uma escada, uma corda, ou convide-o a se deixar levar por um avião. O negro, inevitavelmente, fica em seu buraco. Na Europa, o negro tem uma função: representar os sentimentos inferiores, as más índoles, o lado obscuro da alma. No inconsciente coletivo do *Homo occidentalis*, o negro, ou a cor preta, se assim se preferir, simboliza o mal, o pecado, a miséria, a morte, a guerra, a fome. Todas as aves de rapina são pretas. Na Martinica, que é um país europeu em seu inconsciente coletivo, diz-se quando um negro "azul" chega de visita: "Que desgraça ele vem trazer?".

O inconsciente coletivo não é dependente de uma herança cerebral: é a consequência do que chamarei de imposição cultural irrefletida. Nada de espantoso, portanto, que um antilhano, submetido ao método do sonho acordado, reviva os mesmos fantasmas que um europeu. É que o antilhano tem o mesmo inconsciente coletivo do europeu.

Se foi bem compreendido o exposto acima, estamos em condições de enunciar a seguinte conclusão: é normal que o antilhano seja negrófobo. Pela via do inconsciente coletivo, o antilhano assumiu como seus todos os arquétipos do europeu. A *anima* do negro antilhano é quase sempre uma branca. De igual modo, o *animus* dos antilhanos é sempre um branco. Isso porque, em Anatole France, Balzac, Bazin ou outro dos "nossos" romancistas, não existe menção nem àquela mulher negra diáfana e, contudo, presente, nem ao nebuloso Apolo de olhos reluzentes... Mas me traí, falei de Apolo! Nada que possa ser feito: sou um branco. Inconscientemente, porém, suspeito do que é negro em mim, ou seja, da totalidade do meu ser.

Sou um negro – mas obviamente não sei isso, pois sou isso. Em casa, minha mãe canta para mim, em francês, trovas francesas em que nunca há sequer menção a negros. Quando desobedeço, quando faço muito barulho, dizem para que eu pare de "agir feito negro".

Pouco tempo depois, estamos lendo livros brancos e assimilando gradualmente os preconceitos, os mitos e o folclore que nos chegam da Europa. Mas não é tudo que aceitaremos, pois alguns preconceitos não são aplicáveis às Antilhas. O antissemitismo, por exemplo, não existe, pois lá não existem judeus, ou apenas muito poucos. Sem apelar para a noção de catarse coletiva, seria fácil para mim mostrar que o negro, irrefletidamente, escolhe a si mesmo como objeto passível de ser portador do pecado original. Para esse papel, o branco escolhe o negro, e o negro que é um branco também escolhe o negro. O negro antilhano é escravo dessa imposição cultural. Depois de ter sido escravo do branco, ele se autoescraviza. O negro é, no pleno sentido da palavra, uma vítima da civilização branca. Não é de admirar que as criações artísticas dos poetas antilhanos não tenham uma marca específica: eles são brancos. Voltando à psicopatologia, digamos que o negro vive uma ambiguidade que é excepcionalmente neurótica. Aos vinte anos, ou seja, no momento em que o inconsciente coletivo mais ou menos já se perdeu, ou ao menos ficou mais difícil de ser trazido ao nível do consciente, o antilhano percebe que está vivendo em erro. Por que isso? É muito simples: porque, e isto é muito importante, o antilhano se soube negro, mas por um deslize ético se deu conta (inconsciente coletivo) de que era negro na medida em que era mau, indolente, perverso, instintivo. Tudo o que se opunha a essas modalidades de ser negro era branco. É aí que está a origem da negrofobia do antilhano. No inconsciente coletivo, negro = feio, pecado, trevas, imoral. Em outras palavras: é negro aquele que é imoral. Se vivo minha vida me comportando como uma pessoa moral, não sou um negro. Daí o hábito que se tem na Martinica de dizer a respeito de um branco mau que ele tem uma alma de negro. A cor não é nada, eu nem sequer a enxergo, só sei de uma coisa, e é a pureza da minha consciência e a brancura da minha alma. "Eu branco como neve", dizia o outro.

A imposição cultural é facilmente exercida na Martinica. O deslize ético não encontra nenhum obstáculo. Mas o verdadeiro branco espera por mim. Ele me dirá na primeira oportunidade que não basta que a intenção seja branca, mas que uma totalidade branca precisa ser atingida. Só então terei consciência da traição. Passemos à conclusão. Um antilhano é branco pelo inconsciente coletivo, por grande parte do inconsciente pessoal e pela quase totalidade do seu processo de individuação. A cor de sua pele, à qual nenhuma menção é feita em Jung, é negra. Todos os mal-entendidos derivam desse quiproquó.

Enquanto estava na França, cursando a graduação em letras, Césaire "reencontrou sua covardia".⁷¹ Sabia que era uma covardia, mas nunca soube dizer por quê. Sentia que era absurdo, estúpido, eu diria mesmo doentio, mas em nenhum dos seus escritos podem ser encontrados os mecanismos dessa covardia. Isso porque era preciso nadificar a situação presente e tentar apreender o real com uma alma de criança. O negro do bonde era cômico e feio. Césaire certamente achou graça. Pois não havia nada em comum entre aquele autêntico negro e ele. Em um círculo de brancos na França, um belo negro é apresentado. Se for um círculo de intelectuais, podem ter certeza de que o negro tentará se impor. Ele pede que deem atenção não à sua pele, e sim ao seu valor intelectual. Na Martinica, são inúmeros os que se põem, aos vinte ou trinta anos, a estudar Montesquieu ou Claudel com o único intuito de citá-los. Isso porque, por meio do conhecimento desses autores, pretendem fazer que as pessoas esqueçam sua negrura.

A consciência moral implica uma espécie de cisão, uma ruptura da consciência, com uma parte clara que se opõe à parte sombria. Para que haja moral, é necessário que desapareça da consciência o preto, o escuro, o negro. Por isso, um negro estará a todo momento combatendo a própria imagem.

Se, da mesma forma, for acolhida a concepção científica da vida moral de Hesnard e se o universo mórbido for compreendido a partir do pecado e da culpa, um indivíduo normal será aquele que se tiver eximido dessa culpa, que em todo caso tiver conseguido não mais padecer dela. Em termos mais diretos, todo indivíduo deve lançar suas instâncias inferiores, suas pulsões, na conta de um gênio mau que será o correspondente à cultura à qual pertence (vimos que era o negro). Essa culpa coletiva é carregada por aquilo que se convencionou chamar de bode expiatório. Ora, o bode expiatório para a sociedade branca – baseada nos mitos: progresso, civilização, liberalismo, educação, luz, refinamento – será justamente a força

---

71 Ibid., p. 57.

que se opõe à expansão, à vitória desses mitos. Essa força brutal, opositiva, é o negro que fornece.

Na sociedade antilhana, onde os mitos são os mesmos que os da sociedade dijonesa ou nicense, o jovem negro, identificando-se com o civilizador, fará do negro o bode expiatório da sua vida moral.

Foi aos catorze anos que compreendi o valor do que agora chamo de imposição cultural. Tinha um colega, hoje já falecido, cujo pai, italiano, havia se casado com uma martinicana. Esse homem vivia em Fort-de-France havia mais de vinte anos. Era considerado um antilhano, mas, por baixo da superfície, sua origem era lembrada. Porém, na França, um italiano, militarmente falando, não vale nada; um francês vale dez italianos; os italianos não são corajosos... Meu colega havia nascido na Martinica e só frequentava martinicanos. Um dia, quando Montgomery atropelou o Exército italiano em Bengasi, eu quis verificar no mapa o avanço dos Aliados. Diante do considerável ganho de terreno, gritei entusiasmado: "Que surra vocês estão levando!". Meu colega, que não tinha como ignorar a origem do pai, ficou extremamente envergonhado. Eu também, aliás. Ambos tínhamos sido vítimas da imposição cultural. Estou convencido de que quem for capaz de compreender esse fenômeno e todas as suas consequências saberá exatamente em que direção buscar a solução. Ouçam o Rebelde:

> sobe, sobe das profundas da terra...
> ... Esta torrente negra... ondas de ruídos... que se ergue dos pântanos, dos cheiros animais... tempestade que escuma desolada descalça e que fervilha sempre uma coisa diferente descendo por atalhos dos outeiros, galgando o escarpado das ravinas torrentes selvagens e obscenas
> engrossando o caótico dos rios
> mares podres, oceanos convulsos, no riso carbunculoso do cutelo e do mau vinho...[72]

---

[72] Id., *E os cães deixaram de ladrar*, trad. Armando da Silva Carvalho. Lisboa: Diabril, 1975, p. 28.

Será que entendemos? Césaire *desceu*. Ele aceitou ver o que estava acontecendo lá no fundo, e agora pode subir. Está pronto para o amanhecer. Mas ele não deixa o negro lá embaixo. Ergue-o em seus ombros e o alça às nuvens. Já no *Diário de um retorno ao país natal* ele havia nos advertido. Foi o psiquismo ascensional, para retomar a expressão de Bachelard,[73] que escolheu:

> *e para isso, Senhor*
> *os homens de pescoço frágil*
> *recebe e percebe fatal calma triangular*
>
> *e a mim minhas danças*
> *minhas danças de negro ruim*
> *a mim minhas danças*
> *a dança quebra-golilha*
> *a dança pula-prisão*
> *a dança é-bom-e-belo-e-legítimo-ser-negro*
> *A mim as minhas danças e pule o sol sobre a raqueta das minhas mãos*
> *mas não, o desigual sol já não me basta*
> *enrola-te, vento, em torno do meu novo crescimento*
> *põe-te sobre meus dedos medidos*
> *abandono-te a minha consciência e seu ritmo de carne*
> *abandono-te os fogos onde arde minha fraqueza*
> *abandono-te os grilhões*
> *abandono-te o pântano*
> *abandono-te o turismo do circuito triangular*
> *devora vento*
> *abandono-te minhas palavras abruptas*
> *devora e enrola-te*
> *e enrolando-te enlaça-me num mais vasto frêmito*
> *enlaça-me até o nós furiosos* [...]

---

[73] Gaston Bachelard, *L'Air et les songes: Essai sur l'imagination du mouvement*. Paris: José Corti, 1943.

> *enlaça, enlaça-NOS*
> *mas nos tendo igualmente mordido*
> *até o sangue do nosso sangue mordido!*
> *enlaça, minha pureza não se liga senão à tua pureza*
> *mas então enlaça*
> *como a mata cerrada de filaos*
> *a noite*
> *nossas multicoloridas purezas*
> *e une, une-me sem remorso*
> *une-me com teus vastos braços à argila luminosa*
> *une minha negra vibração ao próprio umbigo do mundo*
> *une, une-me, fraternidade áspera*
> *depois, estrangulando-me com seu laço de estrelas*
> *sobe, Pomba*
> *sobe*
> *sobe*
> *sobe*
> *Eu te sigo, impressa na minha ancestral córnea branca,*
> *sobe, lambedor de céu*
> *e o grande buraco negro onde eu queria me afogar na outra lua*
> *é lá que quero pescar agora a língua maléfica da noite na sua imóvel varrição!*[74]

Percebe-se por que Sartre vê no posicionamento marxista assumido pelos poetas negros a conclusão lógica da negritude. Na verdade, é isso que está acontecendo. Ao me dar conta de que o negro é o símbolo do pecado, eu me vejo odiando o negro. Mas percebo que sou um negro. Para evitar esse conflito, existem duas soluções. Ou peço aos outros que não deem atenção à minha pele; ou, pelo contrário, quero que se deem conta dela. Então tento valorizar o que é mau – já que, irrefletidamente, admiti que o preto era a cor do mal. Para pôr fim nessa situação neurótica, em

---

[74] A. Césaire, *Diário de um retorno ao país natal*, op. cit., pp. 89–91.

que sou obrigado a escolher uma solução doentia, conflituosa, alimentada por fantasmas, antagônica, desumana, enfim, resta-me apenas uma solução: pairar por cima desse drama absurdo que os outros montaram ao meu redor, descartar esses dois termos que são igualmente inaceitáveis e, por meio de um particular que seja humano, avançar rumo ao universal. Quando o negro mergulha, ou, dito de outra forma, desce, algo extraordinário ocorre. Ouçam Césaire novamente:

> *[Ho ho]*
> *Mas o seu poder está assente*
> *adquirido*
> *requerido.*
> *As minhas mãos mergulham na urze.*
> *Nos campos de arroz.*
> *Possuo uma cabaça de estrelas fortes.*
> *Mas sinto-me enfraquecer.*
> *Ajudem-me.*
> *Encontro-me à beira da metamorfose*
> *afogado cego*
> *com medo de mim próprio, assustado comigo.*
> *Vós deuses... não sois deuses. E eu sou livre.*
>
> O REBELDE – *Há vinte anos que esta noite é minha aliada e sinto-a lentamente a chamar por mim.*[75]

Tendo recuperado essa noite, ou seja, o sentido da sua identidade, Césaire constata, antes de mais nada, que: "Pintaram de branco o pé da árvore mas a força da casca não cessa de gritar...".[76]

Então, ao descobrir o branco dentro de si mesmo, ele o mata:

---

75 Id., *E os cães deixaram de ladrar*, op. cit., pp. 40, 50–51.
76 Ibid., p. 41.

Forçamos as janelas e as portas.
O quarto do patrão estava aberto de par em par, todo iluminado e o patrão estava lá dentro, completamente calmo. Os nossos homens pararam. O patrão estava ali. Então eu avancei. És tu, disse-me ele, completamente calmo. Sim sou eu, respondi-lhe, o bom e fiel escravo. E de repente os seus olhos pareceram dois escaravelhos medrosos num dia de chuva.
Avancei para ele de navalha aberta e o sangue dele esguichou: é o único batismo de que conservo a memória.[77]

Por uma inesperada e benfazeja revolução interior, rendo homenagem agora à minha feiura repulsiva.[78]

O que ainda pode ser acrescentado? Depois de ter chegado à beira da autodestruição, o negro, meticulosa ou eruptivamente, saltará para dentro do "buraco negro" de onde brotará com tal vigor "o grande grito negro que sacudirá os alicerces do mundo".[79]
O europeu sabe e não sabe. No plano reflexivo, um negro é um negro; mas há no inconsciente, bem gravada, a imagem do negro-selvagem. Eu poderia dar não dez, mas milhares de exemplos. Georges Mounin disse, em *Présence Africaine*: "Tive a sorte de não descobrir os negros por intermédio de *A mentalidade primitiva*, de Lévy-Bruhl, no curso de sociologia; de forma mais ampla, tive a sorte de descobrir os negros por outro caminho que não as leituras – e eu me alegro com isso todos os dias".[80]
Mounin, que não poderia ser considerado um francês médio, acrescenta, e com isso se atira de cabeça na nossa perspectiva:

---

77 Ibid., p. 76.
78 Id., *Diário de um retorno ao país natal*, op. cit., p. 51.
79 Id., *E os cães deixaram de ladrar*, op. cit., p. 87.
80 Georges Mounin, Émile Dermenghem e Magdeleine Paz, "Premières réponses à l'enquête sur le 'Mythe du Nègre'". *Présence Africaine*, v. 1, n. 2, 1948, pp. 195–202. [A referência remete a Lucien Lévy-Bruhl, *A mentalidade primitiva* [1922], trad. Ivo Storniolo. São Paulo: Paulus, 2008, N.T.]

Talvez me tenha sido proveitoso aprender, no momento em que se tem o espírito desarmado, que os negros são pessoas como nós... Talvez eu, branco, tenha com isso ganhado de uma vez por todas a chance de agir naturalmente com um negro – e de nunca me colocar estúpida e inadvertidamente diante dele nessa posição de pesquisador etnográfico que, no mais das vezes, segue sendo nossa maneira insuportável de os *pôr em seu devido lugar...*

No mesmo número de *Présence Africaine*, Émile Dermenghem, que não pode ser suspeito de negrofobia, escreveu: "Uma de minhas memórias de infância é uma visita à Exposição Universal de 1900, durante a qual minha principal preocupação era ver um negro. Minha imaginação obviamente havia sido atiçada pelas leituras: *Um capitão de quinze* anos, *Les Aventures de Robert* [As aventuras de Robert], *Les Voyages de Livingstone* [As viagens de Livingstone]".[81]

Émile Dermenghem nos diz que isso revelava nele um gosto pelo exótico. Por mais que esteja disposto a me deixar levar pela mão e a acreditar no Dermenghem que escreveu o artigo, peço a ele permissão para duvidar do Dermenghem da Exposição de 1900.

Queria evitar ficar retomando os mesmos temas que há cinquenta anos vêm sendo remexidos. Escrever sobre as possibilidades de uma amizade negra é uma iniciativa generosa, mas infelizmente os negrófobos e demais consortes da mesma estirpe são impermeáveis à generosidade. Quando lemos: "Um negro é um selvagem e para comandar selvagens existe apenas um método: o chute no traseiro", gostamos de pensar, sentados atrás de nossas escrivaninhas, que "todas essas imbecilidades deveriam simplesmente desaparecer". Mas quanto a isso todo mundo concorda. Jacques Howlett, ainda em *Présence Africaine* (nº 5), escreveu:

81 As referências são, respectivamente, às obras: Jules Verne, *Um capitão de quinze anos* [1878], trad. Edylson Simas. São Paulo: Matos Peixoto, 1964; Louis Desnoyers, *Les Aventures de Robert-Robert et de son fidèle compagnon Toussaint Lavenette* [1839] (Paris: Delarue, [s.d.]); David Livingstone, *Livingstone's Travels and Researches in South Africa* (London: J. W. Bradley, 1859). [N.T.]

Duas coisas, além disso, parecem ter contribuído para esse deslocamento do negro para o mundo do outro, sem nenhuma relação comigo: a cor da sua pele e a sua nudez, pois eu imaginava o negro nu. – Elementos superficiais (embora não seja possível dizer até que ponto eles não continuam a assombrar nossas novas ideias, nossas concepções revistas) certamente foram capazes vez ou outra de recobrir esse ser distante, negro e nu, quase inexistente; é o caso do bom negro, com seu fez e um largo sorriso fernandelesco,[82] símbolo de algum achocolatado matinal; é o caso ainda do bravo tarimbeiro senegalês, "escravo da ordem dada", Dom Quixote sem grandeza, "herói bonachão" de tudo o que veio da "epopeia colonial"; é o caso, enfim, do negro "alma-a-ser-convertida", "filho submisso" do missionário barbudo.

Jacques Howlett, na sequência da sua comunicação, diz que, num comportamento reativo, fez do negro o símbolo da inocência. Ele explica o motivo disso, mas somos compelidos a pensar que ele não tinha mais oito anos, pois nos fala de "má consciência da sexualidade" e de "solipsismo". Na realidade, estou convencido de que essa "inocência de adulto crescido", Jacques Howlett a deixou para trás, bem para trás em seu caminho.

Sem dúvida alguma, o testemunho mais interessante é o de Michel Salomon. Embora ele o negue, fede a racismo. Ele é judeu, tem uma "experiência milenar do antissemitismo" e, ainda assim, é racista. Ouçam-no: "Mas negar que haja espontaneamente um certo estranhamento, atraente ou repulsivo, por causa da sua pele e do seu cabelo, dessa aura de sensualidade que dele [do negro] se desprende, é rejeitar a evidência em nome de um pudor absurdo que nunca resolveu nada...". Mais adiante, ele chega ao ponto de nos falar da "prodigiosa vitalidade do negro".

O texto do sr. Salomon nos informa que ele é médico. Ele deveria ser cauteloso em relação às perspectivas literárias que são

---

[82] Por alusão ao comediante francês Fernandel, célebre por seu amplo sorriso. [N.T.]

acientíficas. O japonês e o chinês são dez vezes mais prolíficos que o negro: serão eles sensuais por causa disso? E ademais, sr. Salomon, devo confessar-lhe algo: nunca fui capaz de escutar sem ficar nauseado um *homem* dizer de outro homem: "Como ele é sensual!". Não sei o que é a sensualidade de um homem. Imaginem uma mulher dizendo de outra: "Ela é tremendamente desejável, uma boneca...". Sr. Salomon, do negro não se desprende aura alguma de sensualidade, nem pela pele nem pelo cabelo. É simplesmente que, durante longos dias e longas noites, a imagem do negro-biológico-sexual-sensual-e-genital se impôs ao senhor, e o senhor não foi capaz de se desprender dela. O *olho* não é só um espelho, mas um espelho retificador. O *olho* deve nos permitir corrigir os erros culturais. Não digo os olhos, digo o olho, e bem sabemos ao que esse olho remete; não ao sulco calcarino, e sim a esse fulgor contínuo que emana do vermelho de Van Gogh, que flui de um Concerto de Tchaikovsky, que se agarra desesperadamente à "Ode à alegria", de Schiller, que se deixa levar pelo clamor serpenteante de Césaire.

O problema negro não se desfaz no problema dos negros vivendo entre os brancos, mas sim no problema dos negros sendo explorados, escravizados, desprezados por uma sociedade capitalista, colonialista, acidentalmente branca. O senhor se pergunta, sr. Salomon, o que faria "se vocês tivessem 800 mil negros na França"; porque para o senhor existe um problema, o problema do incremento dos negros, o problema do perigo negro. O martinicano é um francês, ele quer permanecer no seio da União Francesa, ele só pede uma coisa, que os imbecis e os exploradores lhe deixem aberta a possibilidade de viver humanamente. Eu me vejo inteiramente perdido, imerso na torrente branca que seria formada por pessoas como Sartre ou Aragon, eu não pediria nada além disso. Sr. Salomon, o senhor diz que não se ganha nada mantendo o pudor e somos da mesma opinião. Mas não tenho a impressão de abdicar da minha personalidade ao me casar com qualquer europeia; posso lhe assegurar que não estou "sendo feito de trouxa". Se ainda quiserem farejar meus filhos, inspecionar a lúnula na raiz das unhas deles, é simplesmente porque a sociedade não terá mudado, como o senhor bem diz, terá mantido intacta a sua mitologia. Da nossa parte, nós nos recusamos a considerar o problema em termos de: ou isto ou aquilo...

O que é essa história de povo negro, de nacionalidade negra? Sou francês. Estou interessado na cultura francesa, na civilização francesa, no povo francês. Nós nos recusamos a ser considerados "à margem", estamos plenamente envolvidos no drama francês. Quando homens, não fundamentalmente maus, mas mistificados, invadiram a França para escravizá-la, minha condição de francês me mostrou que meu lugar não era à margem, mas no centro do problema. Tenho interesse pessoal no destino francês, nos valores franceses, na nação francesa. O que tenho eu a ver com um Império Negro?

Georges Mounin, Dermenghem, Howlett e Salomon gentilmente aceitaram responder à pesquisa sobre a gênese do mito do negro. Todos eles nos convenceram de uma coisa. Que uma apreensão autêntica da realidade do negro precisaria ser realizada, em detrimento da cristalização cultural.

Li recentemente em uma revista infantil esta frase, ilustrada por uma imagem em que um jovem escoteiro negro apresentava uma aldeia negra a três ou quatro escoteiros brancos: "Esta é a caldeira em que meus ancestrais costumavam cozinhar os seus". Há que se admitir que já não existem negros antropófagos, mas é sempre bom lembrar... Para falar a verdade, acho que o autor, sem saber, fez um favor aos negros. Pois o jovem branco que o ler não imaginará o negro comendo o branco, mas apenas o tendo comido. É um avanço incontestável.

Antes de concluir este capítulo, gostaríamos de compartilhar uma observação que devemos à gentileza do médico-chefe da ala feminina do hospital psiquiátrico de Saint-Ylie. Essa observação lança luz sobre o ponto de vista que defendemos aqui. Ela mostra que, no limite, o mito do negro, a ideia do negro, é capaz de determinar uma autêntica alienação.

A srta. B. tinha dezenove anos ao dar entrada no serviço psiquiátrico, no mês de março de 19... O certificado de admissão declarava o seguinte:

> Eu, abaixo assinado, dr. P., ex-residente dos Hospitais de Paris, atesto ter examinado a srta. B., que sofre de distúrbios nervosos que consistem em crises de agitação, instabilidade motora, tiques, espasmos conscientes, mas que ela não consegue evitar. Esses distúrbios vêm aumentando e impedem-na de levar uma vida social normal. Faz-se necessário seu internamento para observação, pela via da internação voluntária, em uma instituição regida pela lei de 1838.

O certificado de 24 horas, emitido pelo médico-chefe:

> Sofre de uma neurose de tiques, com incidência a partir dos dez anos e que se agravou com a puberdade e os primeiros trabalhos fora de casa. Depressão transitória com ansiedade, acompanhada de recrudescência dos sintomas. Obesidade. Solicita ser tratada. Sente-se segura acompanhada. Paciente apta para o serviço aberto. Internação a ser mantida.

Não se encontra nos antecedentes pessoais nenhum processo patológico. Vale notar apenas a puberdade aos dezesseis anos. O exame somático não revela nada, exceto uma adiposidade, uma infiltração mínima dos tegumentos, o que sugere leve insuficiência endócrina. Períodos menstruais regulares.

Uma entrevista permitiu especificar os seguintes pontos: "É sobretudo quando trabalho que os tiques aparecem" (a paciente estava empregada e vivia, por conseguinte, fora do ambiente parental).

Tique nos olhos, na testa; arfa e se esganiça. Dorme muito bem, sem pesadelos, alimenta-se bem. Não fica irritada nos dias menstruais. Na cama, antes de adormecer, muitos tiques faciais.

Opinião da enfermeira-chefe: ocorre sobretudo quando ela está sozinha. Quando está com os outros ou conversando, é menos pronunciado. O tique depende do que ela faz. Ela começa batendo com os dois pés e prossegue erguendo simetricamente os pés, as pernas, os braços e os ombros.

Articula sons. Nunca conseguimos entender o que ela dizia. Por fim, isso se encerra com gritos muito fortes, inarticulados. Assim que é chamada, isso se interrompe.

O médico-chefe inicia as sessões de sonho acordado. Tendo uma entrevista prévia evidenciado a existência de alucinoses sob a forma de círculos tenebrosos, foi solicitado à paciente que evocasse esses círculos.

Aqui está um trecho do relatório da primeira sessão:

> Profundos, concêntricos, expandem-se e se contraem ao ritmo de um tam-tam negro. Esse tam-tam evoca o perigo de perder os pais, especialmente a mãe.
>
> Peço-lhe então que faça um sinal da cruz em cima desses círculos, eles não se desvanecem. Digo a ela que pegue um pano e que os apague, eles desaparecem.
>
> Volta-se para o lado do tam-tam. Ela está rodeada de homens e mulheres seminus que dançam de maneira assustadora. Digo a ela que não tenha medo de entrar naquela dança. Ela o faz. Imediatamente, os dançarinos mudam de aparência. É uma festa requintada. Os homens e as mulheres estão bem-vestidos e dançam uma valsa: "Étoile des neiges" [Estrela das neves].[83]
>
> Digo a ela que se aproxime dos círculos: ela já não os vê. Digo a ela que os evoque; ei-los ali, mas estão quebrados. Digo a ela que entre pela abertura. Já não estou toda cercada, diz ela espontaneamente, posso sair de novo. O círculo se parte em dois, depois em vários pedaços. Restam apenas dois pedaços, que então desaparecem. Muitos tiques na garganta e nos olhos enquanto conta o que acontece.
>
> Uma série de sessões produz sedação da agitação motora.

---

[83] Título sob o qual se celebrizou na França a valsa composta em 1930 por Franz Winkler, intitulada na versão original "Fliege mit mir in die Heimat" [Voe comigo de volta para casa]. [N.T.]

Eis a súmula de outra sessão:

Digo a ela que traga de volta os círculos. Ela não os vê. Em seguida, ali estão. Estão quebrados. Entra neles. Eles se rompem, erguem-se, depois caem lentamente, um após o outro, no vazio. Digo a ela que ouça o tam-tam. Ela não o escuta. Chama por ele. Passa a escutá-lo do lado esquerdo.

Sugiro a ela um anjo que a acompanharia até o tam-tam: ela quer ir sozinha até lá. Porém, alguém desce do céu. É um anjo. Ele está sorridente; ele a leva para perto do tam-tam. Há apenas homens negros dançando ao redor de uma grande fogueira e parecem mal-intencionados. O anjo lhes pergunta o que pretendem fazer: vão queimar um branco. Ela procura por ele em todas as direções. Não o vê.

Ah, eu o estou vendo! É um branco de uns cinquenta anos. Está seminu.

O anjo conversa com o chefe negro (pois ela tem medo). O chefe negro diz que esse homem branco não é da região, então o queimarão. Mas ele não fez mal nenhum.

Eles o libertam e recomeçam a dançar de alegria. Ela se recusa a entrar na dança.

Eu a oriento para que vá conversar com o chefe. Ele está dançando sozinho. O branco desapareceu. Ela quer ir embora e não parece disposta a conhecer os negros. Ela quer ir embora com seu anjo para algum lugar onde se sinta em casa, com sua mãe, seus irmãos e suas irmãs.

Tendo desaparecido os tiques, interrompemos o tratamento. Alguns dias mais tarde, voltamos a ver a paciente, que sofreu uma recaída. Registro da sessão:

Os círculos ainda estão se aproximando. Ela empunha um bastão. Eles se despedaçam. É a varinha mágica. Transforma esses pedaços de ferro em um belíssimo material brilhante.

Ela vai na direção de uma fogueira: é a fogueira dos negros que dançam. Deseja conhecer o chefe. Vai até ele.

O negro que havia parado de dançar retoma a dança, mas num outro ritmo. De mãos dadas com eles, ela dança ao redor da fogueira.
As sessões provocaram nítida melhora na paciente. Ela escreve aos pais, recebe visitas, vai às sessões de cinema do hospital. Participa dos jogos em grupo. Quando uma paciente se pôs a tocar uma valsa ao piano do pavilhão, ela chamou uma colega para dançar. Suas colegas a têm em alta estima.

Extraímos esta passagem de outra sessão:

> Volta a pensar nos círculos. Estão partidos em um só ponto, mas está faltando um pedaço do lado direito. Os menores estão inteiros. Ela gostaria de partir os pequenos. Segura-os nas mãos e os torce; eles se partem. No entanto, resta um pequeno. Ela o atravessa. Do outro lado, ela se vê no escuro. Não sente medo. Chama alguém, seu anjo da guarda vem do alto, gentil, sorridente. Ele haverá de levá-la rumo à luz do dia, pelo lado direito.

O sonho acordado deu resultados palpáveis nesse caso. Mas, assim que a paciente se via *sozinha*, os tiques reapareciam.
Não queremos nos alongar no que se refere à infraestrutura dessa psiconeurose. O interrogatório do médico-chefe havia revelado um medo de negros imaginários – medo vivido aos doze anos de idade.
Realizamos um grande número de entrevistas com a paciente.
Quando ela tinha dez ou doze anos, seu pai, "veterano das tropas coloniais",[84] gostava de escutar programas de música negra. O

---

[84] No original, entre aspas, *"ancien de la Coloniale"*. *La Coloniale,* por referência a Tropas Coloniais (*Troupes coloniales*) ou Exército Colonial (*Armée coloniale*), era uma das formas de mencionar as forças militares francesas encarregadas da defesa dos portos e das possessões ultramarinas em territórios coloniais fora do Magreb, que pertencia, por sua vez, à jurisdição do Exército da África (*Armée de l'Afrique*). [N.T.]

tam-tam ressoava em casa todas as noites. Momento em que ela já estava na cama.

Além disso, como dissemos, foi nessa idade que surgiram os negros-selvagens-canibais.

A conexão é facilmente perceptível.

Ademais, seus irmãos e suas irmãs, que haviam encontrado seu ponto fraco, divertiam-se assustando-a.

Em sua cama, com o tam-tam nos ouvidos, ela efetivamente *via* os negros. Ela se escondia sob os lençóis, tremendo.

Em seguida, círculos cada vez menores passaram a aparecer e a escotomizar os negros.

Os círculos se explicam, portanto, como mecanismos de defesa contra as alucinoses.

Atualmente, os círculos aparecem sem o negro – o mecanismo de defesa se impõe, ignorando sua determinação original.

Falamos com a mãe. Ela confirmou o que a filha disse. Era muito emotiva e, aos doze anos, na cama, tremia com frequência. Nossa presença no serviço clínico não provocou nenhuma alteração visível no seu estado mental.

Hoje, *apenas* os círculos desencadeiam os fenômenos motores: gritos, tiques faciais, gesticulação desordenada.

Mesmo que isso possa ser parcialmente decorrente de sua constituição, é evidente que essa alienação é consequência de um medo do negro, medo favorecido por circunstâncias específicas. Por mais que a paciente tenha melhorado significativamente, é de duvidar que tão cedo possa voltar ao convívio social.

Capítulo 7

O NEGRO E O RECONHECIMENTO

A. O NEGRO E ADLER

Por qualquer ângulo que se aborde a análise dos estados mórbidos psicogênicos, logo nos deparamos com o seguinte fenômeno: todo o quadro da neurose, assim como todos os seus sintomas, aparecem influenciados por um objetivo final ou mesmo como projeção desse objetivo. Assim, pode-se atribuir a esse objetivo final o valor de uma causa formativa, de um princípio de orientação, de disposição, de coordenação. Tentem compreender o "sentido" e a direção dos fenômenos mórbidos sem se ater a esse objetivo final e logo se encontrarão na presença de uma infinitude caótica de tendências, impulsos, fraquezas e anomalias, produzida para desencorajar uns e suscitar em outros o desejo temerário de adentrar as trevas, custe o que custar, correndo o risco de retornar de mãos vazias ou com um butim ilusório. Se, ao contrário, admite-se a hipótese do objetivo final ou de uma finalidade causal, escondida por trás dos fenômenos, logo se verá as trevas se dissiparem e leremos a alma do paciente como se lê um livro aberto.[1]

É a partir de posições teóricas análogas que em geral se edificam as mistificações mais espantosas de nossa época. Com efeito, apliquemos a psicologia caracterológica aos antilhanos.

Os negros são comparação. Primeira verdade. Ser comparação significa que, a todo momento, eles se preocupam com a autovalorização e o ideal do ego. Toda vez que estão em contato com um outro, surge a questão do valor, do mérito. Os antilhanos não possuem valor próprio, são sempre tributários do aparecimento do Outro. A questão é sempre ser menos inteligente do que eu, mais negro do que eu, pior do que eu. Todo autoposicionamento, toda autoconsolidação mantêm relações de dependência com a desagregação do outro. É sobre as ruínas daqueles que me são próximos que edifico minha virilidade.

---

1 Alfred Adler, *Le Tempérament nerveux* [*Über den nervösen Charakter*, 1912]. Paris: Payot, 1948, p. 12.

Proponho ao martinicano que me lê a seguinte experiência. Identificar qual das ruas de Fort-de-France é mais "comparação". A rua Schœlcher, a rua Victor-Hugo... certamente não a rua François-Arago. O martinicano que aceitar realizar essa experiência concordará comigo na medida exata em que não se constranger por se ver desnudado. Um antilhano que encontra um colega após cinco ou seis anos aborda-o agressivamente. A razão é que, em tempos idos, um e outro ocupavam uma posição determinada. O inferiorizado acredita ter se valorizado... e o superior permanece cioso da hierarquia.

"Você não mudou... continua uma besta."

Sei de médicos e dentistas, no entanto, que seguem jogando na cara um do outro erros de julgamento cometidos há quinze anos. Muito mais que erros conceituais, são os "crioulismos" que causam o maior estrago. É algo que se aprende de uma vez por todas: não há o que possa ser feito. O antilhano se caracteriza por seu desejo de dominar o outro. Sua linha de orientação passa pelo outro. A questão é sempre o sujeito e não há preocupação nenhuma com o objeto. Tento ler nos olhos do outro a admiração e, se por desventura o outro me transmite uma imagem desagradável, desvalorizo esse espelho: esse outro é definitivamente um imbecil. Não busco me desnudar diante do objeto. O objeto é negado enquanto individualidade e liberdade. O objeto é um instrumento. Ele deve permitir que eu realize a minha segurança subjetiva. Considero-me pleno (desejo de plenitude) e não admito qualquer cisão. O Outro entra em cena como figurante. O Herói sou eu. Quer me aplaudam, quer me critiquem, pouco me importa, sou o centro. Se o outro quiser me importunar com seu desejo de valorização (sua ficção), expulso-o sem cerimônia. Ele não existe mais. Não me falem desse tipo. Não quero sentir o impacto do objeto. O contato com o objeto é conflituoso. Sou Narciso e quero ler nos olhos do outro uma imagem de mim que me satisfaça. Assim, na Martinica, num determinado círculo (meio), há o "borralho", a corte do "borralho", os indiferentes (que esperam) e os humilhados.² Estes são massacrados sem piedade. Pode-se imaginar a temperatura que prevalece nessa selva. Não há saída possível.

Eu, nada além de mim.

Os martinicanos são ávidos por segurança. Querem que sua ficção seja aceita. Querem ser reconhecidos em seu desejo de virilidade. Querem aparecer. Cada um deles constitui um átomo isolado, árido, cortante; nas passarelas bem delimitadas, cada um deles *é*. Cada um deles quer *ser*, quer *aparecer*. Toda ação do antilhano passa pelo Outro. Não porque o Outro continue sendo o objetivo final de sua ação, na perspectiva da comunhão humana descrita por Adler,³ mas simplesmente porque é o Outro quem o afirma em sua necessidade de valorização.

Agora que encontramos a linha de orientação adleriana do antilhano, resta-nos investigar sua origem.

Aqui aparecem as dificuldades. Realmente, Adler criou uma psicologia individual. Ora, acabamos de ver que o sentimento de inferioridade é antilhano. Não é um determinado antilhano que apresenta a estrutura do nervoso, mas todos os antilhanos. A sociedade

---

2 No original, "pélé". A distribuição dos papéis na encenação descrita parece corresponder a uma caricatura do espectro de reações dos grupos sociais e raciais da sociedade martinicana da época diante da tragédia causada pela erupção do vulcão Pelée, que já se anunciava havia meses ou anos e que, finalmente, em 8 de maio de 1902, arrasou Saint-Pierre, então a principal cidade da ilha, matando mais de 30 mil pessoas. Saint-Pierre concentrava a maior parte da elite martinicana e da população branca da ilha. Sua destruição levou à morte a totalidade de sua população urbana e a um grande êxodo da população do entorno rural, não só em direção à segunda maior cidade da ilha e dali em diante sua capital, Fort-de-France, como também para o exterior. Em paralelo com a ascensão da nova capital, uma nova elite mulata viria a ocupar os espaços simbólicos da antiga elite branca. Num jocoso registro local, essa nova elite seria associada ao termo "pélé", evocando a imagem de uma distinção postiça, cinérea, borralhenta. [N.T.]

3 Id., *A ciência da natureza humana* [1927], trad. Godofredo Rangel e Anísio Teixeira. São Paulo: Companhia Editora Nacional, 1945.

antilhana é uma sociedade nervosa, uma sociedade "comparação". Portanto, passamos do indivíduo à estrutura social. Se há um vício, ele não reside na "alma" do indivíduo, e sim em seu meio.

O martinicano é um nervoso e não é. Se aplicarmos com rigor as conclusões da escola adleriana, diríamos que o negro tenta protestar contra a inferioridade que historicamente sente. Como o negro sempre foi um inferior, ele tenta reagir a isso por meio de um complexo de superioridade. E é exatamente isso que se conclui do livro de [Oliver] Brachfeld. Ao mencionar o sentimento de inferioridade racial, o autor cita uma peça espanhola de Andrés de Claramonte, *El valiente negro en Flandes*.[4] Observa-se nessa obra que a inferioridade do negro não data deste século, pois Claramonte é contemporâneo de Lope de Vega.

> *Só a cor lhe falta*
> *para ser caballero...*

E o negro Juan de Mérida assim se expressa:

> *Ser negro neste mundo, que infâmia!*
> *Porventura os negros não são homens?*
> *Têm alma mais vil, mais torpe e feia?*
> *E por isso os fazem mal renomados [...]*
> *e com a infâmia da cor acabo,*
> *e meu valor ao mundo afirmo [...]*
> *É tão vil ser negro?*

O pobre Juan não sabe mais a que santo recorrer. Normalmente, o negro é um escravo. Mas não há nada de escravo em sua posição:

> *Pois, apesar de ser negro, não fui escravo.*

---

[4] Andrés de Claramonte, *El valiente negro en Flandes* [1638]. Madrid: Universidad de Alcalá, 1997. [N.T.]

Ele queria, no entanto, escapar dessa negrura. Ele tem uma atitude ética na vida. Axiologicamente, ele é um branco:

> *Eu mais branco que a neve.*

Porque, em última análise, no plano simbólico,

> *O que é ser negro?*
> *É ser desta cor?*
> *Desta ofensa me queixarei ao destino,*
> *ao tempo, ao céu e a todos*
> *que me fizeram negro!*
> *Oh, maldição da cor!*

Confinado, Juan se dá conta de que a intenção não pode salvá-lo. Sua *aparência* mina, invalida todas as suas ações:

> *Que importam as almas?*
> *Estou louco.*
> *O que farei, desesperado?* [...]
> *Oh, céus!*
> *Que ser negro cause tamanha afronta!*

No paroxismo da dor, resta apenas uma solução ao infeliz negro: dar provas de sua brancura aos outros e, sobretudo, a si mesmo.

> *Se não a cor, quero mudar a sina.*

Como se vê, deve-se compreender Juan de Mérida na perspectiva da supercompensação. É por pertencer a uma raça "inferior" que o negro tenta se assemelhar à raça superior.

Sabemos, porém, como nos descolar da ventosa adleriana. [Hendrik] de Man e [Max] Eastman aplicaram nos Estados Unidos o método de Adler de forma um tanto quanto abusiva. Todos os fatos que coligi são reais, contudo, há que se dizer, eles só mantêm relações externas com a psicologia adleriana. O martinicano não se compara ao branco, visto como o pai, o chefe ou Deus, mas ao seu semelhante sob a tutela do branco. Uma comparação adleriana se esquematiza da seguinte maneira:

"Eu maior do que o Outro".

A comparação antilhana, no entanto, assim se apresenta:

$$\frac{\text{Branco}}{\text{Eu diferente do Outro}}$$

A comparação adleriana comporta dois termos; ela é polarizada pelo ego.

A comparação antilhana é encabeçada por um terceiro termo: nela, a ficção dirigente não é pessoal, mas social.

O martinicano é um crucificado. O meio que o fez (mas que não foi feito por ele) o desmembrou terrivelmente; e esse meio de cultura ele mantém com seu sangue e seus humores. Ora, o sangue do negro é um fertilizante valorizado por seus conhecedores.

Adlerianamente, após ter constatado que meu colega, em seu sonho, realiza o desejo de se branquear, isto é, de ser viril, eu lhe revelaria então que sua neurose, sua instabilidade psíquica e a fratura do seu ego provêm dessa ficção dirigente, e lhe diria: "Octave Mannoni descreveu muito bem esse fenômeno no que concerne ao malgaxe. Veja, você deveria, penso eu, aceitar permanecer no lugar que lhe foi destinado".

Mas não! Não direi nada disso! Direi o seguinte: o meio e a sociedade é que são responsáveis por sua mistificação. Dito isso, o resto virá por si, e sabemos do que se trata.

Do fim do mundo, é óbvio.

Às vezes me pergunto se os inspetores de ensino e os chefes de posto têm consciência do papel que desempenham nas colônias.

Por vinte anos se dedicam com seus programas a fazer do negro um branco. Ao fim, eles o liberam e lhe dizem: indubitavelmente, você tem um complexo de dependência diante do branco.

B. O NEGRO E HEGEL

> *A consciência-de-si é em si e para si quando e porque é em si e para si para uma Outra; quer dizer, só é como algo reconhecido.*
> G. W. F. HEGEL, *Fenomenologia do Espírito*

O homem só é humano na medida em que busca se impor a outro homem, a fim de ser reconhecido por ele. Enquanto não for efetivamente reconhecido pelo outro, é esse outro que permanece o tema de sua ação. É desse outro, do reconhecimento por parte desse outro, que dependem seu valor e sua realidade humanos. É nesse outro que se condensa o sentido de sua vida.

Não há luta aberta entre o branco e o negro.

Um dia o senhor branco reconheceu *sem luta* o negro escravo.

Mas o ex-escravo quer *ser reconhecido*.

Na base da dialética hegeliana, há uma reciprocidade absoluta que é preciso evidenciar.

Na medida em que ultrapasso meu estar-aqui imediato, percebo o ser do outro como realidade natural e mais que natural. Se fecho o circuito, se torno irrealizável o movimento em duplo sentido, mantenho o outro no interior de si. No extremo, retiro dele até mesmo esse ser-para-si.

O único meio de romper esse círculo infernal que me traz de volta a mim mesmo é restituir ao outro, pela mediação e pelo reconhecimento, sua realidade humana, diferente da realidade natural. Mas o outro deve efetuar uma operação similar. "O agir unilateral seria inútil; pois, o que deve acontecer, só pode efetuar-

-se através de ambas as consciências [...]"; "Eles [um e outro] *se reconhecem como reconhecendo-se reciprocamente*".[5]

Em sua imediatez, a consciência de si é mero ser-para-si. Para obter a certeza de si mesmo, é preciso a integração do conceito de reconhecimento. O outro, de modo similar, espera por nosso reconhecimento para expandir-se na consciência de si universal. Cada consciência de si busca a absolutez. Ela quer ser reconhecida enquanto valor primordial desinserido da vida, como transformação da certeza subjetiva (*Gewißheit*) em verdade objetiva (*Wahrheit*).

Ao encontrar a oposição do outro, a consciência de si experimenta o *Desejo*; primeira etapa da via que conduz à dignidade do espírito. Ela aceita arriscar sua vida e, consequentemente, ameaça o outro em sua presença corporal. "Só mediante o pôr a vida em risco, a liberdade [se conquista]; e se prova que a essência da consciência-de-si não é o *ser*, nem o modo imediato como ela surge, nem o seu submergir-se na expansão da vida."[6]

Assim, a realidade humana em-si-para-si só consegue se realizar na luta e por meio do risco que esta implica. Esse risco significa que ultrapasso a vida rumo a um bem supremo que é a transformação da certeza subjetiva que tenho do meu próprio valor em verdade objetiva universalmente válida.

Peço que me considerem a partir do meu Desejo. Eu não estou apenas aqui-agora, encerrado na coisidade. Eu sou para outros lugares e para outra coisa. Reivindico que levem em conta minha atividade negadora na medida em que busco outra coisa que não a vida; na medida em que luto pelo nascimento de um mundo humano, isto é, um mundo de reconhecimentos recíprocos.

---

5 Georg Wilhelm Friedrich Hegel, *Fenomenologia do Espírito*, parte 1, trad. Paulo Meneses. Petrópolis: Vozes, 1992, p. 127. Grifo nosso.
6 Ibid., pp. 128 e 129. Grifo nosso.

Aquele que hesita em me reconhecer se opõe a mim. Em uma luta feroz, aceito sentir o tremor da morte, a dissolução irreversível, mas também a possibilidade da impossibilidade.[7]

O outro, todavia, pode me reconhecer sem luta: "O indivíduo que não arriscou a vida pode bem ser reconhecido como *pessoa*; mas não alcançou a verdade desse reconhecimento como uma consciência-de-si independente".[8] Historicamente, o negro, mergulhado na inessencialidade da servidão, foi libertado pelo senhor. Ele não travou a luta pela liberdade.

O negro, antes escravo, invadiu a liça onde se encontravam os senhores. Assim como aqueles empregados domésticos que uma vez por ano têm permissão para dançar no salão, o negro busca um par. O negro não se tornou senhor. Quando não há mais escravos, não há senhores.

O negro é um escravo a quem foi permitido adotar uma atitude de senhor.

---

[7] Quando começamos este trabalho, queríamos dedicar um estudo ao ser do negro para-a-morte. Julgávamos necessário fazê-lo, pois incessantemente repetem: o negro não se suicida.

Louis-Thomas Achille, em uma conferência, não hesita em defender esse posicionamento, e Richard Wright, em um de seus romances, põe na boca de um branco as seguintes palavras: "Se eu fosse um negro, eu me suicidaria...", entendendo com isso que apenas um negro é capaz de suportar um tratamento desses sem sentir o apelo do suicídio.

Desde então, Gabriel Deshaies dedicou sua tese à questão do suicídio. Ele mostra que os trabalhos de Erich Rudolf Jaensch, que opõem o tipo desintegrado (olhos azuis, pele branca) ao tipo integrado (olhos e pele castanhos), são, para dizer o mínimo, falaciosos.

Para Durkheim, os judeus não se suicidavam. Atualmente, é o que se pensa dos negros. Ora, "o hospital de Detroit recebeu entre os suicidas 16,6% de negros, enquanto a proporção de negros na população é de apenas 7,6%. Em Cincinnati, os suicidas negros são mais do que o dobro dos brancos, excedente devido à espantosa proporção de negras: 358 para 76 negros" (G. Deshaies, *Psychologie du suicide*. Paris: PUF, 1947, p. 23).

[8] G. W. F. Hegel, op. cit., p. 129.

O branco é um senhor que permitiu a seus escravos comer à sua mesa.

Um dia, um bom senhor branco que tinha influência disse a seus amigos: "Sejamos gentis com os negros...".

Então os senhores brancos, queixando-se, pois aquilo lhes era muito penoso, decidiram alçar os homens-máquinas-bestas à categoria suprema de *homens*.

Nenhuma terra francesa pode mais possuir escravos.[9]

A agitação vinda do exterior afetou o negro. O negro foi instigado. Valores que não vieram ao mundo por ação sua, valores que não resultaram da elevação sistólica de seu sangue, vieram dançar sua colorida ciranda ao seu redor. A agitação não diferenciou o negro. Ele passou de um modo de vida a outro, mas não de uma vida a outra. Assim como ocorre com o paciente que teve uma melhora e que sofre uma recaída quando lhe dizem que em poucos dias deixará o hospital, a notícia da libertação dos escravos negros suscitou psicoses e mortes súbitas.

Em uma vida, não se recebe duas vezes essa mesma notícia. O negro se fartou de agradecer ao branco, e a prova mais brutal disso é o imponente número de estátuas disseminadas na França e nas colônias representando uma França branca a acariciar a cabeleira crespa desse bravo negro que acaba de ter seus grilhões rompidos.

"Diga obrigado ao senhor", diz a mãe ao seu filho... Mas sabemos que muitas vezes o menino sonha em gritar alguma outra palavra – mais retumbante...

O branco na condição de senhor[10] disse ao negro: "De agora em diante você é livre".

---

9 Proclamação do decreto de 4 de março de 1848 do Governo Provisório da Segunda República Francesa, por meio do qual se instituiu a comissão que, impulsionada pela atuação de Victor Schœlcher, preparou o decreto de abolição em todos os territórios franceses promulgado algumas semanas mais tarde, em 27 de abril. [N.T.]

10 Esperamos ter mostrado que o senhor, neste caso, difere essencialmente daquele descrito por Hegel. Há reciprocidade em Hegel, enquanto aqui o

Mas o negro ignora o preço da liberdade, pois não lutou por ela. De tempos em tempos, ele luta pela Liberdade e pela Justiça, no entanto se trata sempre de liberdade branca e de justiça branca, isto é, valores excretados pelos senhores. O ex-escravo, que não encontra em sua memória nem a luta pela liberdade nem a angústia da liberdade da qual fala Kierkegaard, fica com a garganta seca diante do jovem branco que brinca e canta na corda bamba da existência.

Quando acontece de o negro olhar o branco ferozmente, o branco lhe diz: "Meu irmão, não há diferença entre nós". No entanto, o negro *sabe* que há uma diferença. Ele a *deseja*. Ele gostaria que o branco lhe dissesse na cara: "Negro imundo". Então ele teria esta oportunidade única – de "mostrar a eles"...

No mais das vezes, contudo, nada acontece, nada além da indiferença ou da curiosidade paternalista.

O ex-escravo exige ter sua humanidade contestada, ele deseja uma luta, uma briga. Mas é tarde demais: o negro francês está condenado a se morder e a morder. Falamos do francês, pois os negros americanos vivem outro drama. Nos Estados Unidos, o negro luta e é combatido. Há leis que, pouco a pouco, desaparecem da Constituição. Há decretos que proíbem certas discriminações. E assim nos dão a certeza de que não se trata de dádivas.

Há batalhas, derrotas, tréguas, vitórias.

"*The twelve million black voices*"[11] gritaram contra a cortina do céu. E a cortina, rasgada de ponta a ponta, com marcas de mor-

---

senhor escarnece da consciência do escravo. Ele não exige reconhecimento do escravo, apenas seu trabalho.

Do mesmo modo, o escravo, neste caso, não é de modo algum assimilável àquele que, perdendo-se no objeto, encontra no trabalho a fonte da sua libertação.

O negro quer ser como o senhor.

Assim, ele é menos independente do que o escravo hegeliano.

Em Hegel, o escravo se aparta do senhor e se volta para o objeto.

Aqui, o escravo se volta para o senhor e abandona o objeto.

11 Expressão alusiva à dimensão da população negra nos Estados Unidos na época e que se difundiu graças ao livro publicado com textos de Richard

didas bem pronunciadas, alojadas em seu ventre de interdição, despencou como um balafom furado.

No campo de batalha, delimitado nos quatro cantos por dúzias de negros pendurados pelos testículos, pouco a pouco se ergue um monumento que promete ser grandioso.

E, no ápice desse monumento, já vislumbro um branco e um negro *que se dão as mãos*.

Para o negro francês, a situação é intolerável. Não tendo nunca certeza de que o branco o considera como consciência-em-si-para-si, ele estará sempre preocupado em detectar a resistência, a oposição, a contestação.

É isso que nos transmitem algumas passagens do livro que Mounier dedicou à África.[12] Os jovens negros que ele conheceu por lá queriam preservar sua alteridade. Alteridade de ruptura, de luta, de combate.

O eu se afirma opondo-se, dizia Fichte. Sim e não.

Dissemos em nossa introdução que o homem era um *sim*. Continuaremos a repetir isso.

Sim à vida. Sim ao amor. Sim à generosidade.

Mas o homem é também um *não*. Não ao desprezo do homem. Não à indignidade do homem. À exploração do homem. Ao assassinato do que há de mais humano no homem: a liberdade.

O comportamento do homem não é apenas reativo. E sempre há ressentimento em uma *reação*. Nietzsche já havia indicado isso em *A vontade de poder*.

Levar o homem a ser *acional*, preservando em sua circularidade o respeito aos valores fundamentais que fazem um mundo humano, essa é a principal urgência daquele que, depois de ter refletido, prepara-se para agir.

Wright e fotos compiladas por Edwin Rosskam nos arquivos da Farm Security Administration (*Twelve Million Black Voices*: *A Folk History of the Negro in the United States*. New York: Viking, 1941). [N.T.]

12 Emmanuel Mounier, *L'Éveil de l'Afrique noire*. Paris: Seuil, 1948.

À GUISA DE CONCLUSÃO

> *Não é do passado, mas unicamente do futuro, que a revolução social do século XIX pode colher a sua poesia. Ela não pode começar a dedicar-se a si mesma antes de ter despido toda a superstição que a prende ao passado. As revoluções anteriores tiveram de recorrer a memórias históricas para se insensibilizar em relação ao seu próprio conteúdo. A revolução do século XIX precisa deixar que os mortos enterrem os seus mortos para chegar ao seu próprio conteúdo. Naquelas, a fraseologia superou o conteúdo; nesta, o conteúdo supera a fraseologia.*
> KARL MARX, *O 18 de Brumário*

Já posso ver os rostos de todos aqueles que me pedirão para esclarecer este ou aquele ponto, para condenar esta ou aquela conduta.

É óbvio, e não deixarei de reiterar, que o esforço de desalienação do médico de origem guadalupense pode ser entendido a partir de motivações essencialmente distintas daquelas do negro que trabalha na construção do porto de Abidjan. Para o primeiro, a alienação é de natureza quase intelectual. É na medida em que concebe a cultura europeia como um meio de se despojar da sua raça que ele se faz passar por alienado. Para o segundo, é como vítima de um regime baseado na exploração de uma determinada raça por outra, no desprezo de uma certa humanidade por uma forma de civilização considerada superior.

Não levamos a ingenuidade ao ponto de acreditar que os apelos à razão ou ao respeito pelo ser humano podem mudar a realidade. Para o negro que trabalha nos canaviais de Le Robert,[1] só existe uma solução: a luta. E ele empreenderá e travará essa luta não seguindo uma análise marxista ou idealista, mas simplesmente porque só será capaz de conceber a sua existência sob a forma de um combate travado contra a exploração, a miséria e a fome.

---

[1] Cidade da Martinica.

Não nos ocorreria pedir a esses negros que corrigissem a visão que têm da história. Na verdade, estamos convencidos de que, sem saber, eles adentram a nossa perspectiva, habituados que estão a falar e a pensar em relação ao presente. Os poucos companheiros que tive a oportunidade de conhecer em Paris nunca levantaram a questão da descoberta de um passado negro. Eles sabiam que eram negros, mas, como me disseram, isso não muda nada de nada.

No que estavam cobertos de razão.

A respeito disso, permito-me fazer uma observação que encontrei em muitos autores: a alienação intelectual é uma criação da sociedade burguesa. E chamo de sociedade burguesa qualquer sociedade que se esclerosa em formas específicas, impedindo qualquer evolução, qualquer avanço, qualquer progresso, qualquer descoberta. Chamo de sociedade burguesa uma sociedade fechada, em que a vida não é boa, onde o ar é pútrido, com as ideias e as pessoas em putrefação. E creio que um homem que se posiciona contra essa morte é, de certo modo, um revolucionário.

A descoberta da existência de uma civilização negra no século XV não me garante um certificado de humanidade. Querendo ou não, de forma alguma o passado será capaz de me guiar no presente.

Como pudemos ver, a situação que estudei não é clássica. A objetividade científica estava proibida para mim, pois o alienado, o neurótico, era meu irmão, era minha irmã, era meu pai. Tenho constantemente tentado revelar ao negro que, em certo sentido, ele é anormal; e, ao branco, que ele é ao mesmo tempo mistificador e mistificado.

O negro, em determinados momentos, está preso em seu corpo. Mas, "para um ser que adquiriu consciência de si e de seu corpo, que alcançou a dialética entre o sujeito e o objeto, o corpo não é mais causa da estrutura da consciência, tornou-se objeto de consciência".[2]

---

2 Maurice Merleau-Ponty, *A estrutura do comportamento* [1942], trad. José de Anchieta Corrêa. Belo Horizonte: Interlivros, 1975, p. 236.

O negro, por mais sincero que seja, é escravo do passado. Todavia, sou um ser humano e, nesse sentido, a Guerra do Peloponeso é tão minha quanto a descoberta da bússola. Diante do branco, o negro tem um passado a valorizar, uma vingança a obter; diante do negro, o branco contemporâneo sente a necessidade de evocar o período antropofágico. Há alguns anos, a Associação Lionesa de Estudantes da França Ultramarina me pediu que respondesse a um artigo que literalmente considerava o jazz uma irrupção do canibalismo no mundo moderno. Sabendo aonde queria chegar, rejeitei as premissas do interlocutor e pedi ao defensor da pureza europeia que se livrasse de um espasmo que nada tinha de cultural. Há homens que querem inchar o mundo com o seu ser. Um filósofo alemão descreveu esse processo como a patologia da liberdade. Nesse caso, o que eu tinha a fazer não era tomar posição em favor da música negra contra a música branca, mas sim ajudar meu irmão a abandonar uma atitude que em nada era benéfica.

O problema aqui considerado se situa na temporalidade. Serão desalienados negros e brancos que se recusarem a se deixar enclausurar na Torre Substancializada do Passado. Para muitos outros negros, a desalienação virá, ademais, da recusa em considerar a atualidade definitiva.

Sou um ser humano e é todo o passado do mundo que tenho a resgatar. Não sou responsável apenas pela Revolta de Santo Domingo.

Toda vez que um ser humano fez aflorar a dignidade do espírito, toda vez que um ser humano disse não a uma tentativa de escravizar o seu semelhante, eu me solidarizei com o seu ato.

De modo algum devo extrair minha vocação primordial do passado dos povos de cor.

De modo algum devo me aferrar em reavivar uma civilização negra injustamente preterida. Eu não me torno o homem de nenhum passado. Não quero celebrar o passado à custa do meu presente e do meu futuro.

Não foi por ter descoberto uma cultura própria que o indochinês se revoltou. Foi "simplesmente" porque, sob vários aspectos, respirar se havia tornado impossível para ele.

Quando relembramos os relatos dos sargentos de carreira que, em 1938, descreviam a terra das piastras e dos riquixás, dos *boys* e das mulheres a preços módicos, compreende-se bem demais a fúria com que lutam os soldados do Viêt Minh.

Um companheiro, que esteve ao meu lado durante a última guerra, regressou da Indochina. Ele me pôs a par de muitas coisas. Por exemplo, da serenidade com que jovens vietnamitas de dezesseis ou dezessete anos tombavam diante de um pelotão de fuzilamento. Uma vez, disse-me ele, fomos obrigados a atirar de joelhos: os soldados tremiam diante desses jovens "fanáticos". Para concluir, ele acrescentou: "A guerra em que combatemos juntos foi apenas uma brincadeira em comparação com o que está acontecendo por lá".

Vistas da Europa, essas coisas são incompreensíveis. Alguns alegam existir uma suposta postura asiática em relação à morte. Mas esses filósofos baratos não convencem ninguém. Não faz muito tempo que essa mesma serenidade asiática era evidenciada por conta própria pelos "bandidos" do Vercors e pelos "terroristas" da Resistência.[3]

Os vietnamitas que morrem diante do pelotão de fuzilamento não esperam que seu sacrifício possibilite o ressurgimento de um passado qualquer. É em nome do presente e do futuro que eles aceitam morrer.

Se em algum momento me surgiu a questão de ser efetivamente solidário com um passado específico, foi na medida em que me comprometi comigo mesmo e com meu próximo a lutar por

---

3 O Maqui do Vercors foi uma importante base da Resistência francesa. Milhares de guerrilheiros se abrigaram no maciço do Vercors em busca da proteção oferecida por suas barreiras naturais. O reduto se manteve ativo até o verão de 1944, quando finalmente foi tomado pelas forças de ocupação da Alemanha nazista. [N.T.]

toda a minha existência e com todas as minhas forças para que nunca mais haja sobre a Terra povos escravizados.

Não é o mundo negro que dita a minha conduta. Minha pele negra não é depositária de valores específicos. Durante muito tempo, o céu estrelado que deixava Kant ofegante também a nós revelou seus segredos. E a lei moral questiona-se a si mesma.

Como pessoa, estou empenhado em fazer frente ao risco de aniquilação para que duas ou três verdades possam lançar sobre o mundo a sua clareza essencial.

Sartre mostrou que o passado, na linha de uma atitude inautêntica, "captura" em grande escala e, solidamente estruturado, *informa* então o indivíduo. É o passado transmutado em valor. Mas posso também recapturar o meu passado, valorizá-lo ou condená-lo em função das minhas escolhas sucessivas.

O negro quer ser como o branco. Para o negro, há um só destino. E ele é branco. Já faz muito tempo que o negro admitiu a inquestionável superioridade do branco e todos os seus esforços visam conquistar uma existência branca.

Será que não tenho mais nada a fazer nesta Terra além de vingar os negros do século XVII?

Deverei eu me questionar, nesta terra que já tenta se esquivar, a respeito do problema da verdade negra?

Deverei eu me ater à justificação de um ângulo facial?[4]

Eu, homem de cor, não tenho o direito de investigar em que medida a minha raça é superior ou inferior a outra raça.

Eu, homem de cor, não tenho o direito de aspirar à cristalização, no branco, de uma culpa em relação ao passado da minha raça.

Eu, homem de cor, não tenho o direito de me preocupar com os meios que me permitirão pisotear o orgulho do antigo senhor.

---

4 A noção de ângulos faciais, que passou a servir de suporte à ideia racista de uma hierarquia estética das raças, difundiu-se a partir de duas conferências proferidas pelo anatomista holandês Petrus Camper em 1770 e publicadas no mesmo ano. [N.T.]

Não tenho nem o direito nem o dever de exigir reparação pelos meus antepassados cativos.

Não existe missão negra; não existe fardo branco.

Descubro-me um dia num mundo em que as coisas ferem; um mundo em que me convocam para lutar; um mundo em que está sempre em jogo a aniquilação ou a vitória.

Descubro-me, ser humano, num mundo em que as palavras se adornam de silêncio; num mundo em que o outro incessantemente se insensibiliza.

Não, eu não tenho o direito de vir e bradar o meu ódio ao branco. Tampouco tenho o dever de lhe sussurrar minha gratidão.

O que existe é minha vida, presa ao laço da existência. O que existe é minha liberdade, que me remete a mim mesmo. Não, eu não tenho o direito de ser um negro.

Não tenho o dever de ser isto ou aquilo...

Se o branco questiona a minha humanidade, haverei de lhe mostrar, fazendo todo o meu peso de ser humano pesar sobre sua vida, que não sou esse *"Y'a bon banania"* que ele insiste em imaginar.

Descubro-me um dia no mundo e reconheço a mim mesmo um único direito: o de exigir do outro um comportamento humano.

Um único dever. O de nunca renunciar à minha liberdade por meio das minhas escolhas.

Não quero ser vítima da *Farsa* de um mundo negro.

Minha vida não deve ser dedicada a fazer um balanço dos valores negros.

Não existe um mundo branco, não existe uma ética branca nem tampouco uma inteligência branca.

O que existe, de ambos os lados do mundo, são homens que buscam.

Não sou prisioneiro da História. Não devo buscar nela o sentido do meu destino.

Devo me lembrar a todo momento de que o verdadeiro *salto* consiste em introduzir na existência a invenção.

No mundo para onde estou indo, eu me crio incessantemente.

Sou solidário com o Ser, na medida em que o supero.

E vemos delinear-se, por meio de um problema específico, o problema da Ação. Situado neste mundo, em situação, "embarcado", como diria Pascal, passarei a acumular armas?

Exigirei ao branco de hoje que se responsabilize pelos traficantes de escravos do século XVII?

Buscarei por todos os meios incutir a culpa nas almas?

Dor moral diante da densidade do Passado? Sou negro e toneladas de grilhões, tempestades de golpes, rios de cusparadas escorrem pelas minhas costas.

Mas não tenho o direito de me deixar aferrar. Não tenho o direito de aceitar que nem mesmo uma mínima fração o seja na minha existência. Não tenho o direito de me deixar enredar pelas determinações do passado.

Não sou escravo da Escravidão que desumanizou meus pais.

Para muitos intelectuais de cor, a cultura europeia assume um caráter de exterioridade. Além disso, nas relações humanas, o negro pode se sentir alheio ao mundo ocidental. Não querendo fazer o papel de primo pobre, de filho adotivo, de bastardo, passará ele a freneticamente tentar descobrir uma civilização negra?

Que acima de tudo nos compreendam. Estamos convencidos de que seria do maior interesse entrar em contato com uma literatura ou uma arquitetura negra do século III a.C. Ficaríamos muito contentes em saber que teria havido uma correspondência entre determinado filósofo negro e Platão. Mas não vemos como esse fato poderia fazer a menor diferença na situação dos meninos de oito anos que trabalham nos canaviais da Martinica ou de Guadalupe.

Não se deve tentar fixar o homem, pois seu destino é estar solto.

A densidade da História não determina nenhum dos meus atos.

Eu sou o meu próprio fundamento.

E é indo além do dado histórico, instrumental, que inicio o ciclo da minha liberdade.

A desgraça da pessoa de cor é ter sido escravizada.

A desgraça e a desumanidade do branco consistem em ter matado o ser humano onde quer que fosse.

Consistem em, ainda hoje, organizar racionalmente essa desumanização. Mas eu, homem de cor, na medida em que me seja possível existir plenamente, não tenho o direito de me confinar em um mundo de reparações retroativas.

Eu, homem de cor, quero apenas uma coisa:

Que o instrumento jamais domine o homem. Que cesse para sempre a escravização do homem pelo homem. Ou seja, de mim por outro. Que me seja permitido descobrir e desejar o homem, onde quer que se encontre.

O negro não existe. Não mais que o branco.

Ambos têm que se distanciar das vozes desumanas dos seus respectivos ancestrais, para que possa surgir uma autêntica comunicação. Antes de enveredar por uma voz positiva, cabe à liberdade um esforço prévio de desalienação. Um homem, no princípio da sua existência, está sempre congestionado, afogado na contingência. A infelicidade do homem é ter sido criança.

É por meio de um esforço de resgate de si mesmo e de depuração, é por meio de uma tensão permanente da sua liberdade que os seres humanos podem criar as condições ideais para a existência de um mundo humano.

Superioridade? Inferioridade?

Por que não tentar simplesmente tocar o outro, sentir o outro, revelar-me o outro?

Minha liberdade não me foi dada afinal para construir o mundo do *Você*?

Ao concluir esta obra, gostaríamos que pudessem sentir como nós a dimensão aberta de toda consciência.

Minha prece derradeira:

Ó meu corpo, faz sempre de mim um homem que questiona!

POSFÁCIO
DEIVISON FAUSTINO

> *A arquitetura do presente trabalho se situa na temporalidade. Todo problema humano exige ser considerado a partir do tempo. O ideal seria que o presente sempre servisse para construir o futuro.*
>
> *E esse futuro não é o do cosmos, mas sim o do meu século, do meu país, da minha existência [...].*
>
> *O futuro deve ser uma construção constante do homem existente. Essa edificação se vincula ao presente, na medida em que o considero algo a ser superado.*
>
> FRANTZ FANON, *Pele negra, máscaras brancas*

O que resta a ser dito depois de um livro como este? Após o percurso visceral de autorreflexão filosófica e "descida ao verdadeiro inferno" que ele proporciona, talvez o mais sensato fosse fechá-lo por um instante, respirar fundo e, como os sobreviventes de uma explosão apocalíptica que ainda nem aconteceu,[1] tatear dentro e ao redor de nós mesmos para aferir o tamanho do estrago. Posteriormente, caso haja fôlego para ler um posfácio, refazer a pergunta em outra direção: o que foi ou tem sido feito com este clássico, desde sua publicação até nossos dias? Ou, ainda, se quisermos ampliar a reflexão, de que maneira ele nos auxilia a pensar os dilemas da sociedade contemporânea?

Pele negra, máscaras brancas não é um livro fácil. Já se comentou a respeito de suas similaridades com *A divina comédia*, de Dante Alighieri: para o filósofo Lewis Gordon,[2] por exemplo, a ta-

---

1 "A explosão não ocorrerá hoje. É muito cedo... ou tarde demais." Ver p. 21 deste volume.
2 Lewis Gordon, *What Fanon Said*. New York: Fordham University Press, 2015.

refa assumida por Frantz Fanon se assemelha à do poeta Virgílio, que nos guia, como fez com Dante, pelos nove círculos de nossos próprios infernos, em direção a um conhecimento mais profundo da sociedade e, sobretudo, de nós mesmos. Poderíamos acrescentar a essa metáfora que a grande dificuldade nessa descida não é (apenas) a sua notável erudição ou a articulação complexa de áreas como filosofia, psicanálise, psicologia, sociologia e antropologia; não é, da mesma forma, o estilo poético e escorregadio de escrita[3] – e, muito menos, a mobilização singular de autores como Hegel, Marx, Sartre, Beauvoir, Lacan, Freud, Césaire, Senghor, Diop, entre outros, para pensar os dilemas do negro diante do racismo moderno.

O que faz deste livro uma leitura difícil é, sobretudo, nos descobrirmos, ao longo da descida por seus sete capítulos, ora como Dante, em sua vulnerabilidade e desamparo, ora como os personagens que ardem angustiados sob a consciência daquilo que entendem ser seus pecados; ou, ainda, como os demônios que impõem sofrimento e dominação ao outro, mesmo quando nos acreditávamos anjos. O texto também é difícil porque Fanon assume posições ambivalentes, apresentando-se em alguns momentos como um terapeuta que nos acolhe com seus próprios escritos, escutando nossas dores e fantasias mais profundas e indizíveis, e, em outros, emergindo nu no *setting* analítico, a ponto de desmoronar diante de nossos olhos, em um movimento sincero de livre associação: "Ontem, ao abrir os olhos para o mundo, vi o céu se retorcer de uma ponta a outra. Quis me levantar, mas o silêncio eviscerado fluía de volta para mim, com as asas pa-

---

[3] Paget Henry argumenta que a poética da escrita fanoniana promoveria, como em Édouard Glissant, uma *redução fenomenológica* ou um "deslizamento" (*glissant*) que suspenderia temporariamente as vigílias repressoras para tornar visíveis os elementos mais profundos da consciência individual. Paget Henry, *Caliban's Reason: Introducing Afro-Caribbean Philosophy*. New York: Routledge, 2000.

ralisadas. Irresponsável, cavalgando o espaço entre o Nada e o Infinito, comecei a chorar".[4]

Apesar do choro amargo diante do racismo antinegro e de toda forma de exploração humana, mas também do desconforto pessimista, implícito na ingrata e corajosa tarefa de denunciar armadilhas, riscos e limites presentes nas tentativas de contraposição e superação desses estranhamentos, Fanon não se petrifica. Já na introdução do livro, ele nos alerta de que "o prognóstico está nas mãos daqueles que anseiam abalar as carcomidas fundações do edifício".[5] A partir de imagens literárias que remetem ao surrealismo de seu conterrâneo Aimé Césaire, o autor nos sugere que as estruturas da edificação colonial capitalista estão apodrecidas de tal maneira que uma reforma seria inútil. "[...] outra solução é possível", ele argumenta, mas ela "implica uma reestruturação do mundo". A questão central aventada para as gerações futuras, portanto, são os meios e os processos pelos quais ela seria possível.

É preciso concordar com o filósofo Francis Jeanson, no prefácio à primeira edição do livro,[6] em 1952, quando ele afirma que a resposta de Fanon a essa questão é escandalosa: "*Il faut lâcher l'homme!*".[7] Essa "palavra de ordem", continua Jeanson, essa "demanda nua e crua que só pode emergir de uma desordem radical" que se recusa a "entrar no jogo", desafiando autoridades, programas e planejamentos; essa reivindicação "imprópria" e "quase indizível" foi – e, vale acrescentar, continua sendo – um escândalo ético, político e estético ainda não equacionado o bastante. Em primeiro lugar porque demarca precisamente o estilo, a fundamentação teórica e as reivindicações políticas que acompanharam o per-

---

4 Ver p. 154 deste volume.
5 Ver p. 25 deste volume.
6 Francis Jeanson, "Préface", em Frantz Fanon, *Peau noire, masques blancs*. Paris: Seuil, 1952.
7 Em tradução literal: "É necessário deixar/soltar/largar/libertar o homem". Ver p. 23 deste volume.

curso de *Pele negra, máscaras brancas*. O livro é atravessado pelo "surgimento repentino e inesperado de um modo de expressão quase poético" que vai desde "o grito mais espontâneo, se alguma imagem ou palavra vem para reviver velhas queimaduras", até "a tentativa consciente de chegar ao leitor apesar de todos os seus sistemas defensivos", desarmando suas couraças para "comunicar-lhe as ideias mais incomunicáveis".[8]

Mas *Pele negra* segue escandalizando, também, pelo caráter quase escorregadio com que emprega alguns conceitos e expressões. A citação acima é exemplar: o que Fanon quis dizer com "é necessário deixar [*lâcher*] o homem!"? Estaria antecipando o projeto anti-humanista de "(des)aparição do homem", proposto nas décadas seguintes por Michel Foucault, sugerindo que abandonemos (*lâcher*) as noções humanistas de sujeito, razão, universalidade e verdade? Ou, inversamente, estaria empregando o verbo *lâcher* como sinônimo de "deixar livre", reivindicando de modo integral a dimensão concreta do projeto humanista de homem, enquanto consciência *em-si* e *para-si*?[9]

Embora acredite que essa pergunta possa ser mais bem formulada, com o propósito de evitar maniqueísmos simplificadores – e isso exigiria uma análise cuidadosa que localizasse essa afirmação no conjunto de sua obra –, ela é significativa para a exposição de como *Pele negra* foi escrito e recebido após sua publicação. Voltaremos a ela oportunamente. Por ora, é importante reconhecer que as ambivalências apresentadas não se esgotam no estilo da escrita, mas se expressam sobretudo na subjetividade de seu autor. Frantz Fanon era um homem martinicano, educado segundo os preceitos franceses. Em um primeiro momento, "queria simplesmente ser

---

[8] F. Jeanson, "Préface", op. cit.
[9] Slavoj Žižek retoma as contribuições de Susan Buck-Morss para argumentar que Fanon foi mais iluminista do que qualquer iluminista foi capaz de sê-lo. Ver Slavoj Žižek, *Primeiro como tragédia, depois como farsa* (trad. Maria Beatriz Mendonça. São Paulo: Boitempo, 2011), e Susan Buck-Morss, *Hegel e o Haiti* (trad. Sebastião Nascimento. São Paulo: n-1 edições, 2017).

um homem entre outros homens", mas eis que se descobre negro, ou seja, "objeto em meio a outros objetos". É contra essa sobredeterminação externa que ele nos convoca a lutar, enquanto ele mesmo é, por diversas vezes, vítima dela.

Muito já se discutiu a respeito da relação desejante de Fanon diante daquilo que ele mesmo criticou ou anunciou: até que ponto a violência estética de sua escrita, bem como o seu assim nomeado "romantismo revolucionário", não seria reflexo de sua condição de estrangeiro, alienígena onde quer que estivesse, atormentado pela experiência do não lugar?[10] Como classificar as aparições normativas – às vezes estereotipadas – de mulheres negras e brancas[11] no estudo?[12] O que dizer das afirmações sobre a pretensa ausência de pederastia na Martinica?[13] Quem sabe a tarefa

10 Ver Albert Memmi, "Frozen by Death in the Image of Third World Prophet" (*New York Times Book Review*, 14 mar. 1971), e Tony Martin, "Review of *Fanon* by Peter Geismar, and *Frantz Fanon*, by David Caute" (*The Journal of Modern African Studies*, v. 9, n. 2, ago. 1971).
11 Para Lola Young, Fanon construiu modelos patológicos de psicossexualidade das mulheres, representando-as como essencialmente problemáticas e submissas à disputa masculina (negra e branca) pelo reconhecimento. "Missing Persons: Fantasizing Black Women in Black Skin, White Masks", em Alan Read (org.), *The Fact of Blackness*: *Frantz Fanon and Visual Representation*. London: Institute of Contemporary Arts and International Visual Arts; Seattle: Bay Press, 1996, pp. 86–101.
12 Gwen Bergner apresenta a questão da seguinte forma: "Embora *Pele negra* seja um texto fundamental para exigir uma abordagem psicanalítica da raça, Fanon, como Freud, considera o homem a norma [...]. Ele não ignora de todo a diferença sexual, mas explora o papel da sexualidade na construção da raça apenas por meio de categorias rígidas de gênero. [...] as mulheres são consideradas sujeitos apenas em termos de suas relações sexuais com homens; o desejo feminino é, portanto, definido como uma sexualidade excessivamente literal e limitada (hetero)". Gwen Bergner. "Who is That Masked Woman? Or, the Role of Gender in Fanon's Black Skin, White Masks". *PMLA*, v. 110, n. 1, , jan. 1995, p. 77.
13 Para Kobena Mercer, a perspectiva de libertação negra, sobre a qual repousa o pensamento de Fanon, encontra um calcanhar de aquiles na política sexual. Para Mercer, *Pele negra*, apesar dos *insights* sobre a psicossexualidade colonial – incontornáveis em relação às teorias gays e lésbicas –, apresentaria uma homo-

histórica daqueles que advogam por sua atualidade não seja esvaziar ou rebater as críticas que lhe foram dirigidas – sob o pretexto ingênuo de isentá-lo de suas próprias contradições –, mas assumir em relação a ele a postura que Fanon mesmo teve diante de seus interlocutores mais qualificados, como Hegel, Marx, Freud, Sartre e Césaire: caminhar com eles, ao redor deles e, sobretudo, para além deles, sempre que a realidade concreta assim demandar?[14]

Abre-se desse modo o precedente, expresso pelo método, objeto e estilo linguístico de *Pele negra*, para uma análise mais rica e menos maniqueísta de importantes elementos discutidos e disputados pelas ciências sociais e humanas contemporâneas, como a linguagem, a subjetividade, o sujeito, a identidade, as estruturas sociais, a racialização das relações e do desejo afetivo e sexual, a razão e o tempo. A observação do contexto de produção do livro, por sua vez, não é menos reveladora.

O texto, cujo título inicial era *Essai sur la désaliénation du Noir* [Ensaio sobre a desalienação do negro], foi concebido originalmente por Fanon aos 25 anos para ser apresentado como "tese de exercício" ao curso de psiquiatria.[15] Seu orientador rejeitou o tra-

---

fobia generalizada e uma misoginia profundamente problemática. Ver Kobena Mercer, "Decolonisation and Disappointment: Reading Fanon's Sexual Politics", em Alan Read (org.), *The Fact of Blackness: Frantz Fanon and Visual Representation* (London: Institute of Contemporary Arts and International Visual Arts; Seattle: Bay Press, 1996).

14 bell hooks, ao concordar com a existência de uma visão masculinista (homofilista) que acaba por relegar a experiência das mulheres a um segundo plano, sugere não perder de vista que a escrita de Fanon oferece novos paradigmas à cura, pelo amor, do corpo político negro colonizado, prestes a se quebrar. Assim, ela propõe que se escute essa voz em emergência, permeada por uma paixão e desejo sedutores, sem, contudo, perder de vista seus limites patriarcais. bell hooks, "Feminism as a Persistent Critique of History: What's Love Got to Do with it?", em A. Read (org.), op. cit.

15 A chamada "tese de exercício", necessária à obtenção do título de médico psiquiatra (doutor) no sistema educacional francês, não pode ser confundida com a tese de doutorado, pois equivale, efetivamente, ao nosso Trabalho de

balho, considerando-o inapropriado ao curso, e Fanon o arquivou. (Não à toa, ele desabafa logo na introdução: "Este livro deveria ter sido escrito há três anos... Mas àquela altura as verdades nos incendiavam. Hoje elas podem ser ditas sem ardor".)[16]

Um trecho do manuscrito já havia sido publicado em uma conceituada revista francesa com o título "A experiência vivida do negro".[17] Contudo, diante do indeferimento do trabalho original, Fanon o guardou na gaveta e escreveu, em pouco tempo, outra monografia: "Um caso de doença de Friedreich com delírio de possessão: alterações mentais, modificações de caráter, distúrbios psíquicos e déficit intelectual na heredodegeneração espinocerebelar".[18] O trabalho substituto foi defendido e aprovado com êxito em 29 de novembro de 1951.

Posteriormente, quando fazia residência médica no Hospital Psiquiátrico de Saint-Alban, no leste da França, o jovem psiquiatra enviou o manuscrito à progressista Éditions du Seuil – onde um dos editores era Francis Jeanson. O filósofo francês, que anos depois militaria nas fileiras da Frente de Libertação Nacional da Argélia, foi companheiro intelectual de Jean-Paul Sartre, Albert Camus e, sobretudo, Emmanuel Mounier, que lhe abriu as portas para atuar como editor na revista *Esprit* (na qual Fanon publicou seu primeiro ensaio) e depois no comitê editorial da Seuil. Essas informações biográficas são relevantes para localizar o ambiente de circulação dos escritos de Fanon.

Conclusão de Curso (TCC). Ver Deivison Faustino, *Frantz Fanon: Um revolucionário, particularmente negro* (São Paulo: Ciclo Contínuo, 2018).
16 Ver p. 23 deste volume.
17 O artigo "L'Expérience vécu du noir" foi publicado na edição 179 da revista *Esprit*, de maio de 1951, pp. 657–79. A seção temática em que o texto se insere recebeu o título de um dos artigos que a acompanham, "La Plainte du noir" [A queixa do negro], do notável psicanalista lacaniano Octave Mannoni.
18 Esse segundo "trabalho de conclusão de curso" foi publicado em português com outros textos clínicos de Fanon em *Alienação e liberdade: Escritos psiquiátricos* (trad. Sebastião Nascimento. São Paulo: Ubu Editora, 2020).

O primeiro encontro de Fanon com Jeanson, para tratar da possível publicação de *Essai sur la désaliénation du Noir*, foi marcado por uma inesperada tensão: ao afirmar que o manuscrito era "excepcionalmente interessante", Jeanson escutou em resposta: "O que você quer dizer com isso? Que não está tão ruim para um negro?". A reação do editor foi apontar-lhe a porta, e Fanon se retirou sem dizer mais nada. Superado o estranhamento, Jeanson sugeriu, e o autor aceitou, uma pequena alteração na ordem dos capítulos, alocando no início aquele da linguagem, e, sobretudo, aconselhou a mudança do título do manuscrito para *Pele negra, máscaras brancas* (*Peau noire, masques blancs*).[19]

A obra foi recebida com indiferença. Imperava na França de então – mas também em outras sociedades de colonização latina, como a brasileira – a ideia de que o racismo era exclusivo das colônias britânicas. Não por acaso, no quarto capítulo, "Sobre o suposto complexo de dependência do colonizado", o autor confronta esse mito, defendido em *Psychologie de la colonisation*[20] pelo psicanalista Octave Mannoni, o mesmo que participara com Fanon da edição 179 da revista *Esprit*, de maio de 1951. Mannoni partilhava da ideia de que os horrores coloniais eram exceção ao longo do curso da chamada civilização ocidental e de que o colonialismo francês, portanto, era responsável por um tipo mais ameno de racismo. Fanon retrucou que "a civilização europeia e seus representantes mais qualificados são responsáveis pelo racismo colonial" e completou: "uma sociedade é racista ou não é".[21]

Outros aspectos abordados extremamente incômodos – e originais, à época – são a dialética do reconhecimento e as condições

---

19 É importante lembrar que esse foi o primeiro livro de Fanon, mas seus escritos iniciais datam de alguns anos antes. Ele havia esboçado, sem intenção de publicar, duas peças de teatro, lançadas no Brasil com o título *O olho se afoga/Mãos paralelas: Teatro filosófico* (Salvador: Segundo Selo, 2020).
20 O livro foi publicado em 1950 pela Seuil e reeditado posteriormente como *Prospero et Caliban* (Paris: Éditions Universitaires, 1984).
21 Ver p. 101 deste volume.

sociais de sua interdição ou efetivação; a questão da linguagem no contexto colonial; a racialização do desejo; os efeitos psicossociais do racismo; a relação entre identidade e diferença; e a tríade singular, particular e universal da existência humana. Seria, pois, uma limitação notável reduzir este livro ao debate sobre o racismo. É a toda a sociedade capitalista, enquanto complexo de complexos, que ele se refere. Ocorre, para Fanon, que o racismo ocupa um lugar tal, na sociabilidade capitalista, que seu entendimento e sua superação no contexto da exploração de classes se inscrevem como ponto de partida para qualquer projeto sério de transformação social. Para além disso, sua proposta de *sociogenia* implica a consideração do sofrimento sociopolítico provocado pelo racismo como efeito e ao mesmo tempo estratégia de dominação social e exploração. Por outro lado, ela amplia o horizonte teórico para além dos maniqueísmos que pautaram tanto o cartesianismo logocentrista que configura o universalismo humanista quanto o irracionalismo diferencialista de seus opositores. A perspectiva sociogênica é a efetivação prático-sensível da dialética, contra os limites do próprio Hegel, é bom que se diga.

Após sua publicação, *Pele negra, máscaras brancas* encontrou o silêncio com frequência reservado à obra de autores negros na modernidade colonial capitalista. No entanto, mesmo depois de, na década seguinte, o cerco a seu autor ter sido flexibilizado, o livro seguiu relativamente ignorado até o surgimento do pensamento pós-colonial na década de 1980. A obra que imortalizou internacionalmente o nome de Frantz Fanon[22] foi *Os condenados da terra* (*Les Damnés de la terre*), publicada com um prefácio de Jean-Paul Sartre pouco antes da morte do martinicano, de leucemia, em de-

---

22 Não se pode desconsiderar a atuação internacional de Fanon junto ao Movimento da Negritude a partir da segunda metade da década de 1950. Mas, naquele momento, ela se restringiu aos acontecimentos políticos no âmbito das lutas de libertação nas então colônias francesas. Ver Deivison Faustino, "Revisitando a recepção de Frantz Fanon: O ativismo negro brasileiro e os diálogos transnacionais em torno da Negritude" (*Lua Nova*, n. 109, 2020, pp. 303–31).

zembro de 1961. A fama internacional do prefácio, não tanto da obra, resultou na tradução do livro para dezenas de línguas e foi acompanhada, por um lado, pelo apagamento dos outros textos de Fanon, entre os quais *Pele negra*, e, por outro, pela redução teórica do próprio livro às observações e aos pontos de vista expressos no prefácio – e, em consequência, pela redução do pensamento do autor ao tema da chamada "violência revolucionária".[23]

Essa primeira fase de recepção do pensamento do escritor – nomeada por Lewis Gordon como "fanonismo terceiro-mundista"[24] – foi marcada por uma polarização entre os que o idolatravam como um ícone da violência revolucionária, como seus interlocutores anticoloniais e anti-imperialistas na África, na Ásia, na Europa e nas Américas, e aqueles que o refutavam pelos mesmos motivos, como os autores liberais críticos da noção de práxis revolucionária.[25] Há nos dois casos, no entanto, um silêncio em relação a *Pele negra*, além da sobrevalorização dos temas destacados por Sartre em *Os condenados*.

Ainda assim, nesse contexto terceiro-mundista de culto a *Os condenados*, *Pele negra* contou com uma segunda edição francesa em 1965, acrescida de um posfácio de Francis Jeanson (ver p. 267); em 1966, a editora catalã Nova Terra lançou a tradução

---

23 Para uma análise mais detalhada dessa redução, ver L. Gordon, op. cit.; Alejandro De Oto, "Usos de Fanon: Un recorrido por tres lecturas argentinas" (*Cuyo. Anuario de Filosofía Argentina y Americana*, v. 30, n. 1, 2013, pp. 35–60); e Deivison Faustino, *A disputa em torno de Frantz Fanon: A teoria e a política dos fanonismos contemporâneos* (São Paulo: Intermeios, 2020).
24 L. Gordon, op. cit.
25 A crítica de Hannah Arendt a Fanon, em seu *Sobre a violência* (Rio de Janeiro: Relume-Dumará, 1994), é expressiva desse segundo grupo. Ver H. Arendt, "Legitimacy of Violence", em *The Hannah Arendt Papers at the Library of Congress*. Disponível em: memory.loc.gov/ammem/arendthtml/mharendtFolderP05.html. Para uma análise crítica dessa posição, ver L. Gordon, op. cit., e Nathalia Carneiro, *Hannah Arendt autora e paciente*: Uma revisão de A condição humana. Dissertação (Mestrado) – Programa de Pós-graduação em Ciência Política, Universidade de São Paulo, São Paulo, 2018.

em espanhol, a cargo de Ángel Abad, com o sugestivo título *¡Escucha, blanco!*; e, em 1967, saiu a tradução de Charles Lam Markmann para o inglês, publicada pela norte-americana Grove Press. Essa última encontrou relativo eco entre estudantes radicais do final da década de 1960 em Paris e Londres, que apoiavam as lutas anticoloniais na África e na Ásia. De todo modo, é à sombra terceiro-mundista de *Os condenados* e da temática da violência que a tímida recepção de *Pele negra* se dá.

O caso da recepção italiana é significativo: a Itália foi o primeiro país, fora a França, a conhecer o pensamento de Frantz Fanon. Devido aos laços políticos entre ele e o marxista Giovanni Pirelli, mas também aos esforços editoriais desse último, os textos fanonianos tiveram calorosa recepção entre importantes setores da esquerda italiana, muito antes de o autor ser conhecido no universo anglófono. A palestra de Fanon no Segundo Congresso de Escritores e Artistas Negros, ocorrido em Roma em março de 1959,[26] foi imediatamente traduzida para o italiano. *Os condenados*, por sua vez, foi publicado em julho de 1962 (meio ano depois da edição francesa), e, em 1963, foi lançada a *Sociologia della rivoluzione algerina*, título italiano de *L'An V de la Révolution Algérienne* [Ano V da Revolução Argelina]. No entanto, Pirelli, que se tornou um dos mais apaixonados biógrafos e interlocutores de Fanon em seu país, considerava *Pele negra* "uma obra politicamente imatura e ultrapassada no contexto das lutas de libertação anticoloniais".[27] Mesmo assim, após os ecos da sua reedição francesa, ainda sob o calor do prefácio de Sartre a *Os condenados*, o livro foi traduzido por Mariagloria Sears com o título *Il negro e l'Altro* [O negro e

---

26 A palestra foi posteriormente anexada por Fanon ao capítulo 4 de *Os condenados da terra*, "Sobre a cultura nacional". Frantz Fanon, *Os condenados da terra*, trad. Enilce Albergaria Rocha e Lucy Magalhães, prefácio Jean-Paul Sartre (1961), Alice Cherki (2002), posfácio Mohammed Harbi (2002). Juiz de Fora: UFJF, 2010, pp. 237–84.

27 Maria Margherita Scotti, *Vita di Giovanni Pirelli: Tra cultura e impegno militante*. Roma: Donzelli, 2018.

o Outro] para a editora Il Saggiatore em 1965 e reeditado pela Marco Tropea em 1996.

É somente em 1973 que *Pele negra* chega à América Latina, dez anos depois de *Os condenados*: com tradução de Ángel Abad, é publicado na Argentina pela editora Abraxas – no Brasil, seria lançado dez anos mais tarde. É curioso que o livro tenha desembarcado na América Latina logo num país cuja presença negra e indígena fora invisibilizada quase por completo. Uma confluência de fatores – da presença da filosofia da libertação e dos debates sobre imperialismo e cultura até o próprio peronismo – criará um contexto de interesse pelos temas da alienação e da situação colonial. De todo modo, como em outras partes, o carro-chefe da recepção fanoniana na Argentina era e continua sendo *Os condenados*.[28]

O mesmo ocorrerá no Irã. Sob a influência e a divulgação entusiasmada do socialista anticolonial Alî Sharî'atî, *Pele negra* foi traduzido para o farsi em 1976 para inspirar diretamente – ainda sob os ecos de *Os condenados* e as lutas de libertação na Argélia – a revolução aiatolá. Assim como Giovanni Pirelli na Itália, Alî Sharî'atî foi um grande divulgador do pensamento de Fanon, garantindo-lhe um lugar privilegiado – para não dizer central – entre a intelectualidade que protagonizou a Revolução Iraniana em 1979.[29]

No Brasil, no entanto, o livro será traduzido apenas em 1983, pela Fator, especialista em obras psicanalíticas. O sociólogo Antônio Sérgio Alfredo Guimarães observa que, embora a editora fosse carioca, suas articulações políticas se davam em Salvador, onde o Movimento Negro Unificado exerce forte influência. Uma

---

28 Alejandro De Oto destaca nesse cenário a influência incontestável de *Colonialismo e alienação*, de Renate Zahar (Lisboa: Ulmeiro, 1976). Alejandro De Oto, op. cit.

29 Sobre a influência ideológica de Frantz Fanon na oposição política ao governo do xá no Irã (1941–1979) durante as décadas de 1960 e 1970, ver Abdollah Zahiri, "Frantz Fanon in Iran: Darling of the Right and the Left in the 1960s and 1970s". *Interventions. International Journal of Postcolonial Studies*, 24 abr. 2020.

pesquisa ainda a ser realizada poderia investigar as possíveis relações dessa publicação com *Tornar-se negro*, da psicanalista baiana Neusa Santos Souza, no mesmo ano, pela Graal, também carioca. A edição utilizada por Souza em suas análises é a edição espanhola *¡Escucha, blanco!*.

A recepção terceiro-mundista no Brasil se estruturou a partir de duas leituras distintas de *Os condenados*.[30] A primeira, protagonizada por pensadores brancos de esquerda entre as décadas de 1960 e 1980, pautava-se pela polarização *colonizador* versus *colonizados* para problematizar o imperialismo cultural e econômico estadunidense ou a opressão e a superexploração da classe trabalhadora no Brasil. Para esse primeiro grupo, a questão colonial seria confrontada pela mobilização de uma identidade nacional, ou a própria autenticidade brasileira seria revelada a partir do posicionamento em defesa das classes subalternizadas. Há aqui, no entanto, com raríssimas exceções, a ausência de uma problematização estrutural sobre o racismo, a racialização da experiência e seus efeitos sobre a subjetividade.

A segunda, também pautada pela leitura quase exclusiva de *Os condenados*, pensará a polarização *colonizador* versus *colonizados* em termos raciais. A tensão entre negros e brancos será a tônica da análise de uma geração de intelectuais negros que lerão Fanon com base nas ideias do então recém-criado Movimento Negro Unificado, no final da década de 1970. Essa geração será fortemente influenciada pelas lutas de libertação no continente africano, sobretudo nos países de língua portuguesa, e pelas lutas antirracistas radicais nos Estados Unidos, protagonizadas pelo Black Panther Party [Panteras Negras], mas, também, pelo modo como Fanon era lido nesses contextos. Nessa geração, à exceção de Clóvis Moura, as análises mais aprofundadas a partir de *Pele negra* foram realizadas por representantes femininas, como Neusa Santos Souza e Lélia Gonzalez.

---

30 D. Faustino, *A disputa em torno de Frantz Fanon*, op. cit.

Vê-se que, mesmo nos casos em que *Pele negra* tenha circulado, sua visibilidade e seu prestígio foram sempre menores que os de *Os condenados*. Ocorre que a década de 1980 testemunhará uma inversão radical nesse quadro. Em decorrência de uma série de transformações econômicas, políticas e ideológicas com forte impacto sobre a produção de conhecimentos, as perspectivas teóricas revolucionárias perdem, definitivamente, a hegemonia intelectual entre as esquerdas mundiais, e Fanon, o "revolucionário intransigentemente violento", foi sendo condenado, sem julgamento, ao ostracismo.

A "condenação" só foi anulada graças ao surgimento do pensamento pós-colonial no âmbito dos estudos culturais britânicos. É possível especular que, se não fosse a retomada pós-colonial de Fanon e, com ela, a eleição desse autor como um de seus pais fundadores, a presente geração saberia tanto desse intelectual como sabe de Ho Chi Minh, Alî Sharî'atî, Ahmed Ben Bella, Abimael Guzmán ou Dedan Kimathi... – nomes conhecidos apenas por especialistas. Dois marcos da retomada de Fanon no final do século XX foram, indiscutivelmente, a publicação de *Orientalismo*, do anglo-palestino Edward Said, em 1978, e o prefácio do crítico cultural indiano Homi K. Bhabha à primeira edição britânica de *Pele negra* (*Black Skin, White Masks*, trad. Charles Markmann. London: Pluto Press, 1986).

Essa inversão reflete também uma mudança na orientação teórica sob a qual ela ocorreu. Se antes o marxismo anticolonial e o nacionalismo afro-asiático de Bandung[31] imprimiam anseios revolucionários na recepção de *Os condenados*, agora a retomada pós-colonial de Fanon, por meio de *Pele negra*, será marcada pelo

---

[31] A Conferência de Bandung foi uma reunião de 23 países asiáticos e seis africanos em Bandung (Indonésia), entre 18 e 24 de abril de 1955. O Terceiro Mundo, o colonialismo, o imperialismo e as independências nacionais foram os temas que se destacaram durante o evento, influenciando importantes pensadores do pós-guerra, entre os quais Frantz Fanon. Ver D. Faustino, *Frantz Fanon: Um revolucionário, particularmente negro*, op. cit.

pós-estruturalismo, pela filosofia da diferença e pela virada linguística.³² Pode-se dizer que as preocupações com a práxis revolucionária darão lugar à busca pela tematização psíquica do desejo, da linguagem e das políticas de representação. Essa guinada é pontuada pela denúncia daquilo que esses autores identificam como o *binarismo* próprio às políticas emancipatórias, que orientou a recepção anterior de Fanon. Esse novo enfoque será percebido e problematizado posteriormente por autores diversos.

O marxista Cedric Robinson, por exemplo, buscou explicá-lo identificando uma suposta divisão no pensamento do próprio Frantz Fanon. Para ele, haveria uma diferença entre um "jovem Fanon", teórico pequeno-burguês e existencialista de *Pele negra*, e um "Fanon maduro", comprometido com a "imersão na consciência revolucionária dos camponeses argelinos".³³ O historiador Kobena Mercer,³⁴ por outro lado, atacará os leitores marxistas de Fanon, acusando-os de tentar colonizá-lo. Ao mesmo tempo, opta pelo "primeiro Fanon" ao defender uma "releitura política" de seus escritos que evidencie os mecanismos inconscientes e as fantasias projetivas próprias ao racismo e ao colonialismo. Já Stuart Hall discorda da fragmentação entre dois Fanon, argumentando que o núcleo da proposta fanoniana está na linguagem e no olhar. Assim, para ele, o psiquiatra martinicano teria "antecipado surpreendentemente o pós-estruturalismo" ao inaugurar uma interpretação psicanalítica do problema do negro, sugerindo, portanto,

---

32 Como afirma Achille Mbembe: "Se *Os condenados da terra* era o livro da época da práxis revolucionária, *Pele negra, máscaras brancas* se tornou o livro de cabeceira da viragem pós-colonial no pensamento contemporâneo". A. Mbembe, "A universalidade de Frantz Fanon", ArtAfrica (Lisboa, 2012, p. 5). Disponível em: artafrica.letras.ulisboa.pt/uploads/docs/2016/04/18/5714de04d0924.pdf.
33 Cedric Robinson, "The Appropriation of Frantz Fanon". *Race and Class*, v. 35, n. 1, 1993.
34 Kobena Mercer, "Busy in the Ruins of Wretched Phantasia", em *Mirage: Enigmas of Race, Difference and Desire*. London: ICA, 1994.

uma descolonização da mente cuja ação é, antes de tudo, uma prática de ressignificação.[35]

Cada tradição recebeu o pensamento de Fanon destacando aqueles aspectos que corroboravam as próprias prerrogativas teóricas e epistêmicas. Embora se possa concordar que toda leitura é, em si, uma releitura – realizada a partir de um lugar teórico, ideológico e político particular e datado –, também é verdade que essas duas grandes tradições de recepção da obra fanoniana foram marcadas, cada qual a seu modo, em primeiro lugar, por recortes arbitrários de elementos úteis a seus próprios projetos, sem, contudo, comprometer-se com o conjunto da reflexão apresentada. Em segundo lugar, pela tomada da parte escolhida como se fosse o todo da obra, isto é, enquanto o foco terceiro-mundista sugeria uma práxis revolucionária destituída de importantes reflexões levantadas em *Pele negra*, a recepção pós-colonial inverteria o foco, direcionando a discussão, em nome de Fanon, para a recusa de elementos caros a ele, como a noção de práxis (revolucionária) anticolonial.

Atualmente, o campo de estudos sobre Fanon apresenta-se bastante diversificado, e mesmo as tradições examinadas têm realizado esforços para dar conta da complexidade teórica do autor. Além disso, muitas outras tradições teóricas entraram na disputa pela definição de seu legado e pela interpretação de suas contribuições para a realidade social contemporânea.[36] Esse debate é o *locus* privilegiado para a compreensão das diferenças entre o *anti-*, o *pós-* e o *de-* (colonial) das diversas ramificações que cada um desses prefixos assumiu no interior dos antirracismos e do diálogo ou tensões deles com outras tradições teóricas e ideológicas que os antecederam. Essas disputas, tensões e negociações configuram-se como objetivo privilegiado para a compreensão dos grandes

---

[35] Ver Stuart Hall, "The After-Life of Frantz Fanon: Why Fanon? Why Now? Why Black Skin, White Masks?", em A. Read (org.), op. cit.
[36] D. Faustino, *A disputa em torno de Frantz Fanon*, op. cit.

debates nas ciências sociais e humanas contemporâneas, como as temáticas do sujeito, da razão, da universalidade, da pluralidade, de raça, nação e etnia, e, sobretudo, da relação entre cultura, política e desejo.

Voltando à pergunta que abre este longo posfácio sobre os significados de "*il faut lâcher l'homme!*": se por "homem" (*l'homme*) entende-se essa caricatura narcisista produzida pelo universalismo liberal, esse espantalho discursivo mobilizado apenas diante da incômoda insurgência rebelde de grupos oprimidos, explorados ou invisibilizados – não para ampliar suas reivindicações em direção a noções mais habitáveis do eu e do nós, mas sim para calá-los em sua perturbadora insolência ou para rotulá-los como "identitários" –, então é preciso realmente abandonar esse tal "homem" ao apodrecimento lento e agonizante que ele mesmo se impôs... Por outro lado, é preciso dizer que a reivindicação fanoniana parece estar longe do anti-humanismo que o sucedeu na França metropolitana. A análise de sua obra, o que inclui, obviamente, a articulação de cada texto singular no conjunto de sua produção, nos leva a concordar com a escolha realizada na presente edição ao traduzir "*il faut lâcher l'homme!*" por "o que é necessário é libertar o homem". O texto da conclusão do livro não deixa dúvidas a esse respeito: "Não se deve tentar fixar o homem, pois seu destino é estar solto [*lâché*]. A densidade da História não determina nenhum dos meus atos. Eu sou o meu próprio fundamento. E é indo além do dado histórico, instrumental, que inicio o ciclo da minha liberdade".

É possível concordar com Francis Jeanson ao constatar o escândalo de tal reivindicação. Ela é escandalosa porque supõe, no mesmo movimento pelo qual emerge, a superação do universalismo abstrato que pautou o humanismo ocidental, sem, contudo, abrir mão da busca pela apreensão e pela autorrepresentação de si naquilo que há de universal no gênero humano, considerando, assim, sua história, seus encontros, desencontros e contradições. Ao mesmo tempo, aponta para uma práxis política subversiva –

e/ou revolucionária, a depender do contexto – a partir da reivindicação intransigente de transformações sociais concretas na ordem social que não percam de vista a demanda afetiva do desejo que as compõe. Essa exigência afetiva e subjetiva, no entanto, ocorre sem que se desconsiderem as mediações histórico-concretas postas pela objetividade social sob a qual emergem. Se isso for levado em conta, pouco importa o rótulo teórico que se lhe atribua, haja vista que ele mesmo se apresentou ao mundo como a expressão viva da alucinação "amar e mudar as coisas me interessa mais", como cantou mais tarde Belchior.

O movimento ético, político e estético inaugurado por *Pele negra, máscaras brancas* abre um espectro vastíssimo de possibilidades de reflexões, (auto)análise e, sobretudo, ações – mas ações mediadas pela consciência dos nexos objetivos e subjetivos que as fundamentam. Esse movimento vai muito além da luta antirracista, embora nela encontre sua gênese e função. As ciências sociais e humanas, assim como os diversos movimentos sociais brasileiros, têm um poderoso presente em mãos, e devemos isso não apenas ao contexto de lutas anticoloniais que levantaram as questões a que Fanon procurou responder, mas também à presença cada vez mais incontornável de estudantes, pesquisadores e professores negros nas universidades e nos movimentos sociais brasileiros, tensionando, ampliando ou recusando o cânone teórico.

A grande aposta de Fanon neste livro era de que o diagnóstico aqui apresentado ampliasse o repertório de insurgências existentes em direção ao desmantelamento total das diversas ordens que compõem o complexo de complexos colonial capitalista. Essa explosão libertadora – que ainda não aconteceu – não se alcançaria sem incômodos, e tampouco ofereceria garantias. Ainda assim, precisaria ser sonhada e exigida sob o risco de abortarmos o futuro antes mesmo de sua concepção. Como lembra Francis Jeanson, "o empreendimento revolucionário pode nunca atingir seu objetivo, mas a única chance que tem de realmente alcançá-lo reside nesses homens impacientes demais para se contentar com o ritmo da história, exigentes demais para admiti-lo".[37] Essa foi a tarefa histórica de Fanon,[38] e ele a cumpriu com maestria e sofisticação. A grande pergunta que precisa ser enfrentada, diante do contexto social abertamente genocida e chauvinista no qual este livro será relançado no Brasil, é se teremos ousadia para identificar e cumprir a nossa tarefa.

DEIVISON FAUSTINO, também conhecido como Deivison Nkosi, é mestre em Ciências da Saúde pela Faculdade de Medicina do ABC, doutor em Sociologia pela Universidade Federal de São Carlos (UFSCar) e pós-doutorando em Psicologia Clínica pelo Instituto de Psicologia da Universidade de São Paulo (USP). Foi professor visitante no departamento de filosofia da Universidade de Connecticut (Estados Unidos) e recebeu a menção honrosa do prêmio Capes de Teses de 2016 com a pesquisa *Por que Fanon, por que agora? Frantz Fanon e os fanonismos no Brasil*. É professor e pesquisador do Programa de Pós-graduação em Serviço Social e Políticas Sociais da Universidade Federal de São Paulo (Unifesp) e pesquisador do Laboratório Psicanálise, Sociedade e Política da USP e do Instituto AMMA Psique e Negritude. É autor dos livros *Frantz Fanon: Um revolucionário, particularmente negro* (São Paulo: Ciclo Contínuo, 2018) e *A disputa em torno de Frantz Fanon: A teoria e a política dos fanonismos contemporâneos* (São Paulo: Intermeios, 2020).

---

37 F. Jeanson, "Préface", op. cit.
38 "No interior de uma relativa opacidade, cada geração deve descobrir sua missão, cumpri-la ou traí-la." F. Fanon, *Os condenados da terra*, op. cit., p. 239.

Textos complementares

RECONHECIMENTO DE FANON [1965]
FRANCIS JEANSON

> [...] e na verdade o que é necessário é libertar o homem.
> FRANTZ FANON, *Pele negra, máscaras brancas*

Faz mais de três anos que ele morreu, não faz sequer treze que foi publicado seu primeiro livro; mas hoje seu pensamento reverbera sobre continentes inteiros com tal força que se tornou impossível (ou extremamente suspeito) não fazer ao menos uma alusão a ele ao tratar de problemas do Terceiro Mundo. Um destino assim prodigioso pouco tem necessidade, para se realizar, desse momento da vida pelo qual um homem geralmente precisa passar para adquirir o domínio das suas aptidões: aos dezoito anos, um estudante de medicina de Fort-de-France se engaja no Exército francês e luta contra o nazismo sob as ordens do general De Lattre de Tassigny; aos 25, faz residência em hospitais e se especializa em psiquiatria; aos 27, publica em Paris *Pele negra, máscaras brancas*; aos 36, morre em um hospital de Nova York, deixando como legado o fanonismo a todos os colonizados do mundo.

O que aconteceu com esse homem durante esses dez anos (de 1952 a 1962, dos pombos-correio de Ridgway aos helicópteros dos encontros de Lugrin)?[1] Em que material ele pôde talhar sua existência,

---

1 Em 28 de maio de 1952 houve uma grande manifestação em Paris organizada pelo Partido Comunista que acusava o general Matthew Ridgway de ter empregado armas biológicas na Guerra da Coreia. Nesse mesmo dia, o então dirigente comunista Jean Duclos foi detido com uma pistola e dois pombos-correios, supostas provas de que seria um traidor da pátria. Em 18 de março de 1962, em um castelo em Lugrin foram assinados os acordos que puseram fim à Guerra da Argélia. [N.E.]

com que potência tensionou seu arco, quando nos sentíamos mais abatidos a cada dia, um pouco menos capazes, quando da extremidade de nossos braços enfraquecidos pendiam em vão nossas armas irrisórias? Da cédula eleitoral à mala diplomática, da ação legal à ação clandestina, do *meeting* à deserção, todas as armas foram brandidas, todas fracassaram; alguns objetivos, é verdade, ainda assim foram alcançados: aqueles que reivindicavam paz acabaram por obtê-la; aqueles que sofriam de peso na consciência puderam se imaginar curados; aqueles que não tinham tentado nada pareciam inocentes por sua conduta e, talvez, até aqueles que haviam pretendido ajudar o povo argelino tinham mais ou menos conseguido. Porém, encontrávamo-nos todos no mesmo ponto, uns privados dos diretos civis, outros sem vislumbrar o que mais poderiam fazer com tais direitos – enquanto o céu de nosso mundo era rasgado por essa flecha intrépida cujo voo não cessou de agitar miríades de consciências humanas. Acreditando que o mundo, até em suas zonas mais familiares, tinha precisamente deixado de ser "nosso"...

Não sou um colonizado; confesso, no entanto, que essa flecha me toca, hoje mais fundo que há treze anos, ainda nos mesmos pontos sensíveis.

O que primeiro me impactou, nesse pensamento, desde o momento em que tive a oportunidade de ler o manuscrito de *Pele negra* e encontrar seu autor, foi a abordagem excepcionalmente encarnada, na qual insisto em ver a garantia mais certa de sua dimensão universal e capacidade revolucionária. Fanon argumentava desmesurada e calorosamente, confessava se ferir na própria carne, nos dizia ter gritado, explodido, quase enlouquecido ("Este livro deveria ter sido escrito há três anos... Mas àquela altura as verdades nos incendiavam"): "[...] no paroxismo do vivido e do furor", sentindo-se "condenado", prisioneiro de um "círculo infernal", Fanon, todavia, não cessara de apostar no homem, um homem que concebia à sua altura, "escavando a própria carne em busca de um sentido".

Assim, ele escolhia enfrentar de imediato a própria vertigem (essa tentação atroz, que às vezes temos, de arrancar da mente as dificuldades que nos atingem a cada dia), tomando como ponto de ancoragem e como regra absoluta de sua relação com os outros essa exigência "louca", que o consumia, de reconhecer e ser reconhecido. Perder-se na loucura é escolher a saúde pessoal: Fanon se recusou a isso, concebia apenas uma saúde coletiva. Bela quimera, talvez, mas certamente a única que pode equilibrar a morte em nossas almas mortais. Saibamos, em todo caso, de quais profundezas veio até nós esse homem orgulhoso, intratável camarada, irmão rigoroso, que um dia teve a coragem de escrever: "comecei a chorar".

Com base nisso, um senhor que se dizia crítico teve a audácia de tirar a seguinte lição: "O sr. Fanon tem a doença de ser negro como se tem sarampo... Ele tem os nervos à flor da pele (negra) e o sangue esquentado... Seu livro é provavelmente um livro ruim e sua neurose, decerto uma neurose ruim... E, já que é médico, que se cure ele próprio!". Faça Hipócrates, com a ajuda dos deuses, que nossos psiquiatras brancos consigam – em caso de necessidade – curar-se entre eles como esse psiquiatra negro o fez sozinho. Resta, sem sombra de dúvida, que essa pele não era racional, que essa pele impedia da forma mais obscena o livre exercício de um pensamento cartesiano: "Ó meu corpo", clamava Fanon, à guisa de "prece derradeira", "faz sempre de mim um homem que questiona!"; "Daí se vê", comentava outro crítico seu, "a onda em que boiamos".

Ele certamente boiava, esse doutor em medicina (pobre dele!) aos olhos de quem Fanon era apenas um "alienado" (por ter querido escapar da sua verdadeira condição, "médico rural nas Antilhas"); boiava inclusive mal o bastante para pressagiar ao seu jovem "confrade" ("muito jovem para escrever um livro de 222 páginas") que ele acabaria por se arrepender, "nos dias de sua velhice", de ter sido tão "incoerente e destrutivo". Quanto aos dias de velhice, tarde demais; quanto à destruição, conheço as vítimas e não posso lamentá-las; quanto à incoerência, direi algumas palavras.

Por estar nessa situação e dispor de um equipamento intelectual, Fanon compreende o que é nascer com uma pele negra em um mundo dominado por brancos. Ele chama neurose o fenômeno do qual seus semelhantes sofrem; ele lhes fornece sua descrição mais concreta e mais penetrante; ele tenta, enfim, ajudá-los a se curar, propõe-lhes ultrapassar sua negrura, seus sonhos de brancura tanto quanto sua escolha negativa da "negritude", rumo a um mundo humano onde brancos e negros possam enfim se reconhecer pela mediação de um projeto comum. Esse homem, é verdade, não carrega doutrina no bolso: munido apenas de sua exigência, ele se contenta em apresentar um diagnóstico e propor uma terapêutica. Podemos contestar este e achar aquela pouco definida; mas não creio que se possa identificar em *Pele negra, máscaras brancas* o menor traço de contradição na análise do mal – nem a menor incerteza quanto à direção em que a cura pode ser buscada. Se, no entanto, alguma incoerência virtual pode escapar à leitura dessa obra, provavelmente ela não tardaria a se manifestar nos vários prolongamentos que o autor lhe deu ao longo dos dez anos que lhe restavam viver. Sustento, porém, que em 1952 Fanon era um espírito autenticamente revolucionário, e que continuou a sê-lo nos períodos seguintes. O Fanon argelino manteve as promessas do Fanon antilhano; *Os condenados da terra* é a confirmação de *Pele negra, máscaras brancas*, como se recebesse deste sua iluminação mais certeira.

Se admiro profundamente esse homem, é por sua humanidade: não sonho transformá-lo em santo laico, nem em herói para os nossos panteões sinistros. Essa inteligência superabundante, tão frequentemente soberana em sua desmesura, às vezes também podia se abandonar aos delírios mais vãos – nos quais transparecia, sob a violência das palavras e a veemência do tom, a extrema vulnerabilidade de uma consciência nua. Nesse sentido, sem dúvida, só se pode ficar devastado; em qualquer outro, confesso que eu dificilmente ficaria. Não sei se Fanon experimentou a amizade; sei apenas que não fomos amigos, que ele não parecia se importar com isso (apesar do que poderia ter nos aproximado), e com efeito eu mesmo não me importo. Ao procurar compreender a procedência, da minha parte, de tal abstenção, primeiro conjecturei que a própria luta na qual tínhamos nos engajado juntos – ainda que em níveis diferentes – nos ultrapassava, a ponto de proibir entre nós o luxo, propriamente burguês, de uma relação de amizade. Mas tão nobre explicação não me convenceu por muito tempo: burguês ou não, trata-se de um luxo ao qual eu nunca soube renunciar. Se não temesse prejudicá-los, poderia nomear de imediato pelo menos três homens que essa luta me fez conhecer, e dos quais conto permanecer amigo até o fim dos tempos. São argelinos, é verdade, e sem dúvida se sentiam mais livres em relação a isso do que esse negro das Antilhas que escolhera se identificar com eles.

Devemos ir mais longe e dizer que, ao agir assim, Fanon "exagerou"? Quando o médico-chefe do hospital psiquiátrico de Blida retorna a Paris por alguns dias – de passagem para Túnis, aonde ia se juntar ao Estado-maior político-militar da Revolução Argelina –, reencontrei um homem a princípio tão difícil quanto aquele que tinha conhecido cinco anos antes, mas com um aspecto aparentemente bastante distinto: menos suscetível, sem dúvida, menos "esfolado vivo", decerto tinha se tornado mais altivo.

Em 1952, quase rompemos no dia em que nos conhecemos: tendo achado seu manuscrito excepcionalmente interessante, cometi o erro de lhe dizer isso, o que o fez desconfiar de que eu havia pensado: "Para um negro, até que não está ruim"; a respeito disso, formulei minha reação em termos enérgicos: mostrei-lhe a porta e ele teve a grandeza de espírito de considerar minha atitude positivamente. Um segundo encontro me fez vê-lo sob um novo ângulo, que o tornou, se ouso dizer, ao mesmo tempo mais cativante e mais distante: com uma sinceridade extrema, Fanon relatou o terror que pesava cotidianamente sobre ele naquele inferno hospitalar de Blida, onde seus dias e suas noites se dividiam entre os verdadeiros e o falsos loucos, entre os alienados da colonização e os militantes da insurreição que buscavam uma camuflagem provisória. Ele manifestou completo desdém a respeito do que acontecia na França, do que tentávamos fazer e da própria organização que se responsabilizava por facilitar sua circulação. Ele ia a Túnis e nós não existíamos. Tive a oportunidade de, mais tarde, ver desfilar certo número de turistas, franceses ou estrangeiros, que se jactavam de partir para Túnis, ou de voltar de lá, enquanto tínhamos escolhido permanecer prisioneiros de nossas tarefas obscuras. O caso de Fanon nada tinha a ver com esses peregrinos satisfeitos; se ele ia aos lugares santos, não era para trazer de lá alguma relíquia preciosa. Em um terceiro encontro, porém, o abismo cresceu entre nós. Eu voltava de Roma com escala em Madri e o encontrei descendo do avião. Passamos uma longa noite juntos, ao fim da qual, em uma calçada da Calle Montana, perto da Puerta del Sol, ele me explicou sem nenhuma delicadeza que nossos esforços de apoio eram todos em vão, que ele sabia como a FLN [Frente de Libertação Nacional] era organizada na França e que éramos joguetes de fachada política por trás da qual havia um chefe militar que nunca conheceríamos. Eu tinha, por sorte, alguns motivos para me manter cético, e a sequência dos acontecimentos confirmou essa postura.

Talvez seja possível vislumbrar o que esses três momentos significaram para mim: se acreditei poder falar sobre isso, foi porque em cada um deles Fanon prosseguia com seu projeto humano, mesmo que ele revelasse seu muito humano reverso. No primeiro caso, para dizer a verdade, o que estava em questão era sobretudo minha suscetibilidade; Fanon, de sua parte, tinha visto coisas demais para confiar no primeiro que aparecia; e sabe Deus se, no fim das contas, minha atitude fora tão verdadeira quanto a dele… No segundo, era a impaciência de servir à causa concreta que ele enfim conseguira fazer sua, e da qual éramos meros intermediários. No terceiro, e esse foi o último, creio enxergar a terrível necessidade das opções mais radicais e a impaciente recusa, por esse homem que já se sabia condenado, de toda forma de ação que não tivesse implicação direta com o curso da luta.

Mas é verdade que precisei cada vez de um pouco mais de tempo para compreender essas coisas. E, quando digo que não houve amizade entre nós, espero deixar claro que não me orgulho disso; pelo menos hoje, entretanto, posso, com total liberdade, prestar-lhe a mais sincera homenagem – de mente e coração.

Falei sobre o quanto me tocou de imediato o estilo encarnado da abordagem intelectual de Fanon. Desde então, encontrei-a por toda parte: em seus dois outros livros, em sua ação, em sua própria vida e até em sua forma de morrer.

Em *L'An v de la Révolution Algérienne* [Ano v da Revolução Argelina], ao abordar os deslocamentos populacionais, os reagrupamentos impostos por um adversário que "talha na carne argelina com uma violência inaudita", ele mostra que uma *mechta*[2] reagrupada foi antes "destruída, arruinada", e que, no seio dos grupos humanos onde também são reunidos fragmentos de famílias anteriormente dispersas, nenhum gesto, nenhum ritmo interior permanece intacto: esses membros separados "nem comem nem dormem como antes". Mais uma vez, trata-se somente de transformações sofridas, inteiramente passivas: são os bombardeamentos, as operações de limpeza, as tomadas de reféns e outras sevícias do Exército francês que tornam necessárias essas reconcentrações artificiais, provocando de início uma dispersão real, perturbando, de imediato, de uma ponta a outra, "o panorama social, o mundo da percepção". Esses fatores destrutivos e desestruturantes tiveram como resposta atos que não demoraram a desencadear processos surpreendentes de reestruturação.

Tal é o caso, por exemplo, da relação entre o povo argelino e esse instrumento técnico, o receptor de rádio. Ao ouvir – mesmo chiada, picotada, descontínua, quase inaudível – a Voz da Argélia Combatente,[3] ao reagir diante das interferências sonoras "de forma quase física, muscular", cada argelino experimenta, desde o final de 1956, o sentimento de "abraçar a Nação em luta", de participar da sua "nova respiração". Ao ouvir a revolução (graças a uma técnica que ele antes rejeitava por não "dar voz ao ocupante"), Fanon "decide relançá-la [...], existir com ela, fazê-la existir". E é assim que assistimos, em um

---

2   No Marrocos, pequena casa de alvenaria construída com tijolos grandes, que serve de moradia durante o inverno. Na Argélia e na Tunísia, vilarejo constituído por um pequeno conjunto dessas construções. [N.T.]
3   La Voix de l'Algérie Libre et Combattante, rádio clandestina argelina fundada em 16 de dezembro de 1956. [N.T.]

sentido dessa vez positivo, "a uma reviravolta profunda nos meios de percepção, do próprio mundo da percepção".

Se esse pensamento encarnado me parece eficaz, é na medida em que não negligencia, salvo engano, nenhuma interpretação a que seu próprio objeto pode sucessivamente se prestar:

- "Aceitar a técnica radiofônica, comprar um aparelho de rádio e viver a Nação em luta são uma mesma coisa."
- "A voz do ocupante se dessacraliza. A Fala da Nação, o Verbo da Nação ordena o mundo, renovando-o."
- "Incorporado à vida da Nação, a rádio terá, na fase de construção do país, importância excepcional. [...] A pedagogia revolucionária da luta por Libertação deve normalmente ser substituída por uma pedagogia revolucionária da construção da Nação."

As mesmas observações se impõem em outro plano, o das relações entre o povo argelino e a técnica médica. No ponto de partida, está a recusa: "O colonizado percebe em uma confusão quase orgânica o médico, o engenheiro, o professor, o policial, o guarda-florestal" e, evidentemente, se necessário, o soldado paraquedista. É o drama de toda situação colonial, o "encontro impossível": na presença do médico europeu, o colonizado "é sempre um pouco rígido" – e seu corpo também o é, "os músculos ficam contraídos, não há relaxamento; é o homem total, é o colonizado, que enfrenta a um só tempo um técnico e um colonizador". O próprio médico nativo é percebido, antes do combate nacional, "como um embaixador do ocupante" – abraçando, em diversos sentidos, a colonização, a dominação, a exploração. Mas eis que, "dormindo no chão com os homens e as mulheres das *mechtas*, vivendo o drama do povo", assumindo suas responsabilidades na indispensável organização nacional da Saúde, o médico argelino "reintegra o grupo, [...] torna-se um pedaço da carne argelina": "Há a presença simultânea da Revolução e da medicina". Conclusão prática, e de alcance mais geral: "Tão logo o corpo da Nação recomeça a viver de forma coerente e dinâmica, tudo se torna possível...

O povo que assume o seu destino nas mãos confere uma cadência quase insólita às formas mais modernas da técnica".

É, no entanto, no que concerne à mulher argelina e a seu corpo (que ele ousa desvelar a ela mesma sob o olhar do homem argelino) que o pensamento de Fanon me parece alcançar – por sua encarnação – a mais incontestável autenticidade, do ponto de vista revolucionário. O véu, ele explica, é a resistência ao ocupante: diante da argelina, o europeu "quer ver"; limitar sua percepção é, portanto, enfrentá-lo, forçá-lo a um fracasso espetacular. Porém, aconteceu que, ao final de um ano de luta armada, percebemos "a urgência de uma guerra total" e apresentou-se o problema "de envolver as mulheres como elementos ativos", de decidir sobre sua entrada na revolução. "A decisão [...] não foi tomada levianamente. [...] Não faltaram hesitações. [...] as oposições internas foram massivas". Mas, enfim, aconteceu; e se deu, já no início, no nível mais radical: o do terrorismo urbano. Eis aqui nossa jovem argelina – cujo véu, tradicionalmente, "protege, assegura, isola", que ainda ontem renteava as paredes, evitando ocupar o meio da calçada – convocada a circular sem véu em plena cidade europeia; eis aqui ela tornada "mulher-arsenal [...] portadora de revólveres, granadas, centenas de documentos de identidade falsos ou de bombas". A ausência do véu, diz Fanon, altera seu "esquema corporal", perturba seu sentido das distâncias, parece-lhe esticar os próprios membros indefinidamente, causa-lhe a impressão de "se evadir", de "se desvanecer em pedaços [...], de estar malvestida, até de estar nua", de modo que lhe é preciso o quanto antes reaprender seu corpo, "inventar [para ele] [...] novas dimensões [...], novos meios de controle muscular". Temos alguma dificuldade, sem dúvida, em mensurar o abismo que essas mulheres precisaram transpor de uma só vez; é por isso que Fanon, que não é exatamente um homem de precauções oratórias, retoma, um pouco mais à frente, sua implacável descrição: "A moça argelina tem vergonha do corpo, dos seios, da menstruação. Tem vergonha de ser mulher perante os seus. Tem vergonha de falar diante do pai, de olhar o pai. E seu pai também tem vergonha diante dela. Na realidade, a análise aprofundada mostra que o pai vê a mulher na sua filha. Inversamente, a filha vê o homem no seu pai". Contudo, essa mesma filha terá agora que, sozinha, sem véu, maquiada, sair a qualquer hora, ir a qualquer lugar e, talvez, enfim viver na resistência – entre os homens. A partir daí, a atitude do pai vai se modificar de modo radical, inclusive em relação a qualquer mulher com quem ele cruze na rua. "A garota militante, ao adotar novas condutas, escapa às coordenadas tradicionais [...]": assim ela convida seu pai "a uma espécie de mutação, de arrancamento de si próprio".

Sigam até o fim essa pista carnal e descobrirão o seguinte:

> Os homens deixam de ter razão. As mulheres deixam de ser silenciosas [...]. A mulher deixa de ser um complemento para o homem. Literalmente, ela arranca seu lugar a pulso [...]. A sociedade argelina, no combate libertador, nos sacrifícios que consente para se libertar do colonialismo, se renova e faz existirem valores inéditos, novas relações entre os sexos [...]. O casamento na Argélia terá conhecido sua mutação radical no próprio centro do combate [...]. É em meio aos perigos mais graves que o argelino inventa formas modernas de existência e confere à pessoa o seu peso máximo.

Essas poucas passagens, que lamento ter destacado entre tantas outras que precisariam ser igualmente relidas, podemos decerto julgá--las contestáveis – em razão, notadamente, desse recuo sutil do qual dispomos hoje. Seria no mínimo absurdo apreciar no presente o seu conteúdo, ignorando o peso político que naquele momento afetava o pensamento subjacente a elas. No apêndice do primeiro capítulo de *L'An V*, Fanon reproduz um texto publicado em *Résistance Algérienne* (16 de maio de 1957), a fim de mostrar "a consciência que os responsáveis pela FLN sempre tiveram do importante papel da mulher argelina na Revolução"; deixo ao leitor o cuidado de proceder ele mesmo aos incontáveis reagrupamentos que se impõem (do triplo ponto de vista do sentido, do tom e do vocabulário) entre o texto muito oficialmente anônimo das páginas 46 a 49 e os capítulos I e III do próprio texto de Fanon. Se hoje nos parece – erroneamente ou com razão, voltarei a isso – que nosso autor se deixou mais ou menos levar e "exagerou", constatemos no mínimo que, naquela época, em questões tão delicadas e em níveis tais de responsabilidade, suas convicções faziam escola.

Seu terceiro e último livro, *Os condenados da terra*, também veio confirmar – pela recepção excepcionalmente positiva que lhe foi dada pelos principais interessados – que não se tratava de um encontro ao acaso entre eles e Fanon: pois é o mesmo pensamento que aí se exprime, mas a tal ponto amplificado que mais de uma vez me peguei enrubescido, ao longo desses últimos três anos, por ter errado tanto na previsão de suas verdadeiras dimensões.

Não seria possível contemplar aqui todas as descrições em que condutas significantes se enraízam em uma atitude corporal. A título de exemplo, relembremos apenas algumas indicações: "Em seus músculos, o colonizado está sempre à espera"; é "um perseguido que sonha permanentemente em se tornar perseguidor", o que mantém nele "uma tensão muscular em todos os instantes"; sua afetividade está ininterruptamente "em ereção [...], se mantém à flor da pele como uma chaga viva que evita o agente cáustico"; seu psiquismo "retrai-se, oblitera-se, despeja-se em demonstrações musculares que levam os eruditos a dizer que o colonizado é um histérico"; de modo que ele se compraz "com erotismo nas dissoluções motoras da crise", nessa "orgia muscular" que é seu "relaxamento" e de que "o fenômeno da dança e da possessão" oferece o exemplo perfeito – o mais pacífico também... Ora, todo o valor dessas descrições reside, a meu ver, na própria relação entre seu estilo deliberadamente concreto e a preocupação prática de reestruturação que lhe subjaz:

> o objetivo do colonizado que se bate é provocar o fim da dominação. Mas deve ele também velar pela liquidação de todas as mentiras cravadas em seu corpo pela opressão. [...] Libertação total é a que diz respeito a todos os setores da personalidade. [...] Quando a nação dá a sua arrancada global, o homem novo não é uma produção *a posteriori* dessa nação, mas coexiste com ela, desenvolve-se com ela, triunfa com ela.

Interrompo aqui essa citação capital, que está a ponto de se tornar um pouco excessiva, pois todo o Fanon está nela, na absurda e, no entanto, decisiva exigência que essas poucas linhas testemunham. No prefácio que tive a oportunidade de escrever em 1952 a *Pele negra*, destacava sobretudo esse tema, que tinha me parecido primordial: uma atitude realmente revolucionária consiste em querer a um só tempo a transformação dos homens e das estruturas; se essa evidência me permaneceu cara, foi porque, de tanto considerá-la "autoexplicativa", acabamos chegando ao ponto de não mais levá-la em consideração. Porém, será em vão abordar nossos problemas enquanto não tivermos rejeitado, com a mesma força, o humanismo ardiloso, que remete à consciência pura, e as tentativas de mistificação do cinismo político. A intenção é necessária, o resultado também: é isso que Fanon chama "exigência dialética". E, se observo que essa expressão sinaliza um relativo privilégio concedido à intenção (caso contrário, a exigência teria sido nomeada "necessidade"), sinto-me ainda mais à vontade para me declarar em perfeita consonância com essa atitude, pois é de fato necessário que o objetivo dependa do projeto, que o resultado tenha sido profundamente desejado para poder ser alcançado; e é bem isso que Fanon, dirigindo-se sobretudo aos argelinos, se matava para dizer-lhes, gritava-lhes morrendo – nas últimas páginas do seu último esforço de participação. Fim da citação anteriormente interrompida: "A independência não é uma palavra a exorcizar, mas uma condição indispensável à existência de homens e mulheres verdadeiramente libertos, isto é, senhores de todos os meios materiais que tornam possível a transformação radical da sociedade".

Vê-se o que aqui se tornou essa "dialética do corpo e do mundo" da qual ele nos falava em sua obra anterior, acerca da mulher argelina. Ainda é "a carne argelina desnudada", mas, dessa vez, é o próprio corpo da nação que é incitado a tirar partido de suas provações regeneradoras (porque provenientes de um projeto próprio), para enfim entrar no mundo; para adotar em relação a ele – como outrora uma mulher argelina entrando numa cidade europeia, ou um *fellagha*[4] ferido se confiando a uma técnica herdada do ocupante, ou consciências "árabe-berberes" se unindo ao combate coletivo de tanto manter os ouvidos atentos aos programas em língua francesa da Voz da Argélia Combatente – condutas novas, condutas revolucionárias.

Tal é, me parece, o cerne desse pensamento, o ponto central em que se encontram definidos em conjunto seu equilíbrio e o próprio princípio de seu dinamismo. Fanon é um intelectual e sua cultura filosófica é considerável; mas ele se lembra de ter precisado fazer sua entrada no mundo, reestruturar sua personalidade, acessar a existência inventando sua relação com os outros, a partir da sua situação concreta de negro colonizado. Sartre, Freud e Marx com certeza o ajudaram nisso, na medida exata em que ele também se ajudou, para enfrentar seu problema e não escamoteá-lo. Por mais prestigiosos que fossem a seus olhos, esses pensadores, assim como tantos outros, não precisaram superar nem um passado de escravizado nem a cor da pele; quando falavam em sociedade sem classes ou em reconhecimento do homem pelo homem, tinham em mente os oprimidos, claro, mas algo que eles próprios não eram – apenas tinham necessidade de ser reconhecidos por esses outros homens, que por sua vez precisavam, todos eles, ser reconhecidos por seus opressores, seus próprios irmãos, e cada um deles pela própria consciência. A filosofia branca parece só se preocupar em recompor o mundo (e oferece a mão a todos que, por razões diversas, ainda não fazem parte de sua composição): seu leitor negro, em todo caso, só pode aceitar o convite à condição de ele mesmo se recompor. Ora, é evidente que, se somos brancos, temos também, correlativamente, de nos recompor; mas, convenhamos, não experimentamos a necessidade do mesmo modo que ele, e um fracasso nesse plano seria sempre mais lamentável para ele do que para nós.

---

4 Militante tunisiano ou argelino que, de 1952 a 1962, se insurgiu contra a autoridade francesa a fim de obter a independência de seu país. [N.T.]

Para nós, o esquema é, em resumo, bastante simples: o reconhecimento deve ser recíproco, e pensamos a reciprocidade em termos de igualdade geométrica, de simetria. Graças a uma dupla rotação – realizada de um lado e de outro, e, em sentido inverso, em torno do próprio eixo que nos separa de nossos homólogos de pele negra –, pensamos poder coincidir uns com os outros identificando-nos juntos à verdadeira essência do homem, que evidentemente se encontra além do branco e do negro. Na melhor das hipóteses, nossa consciência pesada, nosso *esprit de finesse* ou nosso senso estético turvam levemente esse esquema, acrescentando um toque discreto de autenticidade, certa indefinição – espécie de homenagem graciosamente prestada pelo conhecimento racional (do Bem, do Verdadeiro, do Belo) à moral prática, às realidades demasiadamente humanas, à obra de arte em sua concreta imperfeição. Por ter sido hegelianizado, nosso platonismo não pode se desinteressar dos infortúnios que permaneceram na caverna. Assim, chegamos, por exemplo, ao ponto de conceber que talvez devêssemos dar os primeiros passos, na medida em que seríamos, para resumir, mais evoluídos – portanto mais "conscientes", portanto mais "responsáveis" – que esses irmãos humanos situados do outro lado do eixo de rotação; nessa admirável inclinação, não demoramos a nos sentir obrigados a assumir o mundo não apenas do nosso ponto de vista, mas do ponto de vista dos nossos parceiros. E o assumimos tão bem que, muitas vezes, eles se apressam em abandoná-lo em nossas mãos, cogitando reivindicá-lo apenas nas grandes ocasiões (colóquios, encontros culturais, negociações de todas as ordens), a fim de, sem conflito, atribuir algum sentido ao que, na França, insistimos chamar de cortesia francesa.

Porém, o que Fanon, bastante oportunamente, nos mostra e nos demonstra é que nosso percurso e o do colonizado não são simétricos, não se pode sobrepô-los, e não podemos, em hipótese alguma, deduzir o percurso dele a partir do nosso, nem inventá-lo em seu lugar, nem mesmo compreendê-lo caso ele se reduzisse a uma formulação.

Peço perdão ao nosso amor-próprio: Fanon vai ainda um pouco mais longe. Ele chega a nos dizer que, em matéria de humanização, cabe ao colonizado desempenhá-la, pois somente ele pode realizar, no plano coletivo, atos reais. Regidos por uma simples "obrigação" de ordem moral, nossos próprios atos permanecem pessoais e, a bem da verdade, não passam de gestos: na melhor das hipóteses, nós praticamos nossas ideias, nós as "aplicamos", nós as transformamos em ações (mais ou menos "boas"), nós visamos ao ato – nos esforçamos para agir – a partir do que pensamos. Mas o colonizado precisa agir primeiro, se quiser conquistar o poder de pensar. Pensar por si mesmo, claro.

Na época de *Pele negra*, na verdade, Fanon era colonizado apenas como "negro", sob a ótica do racismo: ele não era explorado, teve a sorte de escapar da opressão econômica. O que quer dizer que seu problema, ainda que se multiplique mundo afora, não permanece menos individual – as condições socioeconômicas antilhanas dificilmente permitem esperar que ele possa em breve ser posto em termos coletivos. O preço que se deve pagar por um pensamento pessoal, essa consciência sobre a qual pesa sem descanso o olhar antropofágico do homem branco, é ainda, nesse nível, apenas uma ação ensimesmada. As únicas verdades que vão encontrar aceitação a seus olhos são aquelas que tiverem passado por seu corpo, que tiverem queimado sua carne. Assim, Jean Genet, esse outro pária que também precisou reinventar a moral para responder ao desprezo racista do nosso moralismo, disse com franqueza que não é possível defender um pensamento sem antes percorrê-lo "dos pés à cabeça": é que ele teve antes que se perceber desprezado, e esses tipos de elaboração nada têm a ver com nossos malabarismos mentais, nossos jogos de palavras, nossas dores de cabeça.

Abandonamos nossa pele ao dermatologista, nossa carne ao biólogo, nossa coluna vertebral ao fisioterapeuta? Mas nossas ideias carecem de ossatura, de realidade concreta e de sensibilidade. Ainda vivemos? Nossa reflexão, ao menos, não parece afetada: talvez o que ainda nos toca viver só figure sob a forma de certa ideia de vida, uma noção do "vivido" que fabricamos para nós e não paramos de refinar. "O homem branco", diz o provérbio negro, "enxerga apenas o que sabe"; ele perdeu o contato com o mundo ao redor; não tem mais dorso (seu corpo não apreende mais o que se passa detrás dele); e, se mantém uma fachada, parece já ter há muito renunciado a encontrar seu semelhante face a face. Não pretendo fazer o elogio das efusões sentimentais; digo apenas que nosso *tête-à-tête* provavelmente ganharia se assumisse um pouco mais a modalidade "de coração a coração" ou, até mesmo, aqui e ali, de corpo a corpo... Pois, no fim das contas, nós mesmos apenas nos pensamos à condição de nos abandonarmos, como indica tão bem o tema da "encarnação" (ou da "situação", ou do "comprometimento"), segundo o qual nosso pensamento inventa para si uma consistência, tenta "tomar corpo" por meios próprios – admitindo com isso que deixou de se conceber carnal, já situado em seu nascimento, comprometido e como que enraizado desde o instante que toma consciência de si. Mas a ideia da carne não pode encarnar qualquer ideia (assim como a ideia de caridade não pode elevar o coração ou restituir coragem a qualquer um): o espírito europeu, diz Fanon,

> teve fundamentos singulares. Toda a reflexão europeia se desenvolveu em lugares cada vez mais desérticos, cada vez mais escarpados. Assim, tornou-se hábito encontrar aí cada vez menos o homem.
> Um diálogo permanente consigo mesma, um narcisismo cada vez mais obsceno não cessaram de preparar o leito para um quase delírio, onde a atividade cerebral se torna um sofrimento, as realidades não sendo as do homem que vive, trabalha e se forja a si mesmo, mas palavras, agregados variados de palavras, as tensões nascidas dos significados contidos nas palavras.

Ora, não é um adversário quem nos diz: "A Europa fez o que tinha de fazer e, no fim das contas, fê-lo bem; vamos parar de acusá-la e dizer-lhe com firmeza que não deve mais continuar a fazer tanto barulho. Não precisamos temê-la mais; paremos portanto de invejá--la". De Fanon-o-negro a Fanon-o-africano, toda a distância está aqui resumida, e o que aconteceu nesse ínterim é que ele reencontrou o povo argelino: uma coletividade totalmente oprimida, negada do ponto de vista racial e ao mesmo tempo explorada no plano econômico. Ao apoiar a luta armada desencadeada em 1º de novembro de 1954, esse povo dava início a um projeto coletivo, cuja simples existência prometia uma dimensão nova ao esforço solitário de uma consciência não reconhecida, preocupada em pensar o mundo em termos de reconhecimento. A marcha rumo ao humano, à invenção, à concepção do homem deixava de ser uma simples postulação moral: implicava doravante uma conquista real do mundo, na medida em que era, dessa vez, vivida por uma coletividade consciente de si mesma. Podíamos estar certos de que esse corpo não se deixaria ser atravessado, penetrado em seu âmago pelo olhar de todos os que ainda pretendiam manter o problema unicamente no nível da consciência pura, quando o mais ínfimo de seus pensamentos insistia em pautar-se distraidamente pela potência das armas ou do dinheiro.

Fanon recebera a seu modo (mais dolorosamente do que nós, é provável, e talvez também, desde já, mais positivamente) a solidão de uma consciência moral, esse sentimento irrisório de "obrigação" que não obriga a nada porque obriga a tudo – perante tantas outras consciências que não se podem encontrar em tais alturas, mas apenas tendo a oportunidade de se juntar a elas no seio de um projeto comum. Ele teve essa oportunidade; ele de fato a procurara.

E, se é verdade que nunca procuramos o que já "encontramos", é provável que encontremos sempre mais do que aquilo que buscamos: assim Fanon encontrou a violência, que com certeza não era seu ideal de vida. Ele reconheceu essa positividade, e me admira que Fanon-o-negro a tenha concebido e recusado em sua totalidade, nessa situação que foi antes de mais nada a sua – em que tudo concorria para tornar a violência inoperante. "O negro", dizia ele, "ignora o preço da liberdade, pois não lutou por ela" – versão antilhana, a um século e meio de distância, dessa intuição hegeliana segundo a qual "o indivíduo que não arriscou a vida pode bem ser reconhecido como pessoa; mas não alcançou a verdade desse reconhecimento como uma consciência-de-si independente".[5] Mas, se o infortúnio do negro francês aos olhos do Fanon de doze anos atrás é ter sido "libertado pelo senhor", ter sido "agido", não ter estado na fonte da reviravolta da própria situação e ser assim "condenado a se morder e a morder", se a sua situação, enfim, pode ser dita "intolerável" em relação à do negro americano (que luta porque é combatido, que conhece a briga, as derrotas, as tréguas, as vitórias), o mesmo Fanon persiste em preferir a ação à reação: "Dissemos em nossa introdução que o homem era um *sim*. Continuaremos a repetir isso. Sim à vida. Sim ao amor. Sim à generosidade". Reconhecendo, no entanto, que o homem "é também um *não*" (não ao desprezo, à indignidade, à exploração, "ao assassinato do que há de mais humano no homem: a liberdade"), ele conclui, convocando o homem a se livrar do ressentimento, a se tornar "acional", e ele faz desse projeto "a principal urgência daquele que, depois de ter refletido, prepara-se para agir".

Eu nunca poderia expressar o quanto me tocam essas palavras com as quais se encerra o último capítulo de *Pele negra*. O ano era 1952, e o horizonte, para nós, estava bastante fechado: encontrávamos assiduamente os líderes vietnamitas, mas só tínhamos a propor-lhes nossos escritos em apoio à guerra deles; sabíamos que o povo argelino reivindicava sua própria guerra, mas não conseguia convencer ninguém dela; "boiávamos", em resumo, e deploravelmente, mas essa foi nossa única virtude, mantermo-nos otimistas – persistindo em sustentar, contra toda evidência, que havia algo a ser feito, uma ação a ser desenvolvida, um trabalho a ser realizado. E se essas palavras me atingem, não é apenas porque evocam em mim uma antiga impotência, sua dolorosa prolongação por três anos, depois sua viva resolução em um trabalho concreto; é também porque fazem ressoar de novo em nós, nessa espécie de apatia sombria e tagarela em que

---

[5] Georg Wilhelm Friedrich Hegel, *Fenomenologia do espírito*, parte 1, trad. Paulo Meneses. Petrópolis: Vozes, 1992, p. 129.

nos encontramos imersos, o eco da exigência humana – que pouco se importa se estamos ou não "em situação revolucionária".

[...]

Falo aqui de um esforço difícil, que nosso amor-próprio repugna. Pois pensamos em tudo, claro, até na situação de nossos escravos (se não os forçamos a trabalhar, tampouco deixamos de nos beneficiar do trabalho deles), e até nas regras de sua eventual libertação: tendo enfim recebido do marxismo sua significação prática, nossas ciências perfeitas e nossas técnicas incomparáveis nos tornaram capazes de dizer a todo momento tudo o que pode ser dito, no mundo onde estamos e neste ponto da história, sobre qualquer fenômeno humano que se proponha à nossa observação. Certamente, na medida em que levei bastante tempo para me livrar disso, e considerando que nem estou certo de ter conseguido, encaro essa atitude com um ódio profundo. É preciso pensar em tudo, é verdade, a partir do momento em que somos capazes de pensar; mas como fingir que esquecemos que sempre se pensa, no final das contas, aquilo que já foi produzido? Nossa maior desonestidade perante Fanon é, por um lado, fazer dele um "profeta"; por outro, é reivindicar para nós o privilégio da objetividade. Ninguém profetiza, disso sabemos bem; e a compreensão do presente só pode ser favorecida, por indivíduos e coletividades, pela necessidade de projetar esse ou aquele futuro. Quando o projeto tiver sido formulado, devemos, é certo, esforçar-nos para compreendê-lo, mas não podemos inventar a necessidade antes que ela tenha sido, aqui e ali, concretamente vivida. Assim, nossa objetividade está sempre com um atraso de um ou dois compassos – o tempo de nos assegurarmos (estatísticas em mãos) de que a necessidade em questão não era puro capricho e de tentar levar em conta, em seguida, o que os interessados podem ter a dizer sobre isso.

O admirável, em Fanon, é justamente que ele não se preocupa em ser objetivo, está muito mais interessado na solução do problema. "Não me foi possível ser objetivo", já dizia em *Pele negra*. "A objetividade científica me estava proibida, pois o alienado, o neurótico, era meu irmão, era minha irmã, era meu pai." E ele lembrava, em *L'An V*, essa "dificuldade situacional em ser objetivo", essa espécie de obrigação vital que é imposta ao colonizado de rejeitar tanto a medicina como o sistema colonial, a língua e a "presença" francesa, o rádio como a técnica e o pensamento do opressor. A preocupação de ser exaustivo, de levar em conta todos os aspectos de uma situação, de nuançar *ad infinitum* seu julgamento, é um luxo ao qual aquele que é socialmente negado não pode se permitir: "para o colonizado, a objetividade é sempre direcionada contra ele". Essa fórmula irritante está no último livro de Fanon e visa a nossas diversas teologias políticas, na medida em que elas ainda tentam transmitir sua casuística vã àqueles condenados *a priori* por seu braço secular. Nós, ocidentais, temos Deus, é certo, ou o Senso da História, ou a Dialética da Natureza, ou as Superleis Econômicas do Crescimento e do Desenvolvimento – a Verdade, para dizer tudo –, o conhecimento mais íntimo que se possa conceber. Mas as dificuldades que experimentamos em comunicá-la a nós mesmos, a fazer uso dela entre nós, não deveriam nos tornar um pouco mais reservados quando somos tomados pelo desejo de evangelizar o mundo com nossa verdade?

[...]

Esses outros, creio – em se tratando de um projeto revolucionário – estão infinitamente mais bem situados do que nós saberíamos estar. Porque eles precisam de objetividade e nós nos contentamos em ter vontade, a objetividade deles é necessariamente superior à nossa. Por abordarem os problemas com todo o seu ser, por terem sido oprimidos no corpo e na alma, seu pensamento permanece concretamente dialético, quando o nosso não passa de um pensamento da dialética. Por terem vivido na carne, e muitas vezes continuarem vivendo, uma desgraça cotidiana, é para si mesmos que almejam a felicidade, quando para nós basta, quase felizes que somos, esperá-la pacientemente em nome dos nossos netos. Porque foi sua miséria real que contou os dias e mediu as humilhações, é no tempo real que eles sentem a necessidade de percorrer toda a dimensão humana; mas nós, que pensamos já ter trilhado a maior parte do caminho, aceitamos sem muito esforço que daqui para a frente um tempo indefinido possa ser necessário para percorrer o resto. Porque nunca conheceram o tédio, apenas o trabalho, o sofrimento e a raiva, porque precisaram esperar sem trégua, eles concebem a duração como uma efetiva maturação e podem desde já tirar partido dela para amadurecer a todo momento suas diversas libertações; de uma História que só nos concerne muito indiretamente, nós tentamos, em contrapartida, desviar nos refugiando no momento presente, imaginando uma festa inaudita que nunca é a nossa e que podemos apenas substituir, pouco a pouco, pelos prazeres mornos de nossas pequenas evasões. Exagero, brutalizo os contrastes, falta-me objetividade? Quem puder que pense. Sempre tive péssima memória, mas isso não me impede de ouvir novamente na minha cabeça, ou de reler às vezes, os incontáveis céticos que não deram crédito a este ou àquele povo quando ele começava se erguer, e que hoje não hesitam em saudar seu relativo sucesso – opondo-o ao lamentável fracasso de outro que, por seu turno, tenta avançar.

Voltemos a Fanon, a seu sentido dialético dos fenômenos humanos. Sobre o nacionalismo, sobre a cultura, sobre a prática revolucionária, nunca acabaríamos de citar os textos nos quais ele reivindica que tudo seja levado em conta e mostra, na mais desconcertante das linguagens, como é possível dizer, de fato, que tudo está interligado: a violência libertadora e a invenção cultural, a transformação dos homens e do Estado. De uma ponta a outra, encontraremos, irredutivelmente ligados, a descrição e o chamado, a afirmação do progresso e a exigência de avançar, o movimento real e o esforço para suscitá-lo. Essas duas dimensões, bem sei, aos nossos olhos são perfeitamente heterogêneas, e empenhamos toda a nossa honestidade em não confundi-las: nisso carecemos de homens reais (aqueles que ainda são capazes de agir e empreender) porque precisam, evidentemente, tanto manter o que juntos se esforçam para fazer como o que já resultou de suas ações. A objetividade que tornamos um dever e tentamos impor ao outro é a nossa: a de uma subjetividade mais ou menos satisfeita. Carregado por um corpo social em relativo equilíbrio, nosso pensamento tem todo o tempo de hesitar, sobrepesar indefinidamente os prós e os contras. Assim os problemas humanos tornam-se, aos nossos olhos, cada vez mais teóricos: é verdade no que diz respeito a nossos próprios problemas, e ainda mais quando se trata dos problemas dos outros. Convenhamos, em todo caso, que precisamos estar em uma sacrossanta situação de conservadorismo ("sei que uma mudança me faria perder, não estou seguro do que poderia ganhar com ela") para não compreender que na maioria das situações humanas toda descrição supõe certo incitamento: as exigências do homem fazem parte da sua realidade, e somente os estetas que nos tornamos podem ter a ideia de descrevê-la sem ter a preocupação de estimulá-las. A verdade não pode ser a mesma para quem se contenta em gozar dela sonhadoramente e para aqueles cujas necessidades vitais se confundem com a necessidade de conquistá-la. Já em 1959, na derradeira página de *L'An v*, Fanon ousou escrever: "A Revolução profunda, a verdadeira, porque precisamente muda o homem e renova a sociedade, já está muito avançada [...]". Chamemos isso de propaganda ou de falta de objetividade: eu reconheceria aí muito mais, confesso, essa espécie de fé – de inevitável aposta na partilha dos recursos humanos – sem a qual, com certeza, qualquer tentativa de objetificação jamais teria se concretizado entre nós. E se você pensa poder declará-la cega, eu o remeto, por exemplo, a estas poucas linhas, que me parecem especificá-la bastante bem: "Não se deve esperar que a nação produza novos homens. Não se deve esperar que, em perpétua renovação revolucionária, os homens se transformem [...] deve ajudar-se a consciência".

"[O] que é necessário é libertar o homem", escrevera Fanon em seu primeiro livro. "Não se deve tentar fixar o homem, pois seu destino é ser liberto." Se tento compreender hoje, lendo Fanon, a situação do povo argelino, direi que se trata de uma aventura em curso, de um movimento profundo, uma história que está se fazendo, e que as contradições que assombram essa história, a forma com que elas a assombram, me deixam mais otimista – em matéria de "amanhãs que cantam"[6] – com essa Argélia magrebina, e já tão africana, do que com a nossa França, ainda tão francesa. Em todo caso, é preciso ajudá-la até o fim, a essa irmã recém-nascida que por muito tempo mantivemos no limbo, pois hoje já não podemos mais prescindir dela... Enquanto não fizermos nada por nós mesmos, será sobretudo por intermédio dela (tendo nossa família se restringido um pouco nesses últimos tempos) que seremos tentados a manter nossa "influência" sobre este ou aquele setor do mundo que tende cada vez mais a se tornar estrangeiro para nós.

Sem dúvida o povo argelino ainda não foi suficientemente libertado. Mas aposto que ele o será, enquanto nós, graças à civilização, ainda estaremos nos libertando. Talvez então nos venha a ideia de reler Fanon, e talvez consigamos reconhecer, no mais profundo de nós mesmos, essa exigência de que ele fala, sua subterrânea eficácia.

Mas é isso? Estamos realmente condenados a esperar, para descobrir as virtudes da ação, que toda ação tenha, para nós, se tornado vã? Mais ou menos alimentados, mais ou menos respeitados, sentimos, ainda assim, que não é agradável viver nesta sociedade em que vivemos. Muito relativamente ativos diante dela (na medida em que a parasitamos), nós lhe deixamos além de tudo a tarefa de nos contaminar até não poder mais: denunciando-a no nível das ideias, submetendo-nos à sua perniciosa influência no coração da nossa vida; a cada dia, a cada hora nós lhe entregamos as armas, e todas as nossas relações humanas são constantemente infectadas por ela. Em cada um de nós os sintomas do mal já são visíveis: se é relativamente confortável admitir que todo cristão consciente batalha pelo ateísmo, teremos provavelmente mais dificuldade em conceber que todo comunista consciente...

---

6 *Les Lendemains qui chantent* é o nome da autobiografia de Gabriel Péris, deputado comunista fuzilado pelos nazistas em 1941, em Mont-Valérien. [N.T.]

Deus me perdoe; minha observação tinha apenas o objetivo de fazer aparecer, entres os privilegiados que somos, o equivalente de uma necessidade: uma necessidade não material, é certo, mas que deveria ser tão premente, para nossas consciências, quanto a fome para um neocolonizado. Convenhamos, com Sartre, que "a fome é muito mais do que fome"; e convenhamos, correlativamente, que o pensamento consciente é também algo além dele mesmo; Fanon não se enganou quanto a isso, porque sua pele era negra. Se a nossa é branca, e se nosso corpo se porta em geral muito bem, não nos aproveitemos disso para esquecer que esse negro, bisneto de africanos, só resolveu seu conflito quando afinal assumiu sua origem distante pela mediação de um povo, africano mas de raça branca; entre sua própria consciência (branca) e seu próprio corpo (negro), toda dialética – por mais generosa que seja – permanece vã, até o dia em que ele chega, por fim, a se dar um corpo social. Por mais simples que seja o nosso problema em comparação ao seu, não esperemos nos livrar dele de forma diferente: ou nos uniremos a esse proletário europeu que não somos (como a esses subdesenvolvidos que em breve escolherão nos ignorar), ou permaneceremos cativos de nossas altitudes sombrias, que toda luz humana está prestes a abandonar.

Tal é, para nós, bastardos, a única via para o reconhecimento. Não mais do que esse antilhano não era argelino, não somos, é claro, proletários ou subdesenvolvidos. E pouco me importa que Fanon tenha de fato se tornado o que ele pretendia ser, que tenha tido ou não legitimidade plena para dizer "nós" quando falava dos argelinos: o que conta é que ele os compreendeu a ponto de ser aceito por eles. Será que não poderíamos inventar, com todo esse equipamento cultural de que nos orgulhamos tanto, uma forma de solidariedade ativa real o bastante, diante de nossos semelhantes diferentes e por tanto tempo desfavorecidos, para fazer com que esses homens – cujo destino concreto comanda nosso destino "espiritual" – parem de ver em nós, a depender do caso, intelectuais de plantão ou paternalistas de elite? Pois precisamos deles, sem dúvida, muito mais do que eles precisam de nós, e nos gabamos com prazer de "pensar" bem melhor do que eles saberiam fazê-lo. Se tentássemos de fato, por uma vez que fosse, enfrentar com eles seus problemas concretos, ajudá-los a situá-los como sua luta exige que sejam situados? Não me lanço aqui em hipóteses pouco plausíveis, mas seria bom, curaria tão bem nossas tantas neuroses, conseguir um dia trabalhar junto – com esses trabalhadores...

Fanon, tragicamente, nos deixou antes de ter sido possível proclamar essa Independência argelina que ele dava como exemplo à África inteira (a ponto de às vezes interpretar em termos argelinos determinadas situações que pouco se prestavam a isso); deixo aos papa-defuntos de qualquer origem o cuidado de decidir se ele teria se decepcionado com a nova Argélia ou se teria continuado a lutar por ela. O que podemos ao menos lembrar dele é a energia excepcional que manifestou ao longo de sua vida, é a extraordinária saúde de que sua consciência deu provas enquanto um mal ignóbil e incurável começara a corroer seu sangue.

Nos últimos momentos, eu sei, esse mal engendrou um pensamento ruim, um falso pensamento: no hospital de Nova York onde a esperança trêmula que ainda nutríamos de salvá-lo o condenava a morrer longe de seu povo, definitivamente excluído dessa humanidade engajada à qual tinha se entregado, Fanon usou suas últimas forças se debatendo contra uma medicina impotente, que ele desconfiava querer embranquecer seu sangue... Porque essa consciência negra foi tomada por uma leucemia (em termos objetivos: aumento, na composição sanguínea, do número de glóbulos brancos).

Que a ironia atroz da nossa linguagem não nos faça, porém, esquecer de que, se essa existência às vezes assumiu aos nossos olhos contornos mais ou menos crispados, sua principal virtude foi beber – sem trégua e sem reserva – na força vital de que ela dispunha. "O sol que transumo", dizia ele. Nós, que por tão pouco fazemos cara de enterro, que por um sim ou por um não ficamos com ares "sinistros", nós, que sempre parecemos carregar em nossos ombros delicados toda a miséria do mundo e todo o peso de seus pecados, não tentaremos nunca tirar proveito de nossos privilégios senão para aborrecer o mundo e nos complicar a vida? Seremos então para sempre incapazes de nos voltarmos para os outros, e para nossos problemas, trazendo, conosco, um pouco do sol que esse camarada negro brandia em nossa direção?

> Este texto é uma versão editada do posfácio à segunda edição francesa: "Reconnaissance de Fanon", em *Peau noire, masques blancs*. Paris: Seuil, 1965.

TRADUÇÃO Raquel Camargo

INTRODUÇÃO À EDIÇÃO INGLESA DE 2017
PAUL GILROY

Mais de seis décadas depois de sua publicação original, este livro complexo, vertiginoso, revelador, e, por vezes, frustrante, tornou-se, de maneira inesperada, um dos guias fundamentais para o ambiente político em que vivemos. Seus impactos têm sido tão profundos e sua visão crítica e marcante de uma época tem se mostrado tão convincente que sua importância só vem crescendo com o passar dos anos.

Quando lançado, em 1952, *Pele negra, máscaras brancas* chamou pouca atenção e recebeu apenas críticas esparsas. Sua aparição se deu em um ambiente que ainda reverberava os abalos da Segunda Guerra Mundial, um conflito que havia limitado a luta legítima contra o racismo apenas aos esforços antinazistas. Ao adaptar e expandir essa moral geopolítica, Fanon se voltou para as demandas por independência que então floresciam contra o domínio colonial, e o livro carrega em silêncio o selo de um período turbulento que não só viu a Guerra Fria esquentar no Vietnã, na Coreia e na Malásia Britânica como também testemunhou um novo ritmo para o movimento dos direitos civis nos Estados Unidos na véspera do caso que derrubou as bases jurídicas da segregação racial: Brown *versus* Conselho de Educação.[1]

A particularidade dessas condições históricas e políticas foi seminal para uma série de outros textos importantes que se interseccionam com as preocupações de Fanon, e em especial com seu desejo

---

[1] Brown *versus* Board of Education of Topeka foi um caso julgado na Suprema Corte dos Estados Unidos que se tornou célebre por definir como inconstitucional a divisão racial entre estudantes brancos e negros em escolas públicas pelo país. [N.E.]

de realizar uma análise teórica dos aspectos psicológicos e culturais da subordinação colonial. O romance *Homem invisível*, de Ralph Ellison, que compartilha dos interesses de Fanon nas dimensões existencial e psicossexual da subordinação racial, apareceu naquele mesmo ano.

Às obras de Fanon também foram contrapostos os trabalhos realizados por outros expoentes em ascensão de sua geração – e não são menos relevantes as especulações anglo-caribenhas de George Lamming, o ensaísta e poeta de Barbados que viria a compartilhar com Fanon um painel no Congresso Internacional de Escritores e Artistas Negros realizado em 1956 pela revista *Présence Africaine* em Paris. Essas convergências expressam o ambiente político que definiu aquele período decisivo e tornou a realização de um congresso internacional – "diaspórico" – de artistas e escritores negros não só possível como também urgente para a discussão dos aspectos pragmáticos e anticoloniais da política – e, acrescente-se, da política *mundial*.

Reconhecer que Fanon não estava sozinho em seu desejo de direcionar a atenção para a experiência vivida por negros não é nenhum demérito ao sabor e à originalidade particulares de sua intervenção luminosa, cujo início e final são marcados por duas citações atribuídas de modo incorreto a Nietzsche. Sua singularidade se expressa em uma insistência na importância de uma "interpretação psicanalítica da experiência vivida do negro"[2] que surge do complexo de duplo narcisismo e que, por sua vez, lança as bases daquilo que Fanon chama de esquema racial-corporal.

O martinicano de 26 anos era um veterano da Segunda Guerra Mundial. Politicamente engajado e leitor de um pouco de tudo, ele estava concluindo seu treinamento médico e psiquiátrico nos centros metropolitanos do império colonial francês. Seu interesse intelectual era amplo e suas incursões pela filosofia, pela sociologia e pela psicologia eram profundas, ainda que sobre assuntos pontuais. Fanon estava direta e indiretamente familiarizado com as obras de intelec-

---

2 Ver p. 166.

tuais pan-africanistas que haviam fornecido ao movimento Negritude seus fundamentos filosóficos. Césaire, Senghor, Damas e Suzanne Lacascade, Sartre e Merleau-Ponty deixaram marcas em seu trabalho. A influência de Hegel, Nietzsche e mesmo, de maneira indireta, Heidegger também pode ser detectada. De modo revelador, o texto de Fanon permite ver os contornos de um jovem que se bate com os efeitos evidentemente nocivos de sua educação. Mas esse texto somente poderia ter sido produzido por alguém com a resoluta determinação de descobrir novas formas literárias e de expressão científica que poderiam ser adequadas à tarefa de dar corpo a novos objetos de conhecimento e a novas formas de investigação. E é com o semblante sério que ele nos diz que se trata de um "estudo clínico".

O estilo e a pluralidade de vozes característicos do livro foram sem dúvida produto do interesse bem documentado de seu autor pela poesia, pelo teatro e pela dramaturgia, mas também resultaram das circunstâncias incomuns de sua realização. O texto foi ditado àquela que logo viria a ser mulher de Fanon, Josie Dublé, que colaborou como datilógrafa na preparação do manuscrito.

O caráter presciente de sua abordagem sobre a experiência vivida por pessoas traumatizadas, epidermizadas e exploradas como negras é confirmado pelo modo extraordinário pelo qual o texto continua atual. Essa longevidade incomum abastece os leitores contemporâneos de muitos pontos de entrada que não teriam sido valorizados ou nem mesmo notados por leitores de primeira hora, mal equipados para apreciar os "desvios existenciais" envolvidos na internalização no negro de uma personalidade "negra" que era, ela mesma, um artefato da subordinação à branquitude.

Hoje, esses processos são mediados pela tecnologia e dominados pelo poder cultural dos Estados Unidos, um novo tipo de poder diplomático e militar cujas formas embrionárias e emergentes Fanon havia contemplado apenas de esguelha. Redes midiáticas complexas e elaboradas transmitem identidades raciais pelo mundo todo em formas simples e sedutoras, mas genéricas – formas moldadas pela força persistente da segregação norte-americana. Isso significa que os argumentos de Fanon forçam os leitores contemporâneos a confrontar a difícil questão de nossa própria temporalidade. Somos obrigados a nos questionar se a instituição violenta de um mundo dividido em raças deu início a algo parecido com uma época própria, e a refletir sobre onde exatamente deveriam ser situadas as fronteiras conjunturais que delimitam as circunstâncias de hoje. Não podemos deixar de nos perguntar se esses pouco mais de sessenta anos transcorridos desde 1952 constituem uma era fanoniana. Fanon quer que confrontemos a forma como as lutas contra a ordem capitalista moderna e racial organizaram a relação entre nosso passado, nosso presente e nosso futuro. Na verdade, mais do que um regozijo no reconhecimento reconfortante das grandes conquistas negras que precederam o trauma modernizador da África, a destruição dessa ordem racial talvez exija de nós o desenvolvimento de uma perspectiva transformadora e orientada para o futuro que é expressamente proibida pelas engrenagens de aço do racismo governamental e psíquico.

É nosso dever, portanto, não apenas entender a nós mesmos e às novas formas por meio das quais nos conduzimos, mas também nos distanciar sistematicamente dos hábitos do mundo maniqueísta que, sabemos tão bem, paralisam nossa criatividade, embotam nossa curiosidade e corrompem nossa imaginação. Esse gesto de oposição encorajará os primeiros e vacilantes passos rumo à renovação de nosso mundo e à modificação tanto de nós mesmos como de nossa situação por meio da prática insurgente da *desalienação*. Só esse grande esforço poderá dar início a uma humanidade autêntica para além das variedades amputadas e codificadas pela cor da nossa pele que nos são impostas pela ordem colonial.

O aspecto materialista dos argumentos de Fanon insiste com firmeza nas especificidades históricas e políticas das condições que dão vazão às suas investigações e que são apontadas no livro. Ainda assim, a intermitência desse tom autobiográfico e seus argumentos ambiciosos pode nos fazer sentir como contemporâneos de Fanon, apesar das diferenças de nossas circunstâncias econômicas e tecnológicas. Em especial, a agonia, a raiva e, apesar de tudo, a esperança em suas reflexões sobre os mecanismos psicossexuais e o significado do racismo retiveram a capacidade de chocar, mas também de provocar novos pensamentos. Suas exigências destemperadas por um novo humanismo, seu entusiasmo com o potencial revolucionário da curiosidade individual e sua preocupação central com o corpo como instrumento de pensamento crítico radical vêm adquirindo cada vez mais ressonância desde a publicação de *Pele negra, máscaras brancas*.

É importante lembrar que, ainda que esse tenha sido o primeiro livro do autor, ele foi o último a ser lançado nos Estados Unidos, com tradução de Charles Lam Markmann, em 1967. Com isso, o texto teve várias existências em línguas e em ambientes intelectuais diferentes, nos quais seus temas principais (o processo de descolonização e o significado do humanismo, sem mencionar as variedades de análise social psicanalítica e psicodinâmica) chamavam a atenção de modo desigual. O caráter flutuante das respostas a suas ideias, tanto entusiásticas quanto céticas, se deve às muitas falhas de compreensão de certo modo provocadas pelas idiossincrasias da versão "americanizada" de Markmann para o texto. A obra só foi retraduzida em 2004, quando Richard Philcox produziu uma nova versão que, por exemplo, excluiu todas as referências ao "fato da negritude" e ressaltou a ênfase na experiência vivida. Esses problemas bem conhecidos são parte da história da publicação do livro. Mesmo hoje, eles nos alertam a ler e interpretar seus elementos retóricos, poéticos e surrealistas com grande cuidado, a fim de preservar a complexidade e o estilo do original, produzido muito antes do apogeu do discurso Black Power. Mas a aparição do livro numa ordem inusual suscitou outras questões difíceis, que demonstravam, por exemplo, que seu autor havia adquirido um domínio sofisticado de uma análise de classe que passou a se articular cada vez mais no bojo de seus comentários políticos sobre raça, nação, cultura, violência e descolonização. À medida que Fanon se tornava ao mesmo tempo mais visível e mais controverso, verificou-se uma oscilação no interesse despertado por um autor cujos elaborados escritos revolucionários tardios ofereciam uma estrutura interpretativa desafiadora para suas afirmações contundentes e juvenis de outrora. Fica difícil, por exemplo, não se perguntar se seu *tour de force* final, *Os condenados da terra*, já estava antecipado nas formulações mais existenciais e abstratas que caracterizam essa montagem experimental de vozes plurais e de rostos ocultos, mascarados, dos quais elas emergem. A contrapelo dos argumentos do próprio Fanon, a imagem-chave nietzschiana da máscara, caso mal interpretada, também pode sugerir intencionalidade ou instrumentalidade excessiva no processo de implementação das faces e expressões exigidas pela opressão sistemática e pela exploração concebidas por Fanon de maneira nitidamente relacional.

Independentemente de como julguemos *Pele negra, máscaras brancas* em relação a essa escrita tardia, o livro parece estar alojado, bifronte e inconfortável, na junção das culturas políticas francófona e anglófona. Sabemos por Léopold Sédar Senghor e por alguns dos predecessores intelectuais de Fanon que, no alvorecer do século xx, a cultura de liberdade da América Negra havia começado a influenciar e inspirar várias gerações da elite (anti)colonial em diferentes partes do mundo, mas sobretudo aquelas que eram mantidas sob o jugo implacável do domínio imperial.

O pan-africanismo, o Renascimento do Harlem e a ideia fundadora de um novo negro tinham atingido alcance significativo. Figuras como Edward Blyden e W. E. B. Du Bois desfrutavam de uma influência profunda sobre a evolução do movimento Negritude. Ao lado desses relacionamentos intelectuais e filosóficos que ainda hoje não foram completamente mapeados, a cultura afro-americana recém-tornada *commodity* viajava mais longe e mais rápido ao redor do mundo. De início, ela forneceu um motor comercial para a ascensão do entretenimento de massas na Europa. Seguindo os passos da banda dos Harlem Hellfighters do 369º Regimento de Infantaria dos Estados Unidos, comandada por James Reese Europe, intérpretes itinerantes como The Chocolate Kiddies e Josephine Baker reafirmaram a presença do exotismo negro no entreguerras europeu, na imaginação modernista e na cultura popular do Velho Continente. A vida afro-americana era projetada como um verdadeiro espetáculo global por meio do novo fenômeno dos esportes filmados e da expansão do mercado da gravação de músicas, assim como dos meios mais conhecidos da literatura imaginativa.

Pele negra, máscaras brancas toca no assunto da significância de figuras iniciais como Jesse Owens e Joe Louis, cuja notoriedade super-humana tinha começado a transformar o imaginário da publicidade e a alimentar as fantasias de espectadores e de consumidores dos dois lados da linha de cor.[3] Fanon também reconhece a importância sociológica e histórica do pioneirismo de Louis Armstrong na música para as hordas crescentes de ouvintes entusiásticos que, bem longe daquelas terras em que os prazeres transgressivos do jazz haviam nascido, se aglomeravam ao redor de seus fonógrafos.

Os artistas, escritores e músicos que seguiram esses caminhos viriam a contribuir de maneira significativa no pós-1945 para a reconstrução das sensibilidades culturais europeias que haviam sido manchadas por sua cumplicidade com o fascismo. Para além da dívida óbvia com a influência de seu professor nos anos de liceu, Aimé Césaire, o jovem psiquiatra Fanon parece ter respondido em particular à ficção produzida por afro-americanos como Ralph Ellison e Chester Himes, que compartilhavam de seu interesse pela psicologia da raça, se sentiam enclausurados pelas explicações economicistas e eram afiados em suas explorações das intersecções patológicas entre racismo e sexo, entre sexualidade e gênero. Fanon sentia uma atração particular pela literatura psicologicamente carregada do ex-comunista expatriado Richard Wright, cujo trabalho havia sido traduzido para o francês pela

---

[3] O termo *color line*, usado para se referir à segregação racial que continuou a produzir efeitos após a abolição da escravatura nos Estados Unidos, foi cunhado no artigo "The Color Line", escrito em 1881 pelo abolicionista, escritor e estadista Frederick Douglass. Mais tarde, o conceito foi popularizado por W. E. B. Du Bois em seu *As almas da gente negra*, de 1903. Atualmente, seu uso se associa à discriminação racial e à segregação legal experimentadas mesmo após as conquistas alcançadas pelo movimento dos direitos civis dos negros nos Estados Unidos. [N.T.]

Resistência antinazista e cuja companhia Fanon buscou nas zonas de contato[4] intelectuais e interculturais radicais que floresceram em Paris depois da guerra.

Pele negra, máscaras brancas declara o interesse especial de Fanon pelas formas patológicas de amor e desejo que derivam das complexidades psíquicas do domínio colonial. Essa preocupação também deve ser interpretada com cautela. A insistência psicanaliticamente ancorada na profundidade ontológica do sujeito racial revela seu compromisso com uma forma distintiva de universalismo humanista que por vezes não bate com as divisões de gênero e de classe que chamam sua atenção. Essa aspiração a um universalismo apenas poderia ser alcançada depois de um desvio do trauma da subordinação racial e de um acerto de contas com os efeitos do racismo em todos os níveis. Ela foi interrompida e ofuscada pelas configurações peculiares da subjetividade e da identificação de que o governo colonial e imperial dependia. O médico em Fanon sabia que as feridas psíquicas que daí resultavam haviam sido infligidas tanto em negros quanto em brancos. Elas não eram de modo algum intercambiáveis, mas nunca poderiam ser entendidas, e muito menos curadas, sem uma análise da magnitude dessa correlação. Daí a batalha contra o racismo e a destruição da ordem racial exigirem o reconhecimento de que, em um sistema maniqueísta, a humanidade dos dois lados está corrompida e comprometida por ter sido articulada em formas racializadas.

Essa abordagem do dano que resulta do racismo ajuda a explicar os comentários breves mas contundentes de Fanon sobre *Really the Blues*, a narrativa autobiográfica de Mezz Mezzrow, de 1946, sobre sua escolha de passar a vida "aparentando" ser um homem negro, assim como seu interesse pelos ensaios que o coautor de Mezzrow, Bernard Wolf, enviava para a revista de política *Les Temps Modernes*.

4 Conceito introduzido por Mary Louise Pratt em uma conferência inaugural proferida em 1991 para a Modern Language Association, as *contact zones* são espaços sociais que permitem o choque, a interação e a acomodação entre diferentes culturas, frequentemente segundo dinâmicas de poder assimétricas. [N.T.]

Wolfe examinou a psicologia racial dos Estados Unidos pelo prisma fornecido pelas histórias de Tio Remus, de autoria de Joel Chandler. Abordar problemas enormes como aqueles sob esse ângulo incomum nos oferece uma pista adicional sobre o senso de inovação de Fanon quanto aos métodos que viriam a ser necessários para interpretar os sintomas do domínio racial em relação à morbidade subjacente da ordem colonial. Essa perspectiva também mostra como ele estava determinado a estabelecer contato entre as preocupações ainda pendentes sobre os acordos do pós-escravidão e as perspectivas críticas associadas às tradições interpretativas europeias, nas quais o racismo simplesmente não podia surgir como objeto digno de uma reflexão crítica séria. Por mais deficientes que essas abordagens "ocidentais" pudessem ser no que se refere à análise histórica da hierarquia racial e do domínio colonial, elas não desdenhavam do pensamento fenomenológico e especulativo. Nas mãos de Fanon, o resultado dessa confluência foi uma mistura crioula excitante e potente de pontos de vista críticos contrastantes que tinham muito a contribuir para o resgate da integridade moral europeia na medida em que as exigências de seus sujeitos coloniais por independência se transformavam em um clamor irresistível.

A morte prematura do autor, aos 36 anos, não o impediu de capitanear a atenção de muitas outras gerações de ativistas e acadêmicos. De maneira controversa, e à medida que seu trabalho começou a ser lido por um público cada vez mais amplo, Fanon foi muitas vezes pintado como a voz intransigente de uma revolução negra raivosa que se expandia pelo mundo todo. A influente exposição histórica do racismo por meio de seus sintomas sociológicos, psicológicos e filosóficos ainda pode ser lida – apesar dos diferentes tons de classe envolvidos – como um incentivo para que a elite caribenha desencantada se conecte às guerras de descolonização na África e à resistência das "colônias internas" alojadas no seio de países superdesenvolvidos, conforme estas pressionam pela expansão dos direitos civis e humanos de seus habitantes. Isso foi um fato no movimento negro que surgiu no mundo segregado dos Estados Unidos, do qual, em uma série de gestos cosmopolitas, os textos de Fanon extraem uma sequência bastante convincente de exemplos.

Ainda que compartilhe de temas, de objetivos e, acima de tudo, de estilos importantes com seus escritos posteriores, este livro fala àquelas lutas apenas de modo oblíquo, poético e prefigurativo. Os contextos transitórios oferecidos pelo movimento global voltado à descolonização; pelas lutas da Guerra Fria que era tão calorosamente travada em antigos espaços coloniais; pela ascensão do Black Power e, mais recentemente, pela epifania do movimento #blackslivesmatter viram este livro ser relido e reclamado por uma série de opiniões políticas incompatíveis. Todas elas têm sido perspicazes ao vincular a autoridade e a retórica do autor a seus próprios projetos e ao domar sua poética apocalíptica a serviço de esquemas críticos e conceituais discrepantes que algumas vezes parecem estar em conflito com as esperanças e prioridades de Fanon.

Não raro, as ruminações impacientes do autor contra a idiotice daqueles que se permitiram se habituar às incursões raciais de um mundo epidermizado têm sido ignoradas com um silêncio atônito, assim como acontece com seu humanismo bastante fora de moda. Em outros momentos, seu fracasso em se conformar à teologia política do radicalismo on-line do século XXI é explorado em busca de evidências de que Fanon pode ser descartado por seu caráter pequeno-burguês, por sua homofobia e por sua misoginia. Assim, *Pele negra, máscaras brancas* continua a ser alvo de uma contestação amarga, e a história do conflito sobre qual deve ser seu significado forneceu material para ainda outra biblioteca que amplifica o desafio envolvido no ato de decifrar as formulações originais e provocativas de Fanon.

Este livro desafia toda possibilidade de síntese fácil e é manifestamente diminuído por tentativas de encaixe de seus argumentos algumas vezes irresponsáveis em formas já existentes. Sua grande originalidade está no fato de que, consciente de si, ele dá início a algo raro e importante: uma intervenção ousada e inovadora que criou um campo de estudos próprio. Ao acertar as contas com sua educação nociva em disciplinas da medicina, da psiquiatria e da filosofia,

Fanon sondou e consolidou um novo espaço político e intelectual a partir do qual a psicopatologia de um mundo alienado projetada na oposição maniqueísta fatal das raças branca e negra pode não só ser entendida como também desfeita e derrubada. Como já mencionado, Fanon insiste que essas tarefas não deveriam ser abordadas de um modo provinciano. Elas exigem uma perspectiva global, cosmopolita – quando não cósmica –, que radicalize o problema de como a história em si mesma deveria ser medida. Fanon altera o foco analítico de modo decisivo para a inscrição de estruturas racializadas e racializantes na vida psíquica dos sujeitos "pós-coloniais". E, ao fazer esse movimento, adere a uma estratégia de diagnóstico nutrida por seu treinamento médico. Examina com cautela uma série de sintomas antes de elaborar sua abordagem quanto à condição subjacente e causal da qual eles emanam.

Vale reiterar que a perspectiva revolucionária invocada no texto demanda o abandono que, fundado em uma série de princípios, leva à abdicação de todos os métodos familiares e convencionais. Essa perspectiva seria garantida pela criatividade surreal de suas demandas por uma nova variedade de humanismo nascida da liberdade sem precedentes para uma experimentação da vida completamente externa aos códigos alienados da hierarquia racial e do domínio colonial. É fácil apreciar como as iniciativas contra-históricas dos estudos sobre o negro adquiriram um embalo renovado a partir de uma nova esperança que amputava e reduzia formas de humanidade "epidermizada" que pela primeira vez dariam lugar a uma experiência humana autêntica.

Não podemos negar que essa possibilidade humanística é articulada em alto e bom som do ponto de vista do gênero masculino. Ainda assim, seria pouco generoso ler este livro como se a intenção de seu autor consistisse em que os ganhos evidentes e universais fossem limitados por sua visão inegavelmente masculina sobre eles. Fanon apenas identifica a psicopatologia dos vários esquemas racial-corporais do colonialismo em variantes específicas de gênero densamente entrelaçadas, mas firmemente posicionadas. Suas concepções, um pouco como sua abordagem simplificada das questões de hierarquia de classe que mais tarde seriam reconsideradas, são claras, porém não são nem prescritivas nem obstrutivas àquele que elas inspiram e provocam. Seus comentários sobre o gênero também viriam a ser retomados em outras publicações.

Fazendo eco a Marx, o autor insiste em que a obrigação de mudar o mundo deveria ter prioridade sobre o trabalho lento de sua análise. Ainda assim, outro aspecto do apelo que o livro mantém deriva do cuidado com o qual Fanon ressalta sua distância de versões economicistas e reducionistas do comunismo oficial e da Guerra Fria. Embora as ideias de Marx sejam citadas, manipuladas com simpatia e postas em funcionamento de novos modos, elas também são suplantadas. Uma perspectiva marxiana afrouxada e remendada é expandida e atenuada para que possa acomodar as topografias do mundo colonial e as variedades da lei, da guerra e do governo de que ela depende. É absolutamente necessário, ainda que também insuficiente, reconhecer os aspectos econômicos da escravidão e de sua meia-vida violenta. Fanon enfatiza que as dimensões estrutural e subjetiva desses arranjos coloniais precisam ser entendidas como relações *sociais*. As obrigações do trabalho e da exploração são complementadas e qualificadas pelos imperativos de reconhecimento com os quais elas se emaranharam. O problema já não é como a base econômica e as superestruturas política e ideológica vão reagir. As questões relativas à história e à determinação são completamente reformuladas nos lugares em que se percebe que os portais da agência estão encaixados nos batentes ensanguentados da ordem colonial. Mais do que isso, a história do controle racial da Europa sobre suas colônias exige uma noção diferente em função da qual sujeito e objeto sejam diferenciados. Afinal de contas, nesta modernidade, o escravo que busca o reconhecimento de que sua condição é mais do que a de mero objeto em meio a outros objetos representa tanto o trabalho quanto o capital. Assim como os sujeitos coloniais de outros lugares, ele adquire consciência própria por meio do trabalho criativo envolvido em sua própria desalienação e, desse modo, em sua própria libertação. É preciso enfatizar, aqui, que o conceito de alienação em Fanon não é aquele encontrado em Hegel ou em Marx. Tampouco suas noções de liberdade e de emancipação são algo que se intersecciona com o entendimento desses autores sobre as consequências da reificação, da resistência e da libertação. Devemos sempre lembrar que a esquerda se desesperava com os desvios de Fanon. Sua lógica economicista foi contestada por sua noção mais profunda de sociogenia da desigualdade racial, aqui distanciada de qualquer possibilidade de derivação direta da substância essencial da diferença natural. E, contudo, a ênfase de Fanon na sociogenia faz mais do que apenas exprimir a autonomia relativa do racismo como uma miragem ideológica suscetível de explicação científica. Ela é um ato consciente de desnaturalização da ordem racial do mundo. Conforme o corpo epidermizado se torna o objeto primeiro da hierarquia racial, o significado da consciência é hiperdeterminado por sua atenção corretiva à mudança do significado histórico da corporalidade. A ontologia se torna um fenômeno histórico e, assim, apesar de sua aparência fixa, eterna, o equilíbrio instável do esquema racial-corporal pode ser destronado. Ele pode ser facilmente derrubado por meio da reafirmação persistente da dialética real entre o corpo e o mundo.

No entanto, se aqui o marxismo e seu estilo de pensamento deixam a desejar, a ênfase dada pelo Negritude e por outras variantes de nacionalismo negro literário e cultural a aspectos culturais, bem como históricos, e ao que hoje chamaríamos "identidade" é vista com o mesmo desdém por ser superficial demais. A identidade, sempre em construção, é deslocada pela identificação e, então, remapeada psicossocialmente nas configurações de diferença de raça, de classe e de gênero que distinguem a vida na colônia antes de suas reiterações nos circuitos diários dos centros metropolitanos a partir do momento em que os sujeitos coloniais começam a aparecer inesperadamente ou quando suas imagens distorcidas e caricaturizadas enfeitam embalagens de produtos de consumo.

Mais uma vez, o brilho reducionista do maniqueísmo é negado, e Fanon é agudo ao abordar alguns tabus, como o poder das teimosas distinções "intrarraciais" entre indianos ocidentais e africanos, cujas diferenças se dissolviam em clichês simplistas do "negro" [*negro*] e do preto [*black*]. Em resposta a esses mecanismos corrosivos, Fanon refina sua compreensão da ontologia analisando de forma adequada o poder aprimorado dos desejos inconscientes e da identificação. Sua atribuição de profundidade ontológica à figura espectral do sujeito negro é uma conquista importantíssima que garante que seu trabalho continue estimulante ainda hoje. Mas ele não para por aí. Seu desejo de corrigir o desvio existencial resultante da internalização pelo colonizado de sua missão impossível como "negro" culmina em argumentos que podem soar como exortações individualizadas à tomada de controle do próprio destino das garras imobilizadoras de uma história racial ainda não concluída. Muitos de seus leitores de hoje se afastarão desses floreios existencialistas, assim como fugirão da confiança desenfreada de Fanon no potencial exploratório de uma psicanálise reescrita. Hoje há o novo perigo de que as páginas finais do livro sejam lidas de modo perverso como um endosso sonoro aos imperativos neoliberais que negam as consequências duradouras de um passado traumático e que encontram a liberdade apenas na capacidade valiosa de assumirmos nossas responsabilidades. Contudo, essa é apenas uma armadilha deixada pelo Negritude e por um nacionalismo místico que nos engana ao sugerir que há, na retomada de glórias de um passado antigo, uma compensação adequada às injustiças do presente.

Fanon está determinado a não se deixar aleijar pelo peso acumulado de uma história racial dolorosa que não foi escolhida e que definiu os parâmetros dentro dos quais a construção emancipatória do eu deveria se desenrolar. Essa, no entanto, não é a aquisição tardia do eu burguês pelo negro. Ainda que o encômio ao final do livro em prol da encarnação da curiosidade soe desconfortavelmente individualista, Fanon está na verdade em busca de uma variedade de individualismo recém-iluminada pela crítica do racismo e do estar no mundo racializado e alienado. Esse novo modo de posse de si não será a antítese do arriscado trabalho da solidariedade. Ele representa um novo projeto que, nos diz Fanon, será testado pelas exigências que despontam das formas emergentes de conflito em comparação com as quais a desumanidade exterminatória da Segunda Guerra Mundial parecerá coisa de criança. Que presente mais estimulante e mais importante do que esse Fanon poderia ter oferecido a nossos próprios dilemas?

Este texto foi publicado originalmente como introdução à nova edição britânica de 2017: "Introduction", em *Black Skin, White Masks*. London: Pluto Press, 2017.

TRADUÇÃO Humberto do Amaral

SOBRE O AUTOR

FRANTZ FANON nasceu em Fort-de-France, capital da então colônia francesa Martinica, em 1925. Em 1941, teve aulas no Lycée Schœlcher com o poeta e crítico da colonização europeia Aimé Césaire. Em 1944, deixou a colônia para lutar na Segunda Guerra Mundial ao lado das Forças Francesas Livres. Após a guerra, em 1946, mudou-se para Paris, onde fez cursos de biologia, física e química. Entre 1949 e 1951, estudou psiquiatria no hospital Le Vinatier, em Bron, e ingressou em medicina na Universidade de Lyon. Em 1951, estagiou no hospital Saint-Ylie, em Dole. Em 1952, participou do programa de residência em psiquiatria do Hospital de Saint-Alban sob a supervisão de François Tosquelles. Em 1953, aceitou uma oferta para coordenar o maior hospital psiquiátrico da Argélia, o Blida-Joinville, em Argel. Em 1954, com o começo da Revolução Argelina por independência da França, Fanon passou a tratar de combatentes de ambos os lados do conflito. Em 1956, demitiu-se do hospital e expôs na "Carta ao Ministro Residente" sua ruptura com a política colonial francesa. No ano seguinte foi expulso da Argélia e se mudou para a Tunísia. Passou a trabalhar como psiquiatra no Hospital de La Manouba e, posteriormente, no Hospital Geral Charles-Nicolle. No mesmo ano, juntou-se à luta por independência da Frente de Libertação Nacional (FLN). Prestou serviço médico aos revolucionários, treinou equipes médicas, palestrou e escreveu a respeito da revolução – inclusive para a revista *Les Temps Modernes*, editada por Jean-Paul Sartre. Em 1959, representou a FLN no Segundo Congresso de Escritores e Artistas Negros em Roma, incentivando o que chamou de "literatura de combate". No mesmo ano, sofreu uma tentativa de assassinato por parte da Le Main Rouge, organização terrorista do serviço secreto francês que atuava na Argélia. Em 1960 foi diagnosticado com leucemia. No ano seguinte, escreveu *Os condenados da terra* em seis semanas e viajou a Bethesda, nos Estados Unidos, para se tratar do câncer no Instituto Nacional de Saúde, mas faleceu dois meses depois. A pedido da FLN, foi enterrado na Argélia, que conquistou sua independência em 1962.

OBRAS SELECIONADAS

L'An V de la révolution algérienne. Paris: François Maspero, 1959.
Os condenados da Terra [1961], trad. Ligia Fonseca Ferreira e Regina Salgado Campos. São Paulo: Companhia das Letras, 2022.
Por uma revolução africa [1964], trad. Carlos Alberto Medeiros. São Paulo: Companhia das Letras, 2021.
Œuvres. Paris: La Découverte, 2011.
Écrits sur l'aliénation et la liberté, Jean Khalfa e Robert J.C. Young (orgs.). Paris: La Découverte, 2015.
Alienação e liberdade: Escritos psiquiátricos, Jean Khalfa e Robert J. C. Young (orgs.), trad. Sebastião Nascimento. São Paulo: Ubu Editora, 2020.
O olho se afoga/Mãos paralelas: teatro filosófico. Salvador: Segundo Selo, 2020.
Escritos políticos, trad. Monica Stahel. São Paulo: Boitempo, 2021.

Cet ouvrage, publié dans le cadre du Programme d'Aide à la Publication année 2020 Carlos Drummond de Andrade de l'Ambassade de France au Brésil, bénéficie du soutien du Ministère de l'Europe et des Affaires étrangères.

Este livro, publicado no âmbito do Programa de Apoio à Publicação ano 2020 Carlos Drummond de Andrade da Embaixada da França no Brasil, contou com o apoio do Ministério Francês da Europa e das Relações Exteriores.

Cet ouvrage a bénéficié du soutien des Programmes d'aides à la publication de l'Institut Français.

Este livro contou com o apoio à publicação do Institut Français.

Este livro foi lançado por ocasião do mês da Consciência Negra na edição de novembro de 2020 do Circuito Ubu – o clube de leitura e assinatura da Ubu. Saiba mais em circuito.ubueditora.com.br

Dados Internacionais de Catalogação na Publicação (CIP)
Elaborado por Vagner Rodolfo da Silva – CRB-8/9410

Fanon, Frantz [1925-1961]
 Pele negra, máscaras brancas / Frantz Fanon; título original:
Peau noire, masques blancs; traduzido por Sebastião
Nascimento e colaboração de Raquel Camargo; prefácio
de Grada Kilomba; posfácio de Deivison Faustino; textos
complementares de Francis Jeanson e Paul Gilroy.
 São Paulo: Ubu Editora, 2020/320 pp.
ISBN 978 65 86497 20 5

1. Psiquiatria. 2. Racismo. 3. Psicanálise. 4. Colonização.
5. Pensamento anticolonial. I. Nascimento, Sebastião.
II. Camargo, Raquel. III. Título.

2020-2487   CDD 305.8   CDU 323.14

Índice para catálogo sistemático:
1. Racismo 305.8
2. Racismo 323.14

UBU EDITORA
Largo do Arouche 161 sobreloja 2
01219 011 São Paulo SP
ubueditora.com.br
professor@ubueditora.com.br
❚❘ ⓘ /ubueditora